Hombres con los que no me casé

Boulevard

Hombres con los que no me casé

Janice Kaplan y Lynn Schnurnberger

VERGARA
GRUPO ZETA **z**

Barcelona • Bogotá • Buenos Aires • Caracas • Madrid • México D.F. • Montevideo • Quito • Santiago de Chile

Título original: *The Men I Didn't Marry*

Traducción: Albert Solé

1.ª edición: julio 2007

© 2006 by Janice Kaplan & Lynn Schnurnberger
© Ediciones B, S. A., 2007
    para el sello Javier Vergara Editor
    Bailén, 84 - 08009 Barcelona (España)
    www.edicionesb.com

Printed in Spain
ISBN: 978-84-666-3024-5
Depósito legal: B. 26.274-2007

Impreso por LIMPERGRAF, S.L.
Mogoda, 29-31 Polígon Can Salvatella
08210 - Barberà del Vallès (Barcelona)

Al hombre con el que me casé:
Ron, el único amor de mi vida, con todo mi cariño.

JANICE

A mi madre, Marian Rosenthal Edelman,
y a mi marido, Martin, con todo mi cariño.

LYNN

Agradecimientos

Estamos agradecidas en especial a tres personas maravillosas cuyo talento, compromiso y entusiasmo guían nuestros pasos: la notable agente Jane Gelfman, la siempre eficaz editora Allison Dickens y el indomable Kim Hovey, director de marketing en Ballantine. También estamos muy agradecidas a Gina Centrello por el continuo apoyo que ha ofrecido a nuestros libros desde el primer momento. Queremos mostrar también nuestro agradecimiento a Sally Wilcox y a su equipo en CAA, así como a nuestros concienzudos agentes internacionales que se han asegurado de que nuestros libros sean leídos en todo el mundo, desde Madrid a Moscú. Por encima de todo, un millón de gracias a nuestros maridos, hijos, familiares y amigos por vuestra lealtad, cariño y buen humor.

1

Mi marido no espera ni a que hayamos entrado en el coche para soltar la bomba.

Acabamos de dejar a nuestra hija —nuestra brillante, preciosa y queridísima Emily— en Yale, en su primer día de universidad. He conocido a su compañera de habitación, sacado las cosas de sus bolsas de viaje y hecho la cama con esas sábanas finísimas que nos agenciamos durante las maratonianas cuatro horas de compras preuniversitarias en las secciones de Cama, Baño y Más Allá. De acuerdo, admito que no he utilizado las sábanas que compramos Emily y yo. Me he hecho con un juego bastante mejor en Frette, esa tienda tan exclusiva de Madison Avenue, para darle una sorpresa. ¡Caramba, una chica que ha conseguido ser admitida en Yale se merece dormir en unas sábanas de satén de seiscientos dólares la pieza!

Bill, muy en su papel de papaíto siempre pendiente de su niña, bromea con Emily mientras le instala el ordenador y le monta una estantería al lado del escritorio. Si nos encontramos ocupados en nuestras respectivas pequeñas tareas del momento, podremos dejar para más tarde el estallido emocional, que sin duda llegará en cuanto dejemos atrás a Emily y pongamos rumbo a nuestro ahora silencioso hogar. Emily besa a su papi para agradecerle la ayuda, a mí me da un fuerte abrazo, y luego nos promete que va a estar bien. Estamos invitados a salir de escena. En un tono no tan seguro como el suyo, le digo a mi hija que nosotros también estaremos bien. Ahora que nuestro segundo vástago acaba de llevar a efecto su ingreso oficial en la universidad, tal como había hecho antes Adam, su hermano mayor, nuestro nido vacío nunca podrá llegar a estar más vacío.

Al salir de la residencia estudiantil, pasamos junto al punto de «Bienvenida» del consejero de primer curso, una mesa bien provista de montones de mapas del campus, boletines de orientación y dos cuencos, uno de ellos repleto de piruletas y el otro de condones. No sé quién habrá tenido la feliz idea de ofrecer semejante cantidad de golosinas a una edad en la que no cuesta nada ponerse como una vaca. Y oh, Dios mío, ese segundo cuenco lleno a rebosar de esos profilácticos ribeteados especiales en todos los colores del arco iris, que además brillan en la oscuridad. ¿Debería advertir a Emily de que se mantenga alejada de todo chico que ose tocar esos condones modelo Guerra de las Galaxias?

Bill y yo estamos saliendo de allí y me agarro a su brazo mientras respiro profundamente. He temido este día desde la primera mañana en que dejé a Emily en el jardín de infancia, aunque parece que hemos conseguido superarlo.

—Creo que lo hemos hecho muy bien, cariño —digo, sintiéndome muy orgullosa porque no he llorado ni una sola vez.

—Claro que sí. Hemos criado a una chica maravillosa —dice mi marido mientras me acaricia la mano distraídamente.

Bill tiene razón. Tanto él como yo éramos muy jóvenes cuando formamos nuestra familia, y aun así hemos criado a un par de chicos maravillosos, y lo hemos pasado en grande siendo padres. No obstante, ha llegado el momento de que Bill y yo empecemos a vivir juntos nuevas aventuras. Ya tengo planeado un fin de semana dedicado a la cata de vinos y una escapada romántica a un hotel de cuatro estrellas en Vermont, e incluso he conseguido agenciarme entradas para los partidos de los Knicks. Sabía que iba a llegar este momento, así que he aguantado seis años inscrita en la lista de espera para hacerme con ellas.

Miro a mi marido, el agente de cambio y bolsa que ha sabido

triunfar en su profesión. Bill siempre ha sido guapo, pero ahora me doy cuenta de que no lo veía en tan buena forma desde hacía años. Sus flotadores se han esfumado y tampoco queda ni rastro de sus «curvas de bollo», ese nuevo eufemismo procedente de las panaderías y referido al poco de carne extra que cuelga sobre la cinturilla de los pantalones. Sus abdominales podrían salir en la portada de *Men's Health*; bueno, al menos en una de sus páginas interiores. Pero, un momento, ¿qué ha sido de ese proyecto de canas que había empezado a aparecer en sus sienes? Extiendo la mano, acaricio suavemente las ahora muy oscuras patillas de mi marido y río para mis adentros. La verdad es que no me imagino a Bill usando la loción Grecian 2000, pero no cabe duda de que debe de haber hecho algo. Puede que después de todos estos años, mi amor reserve al fin y al cabo uno o dos secretos.

—Bueno, querido, nuestra primera noche a solas —digo, apretando con un poco más de fuerza su robusto brazo—. ¿Qué te apetece? ¿Ese pequeño restaurante etíope que hay en New Haven, o tal vez debiéramos ir a casa inmediatamente y ponerme yo algo cómodo? —Me inclino sobre él para besarle la mejilla, pero Bill ha apretado el paso, y no doy en el blanco.

—Hallie, tengo que decirte una cosa —dice de pronto. Continúa andando, sin dejar de mirar hacia delante.

¡Oh ooh! Mal comienzo para una conversación. Doy un traspié, el tacón se engancha de repente en la acera. «Tengo que decirte una cosa» nunca viene antes de «Te quiero con locura», o ni siquiera de «Me encanta cómo te sale el estofado». No, «Tengo que decirte una cosa» normalmente precede a malas noticias del tipo de «Se nos ha muerto el gato» o «La casa ha ardido hasta los cimientos». ¿O en este caso...?

—Me voy —dice Bill, sin cambiar el paso.

¿Que se qué? Rumio mentalmente ese par de palabras durante unos momentos. Si «me voy» significara que se va para siempre, mi marido, mi compañero, mi pareja durante dos décadas, el hombre que me hizo el amor hace sólo tres noches —¿o fueron cuatro?—, me hubiese hecho sentar antes de soltarme la noticia. Mi Bill, mi dulce Bill, incluso me habría traído una taza de café antes de empezar a hablar.

A menos que ya no sea mi dulce Bill.

Se va.

El tiempo se detiene y me quedo paralizada. Por un instante, el mundo entero se sume en el silencio y el único sonido que oigo es un pájaro en la lejanía, con una persistente y melancólica llamada: «Estarás sola, estarás sola, estarás sola.»

Pero ni siquiera puedo pensar en esa posibilidad. En todo caso, ¿qué va a saber un pájaro? Me concentro y hago un esfuerzo desesperado por malinterpretar a fondo el comentario de Bill.

—Tranquilo, dejamos correr lo de New Haven y cenamos en casa —le digo y, para no quedarme callada, añado a continuación—: puedo descongelar un poco de lasaña o hacer una tortilla. Todavía tengo un poco de brie. Te gustan las tortillas de brie, ¿verdad, cariño?

Bill se detiene, por fin, y se vuelve hacia mí.

—Lo que quiero decir es que te dejo. —Acto seguido hace una pausa y me mira con lo que, estoy segura, él debe de pensar que es una sonrisa bondadosa—. Le hemos sabido sacar partido. Veintiún años juntos en un matrimonio feliz. Eres una mujer estupenda, Hallie. No tengo ningún motivo de queja. Pero ahora he de volver a intentarlo.

¿Qué demonios está diciendo? ¿Cómo que tiene que volver a intentarlo? Eso no colaría ni en el guión de la mejor comedia de Hollywood. Suena como un discurso que hubiera estado ensayando ante el espejo durante días. Pero la película aún no se ha acabado. No puede haberse acabado. Respiro hondo. Apuesto a que hasta sé lo que está pasando. Al igual que yo, Bill está muy afectado porque Emily se ha ido a la universidad y no sabe cómo reaccionar. De hecho, no hay que olvidar que Bill es un hombre. Eso significa que ni siquiera sabe que está reaccionando. Yo soy una mujer, así que me corresponde tranquilizarlo.

—Oye, cariño, todo irá bien —digo dulcemente—. Te quiero. Tú me quieres. Tengo entradas para los partidos de los Knicks, como siempre habías querido. No necesitamos a los chicos en casa para mantenernos juntos.

Él no dice nada, así que sigo hablando para llenar el vacío.

—Me parece que me voy a apuntar en algún curso de alfarería.

Bill me mira raro por un instante, y luego asiente con la cabeza.

—Eso es estupendo, Hallie. Me alegro de que tengas planes. Yo también he hecho algunos planes.

Entramos en el coche y me deslizo a mi sitio habitual en el asiento del copiloto. Voy a poner el cedé del Saint Lawrence Quartet en su interpretación de Hayden, uno de los favoritos de siempre de Bill, pero él lo saca inmediatamente y sustituye a Hayden por algo más ruidoso.

—¿Qué diablos es eso? —pregunto.

—Black Eyed Peas —dice él orgullosamente—. Mi nuevo grupo favorito. Está arrasando y ha alcanzado los primeros puestos en todas las listas de éxitos.

Consigo bajar el volumen, pero las sienes no dejan de palpitarme. ¿Quién es este hombre que escucha rap y se tiñe el pelo que está sentado junto a mí? Durante todos estos años he creído que conocía hasta el último detalle acerca de mi marido, pero se ve que algo cambió mientras yo estaba ocupada trabajando, criando a los niños y comprándole camisas en Brooks Brothers. De pronto me siento estúpida. ¿Qué más se me ha pasado por alto?

La hora y media siguiente transcurre como en una nebulosa, mientras circulamos rápidamente por la estrecha carretera de Merritt Parkway hacia las afueras de Nueva York. Con todas esas curvas tan cerradas que tiene, no sé cómo se las arregla la gente para salir con vida de ella, aunque en estos momentos no estoy segura de que me preocupe mucho saberlo. Con los chicos fuera de casa y Bill a punto de marcharse, ¿qué me queda? Miro por la ventanilla y sólo veo el lúgubre futuro que me espera, y apenas me doy cuenta de que hemos pasado de largo la salida al barrio de las afueras en que vivimos, Chaddick, hasta que comenzamos a entrar en el puente que da a Manhattan.

—¿Adónde vamos? —pregunto.

Bill no me contesta, pero mantiene la boca firmemente apretada y su frente está tan fruncida que las cejas se le han juntado en una sólida línea. Hay algo que todavía sé acerca de mi marido: ese entrecejo de oruga significa que algo se está cociendo.

15

Unos instantes después, Bill se dirige hacia una casa de piedra rojiza en un bloque residencial de los West Nineties y allí se detiene, dejando el coche estacionado en doble fila. Se inclina hacia mí para darme un nervioso besito en la mejilla, y luego me tiende las llaves del coche.

—Ya sabes cómo llegar a casa, cariño —dice, fingiendo despreocupación. Y, como si nada hubiera cambiado entre nosotros, añade—: Conduce con cuidado. Me parece que hay atasco en la Henry Hudson, así que quizá quieras ir por Riverside Drive.

Mi boca se abre, pero no sale de ella ni un suspiro.

—¿No vienes a casa? —consigo farfullar finalmente—. ¿Dónde estamos?

—Mi nuevo apartamento —dice Bill, señalando la entrada de piedra caliza con un movimiento de la mano. E impaciente por huir, sale del coche y recoge del asiento trasero una bolsa de viaje en la que yo no había reparado hasta ese momento.

—¿Tienes un apartamento? —pregunto, atónita.

—En realidad no es sólo mío —dice él. Sube corriendo los escalones que conducen a su nueva puerta principal, y cuando llega allí, se vuelve y añade—: Es el apartamento de Ashlee. Ashlee, con dos es.

Ashlee. Ashlee. Ashlee. Ashlee. Ashleeeee. Dilo el número suficiente de veces mientras permaneces bajo el edredón y comienza a sonar como un grito primario. Gritar es terapéutico. Tanto como darte de cabezazos contra la pared, arrancar el rostro del traidor de tu marido de todas las fotos que tenemos en casa, comerte doce paquetes supergrandes de galletas Oreo —las que llevan dos clases de relleno— en un tiempo récord de dos días (sin acompañarlas de una sola gota de leche), y leerte el montón de números atrasados de *News of the World* que llevaban años acumulando polvo en el sótano. De pronto me veo sin futuro, así que supongo que da igual que empiece a vivir en el pasado. Devoro de cabo a rabo todos los números desde 1989 hasta 1994, y en uno de 1994 leo que el nuevo álbum de Vanilla Ice se está vendiendo como churros y se aventura que nunca pasarán de moda.

¡Ja! ¿Y dónde están Vanilla Ice ahora? Su carrera se derritió más deprisa que un sorbete en verano. Al igual que yo, han sido sustituidos.

No había visto la programación televisiva diurna desde el permiso de maternidad por Emily, y ahora los canales por cable son mi más fiel compañía. Mi gran consuelo de estos últimos cuatro días ha sido saber que puedo pedir a domicilio un collar italiano de estilo bizantino o un broche de tanzanita en talla marquesa a cualquier hora del día o de la noche. Y he pedido que me los traigan, junto con algunas otras cosas. El repartidor de UPS ha venido tantas veces a casa que debe de pensar que soy una compradora compulsiva a la que se le ha adelantado el ataque navideño. Por otra parte, probablemente se pregunta por qué no me he molestado en introducir en casa mi botín. Por desgracia, eso requeriría que me levantara de la cama y bajara las escaleras, y de momento estoy reservando todas mis energías para lo más esencial: reabastecerme de galletas Oreo, por ejemplo.

Hice prometer a Bill que no les contaría a Adam y Emily lo que ha sucedido. Le expliqué que no quería echarles a perder el inicio del año universitario, pero lo cierto es que sencillamente no quiero hablar del tema. Me he dicho a mí misma que esto se parece a lo del árbol caído en el bosque. Si un hombre deja a su mujer y nadie se entera, ¿en realidad la ha abandonado? Aunque debería haber caído en la cuenta de que a mi marido no se le da tan bien eso de cumplir las promesas. Adam ha cogido la costumbre de llamarme dos veces al día desde la universidad para preguntarme qué tal estoy. Por la gravedad de su tono, me preocupa que Bill le haya contado algo todavía más trágico que las novedades habidas en nuestro matrimonio; como quizás, y supongo que eso sí que sería el colmo, que he pillado la fiebre del dengue.

Todavía no tengo del todo claro qué me pasa, pero he llamado al trabajo para decir que estoy enferma, por primera vez en los quince años que llevo de abogada en el bufete de Rosen, O'Grady y Riccardi, la primera y probablemente todavía la única firma judía-irlandesa-italiana que hay en Nueva York. También es la única que me podía contratar a mí, una blanca-protestante-anglosajona, para dar un ejemplo de discriminación positiva. Estamos especializados en casos de discriminación por el motivo que sea y, dado que los almuerzos de negocios habitualmente se hacen a base de kugel, carne de buey con repollo, y cannoli, solemos estar especializados en indigestiones varias. Aun así, el bufete me gusta y yo les gusto a ellos. Siempre he sido capaz de mantener mi semana laboral limitada a cuatro días, y el puesto incluye un buen plan de pensiones y un suministro regular de bicarbonato.

Llevaba años sin gastar un día entero en algo que no fuera trabajar o dedicarme a los chicos, y ya no hablemos de semejante cantidad de días, pero tratar de hacer algo útil ahora mismo sería imposible. Estoy furiosa con Bill, y estoy todavía más furiosa conmigo misma. ¿Cómo ha podido hacerme esto? ¿Cómo he podido permitir que me lo hiciera? No se deja plantado de esta manera a nadie después de dos hijos y veintiún años, diciéndole adiós y que le vaya bien en la vida. ¿Quién demonios se cree mi marido que es, para largarse así, sin ni siquiera una sola discusión? Por el amor de Dios, pero si cuando decidimos renovar la cocina, nos tiramos seis semanas hablando de cuál sería el color que elegiríamos para las baldosas. Él prefería verde oscuro y yo quería blanco, y al final optamos por un espuma de mar con ribete verde. A eso se lo llama compromiso, Bill, y es lo que haces en el matrimonio. El muy cabrón. No sé si quiero que vuelva, o sólo acabar con él.

Vuelvo a hundirme en las almohadas, agotada de tanto repasar una y otra vez la misma jaculatoria mental. Necesito hacer otra cosa, lo que sea. Me pongo la mano delante de la cara. A través de las persianas cerradas entra un poquito de luz, justo para permitirme hacer una sombra chinesca en la pared. Mira, es un conejo.

El sonido del teléfono me devuelve bruscamente a la realidad, que es el único sitio en el que no quiero estar. Apenas le he dirigido la palabra a nadie en una semana, salvo a los chicos y a Bellini, mi mejor amiga. Pero, por la identificación de la llamada, veo que es el socio mayoritario del bufete, Arthur Rosen; un hombre que siempre ha sido un jefe justo. Me doy la vuelta para contestar y apoyo el auricular en el cuello.

Arthur habla de cosas intrascendentes durante un par de minutos, y luego dice:

—Odio darte la lata cuando no te encuentras bien, Hallie, pero tengo una duda sobre el caso Tyler.

Como vamos a hablar de trabajo, busco de mala gana bajo las mantas el mando a distancia, para bajar el volumen a la promoción de la línea de productos destinados al cuidado de la piel que presenta Victoria Principal. No obstante, en cuanto cuelgue, solicitaré un poco de su Gran Crema Secreta para Reafirmar, Embellecer y Recuperar el Contorno Ocular. Me da igual si funciona o no, sólo quiero ver cómo se las han ingeniado para embutir todas esas palabras en un tubito minúsculo.

Concéntrate. Concéntrate. Concéntrate. Escucho la descripción que mi jefe hace del caso. Nuestro cliente Charles Tyler ha sido demandado por acoso sexual, pero con un cierto matiz. La demandante afirma que el señor Tyler le negó un ascenso al que tenía todo el derecho del mundo, para dárselo a otra mujer de su empresa con la que precisamente se estaba acostando. En otras palabras, que lo demanda por estar follando con otra. Intento hacer un par de comentarios inteligentes, pero me concentro sobre todo en no prorrumpir en incontrolables sollozos y contarle a Arthur hasta el último detalle de mi ahora horrible vida. Sin embargo, parece evidente que él se da cuenta de que algo va mal.

—Bueno, Hallie —dice en tono titubeante—, no quiero meterme donde no me llaman, pero llevas casi una semana de baja. ¿Debería estar preocupado por ti?

¿Estar preocupado por mí? ¿Por qué iba a tener que preocuparse nadie por mí? He perdido a mi marido a manos de alguien llamada Ashlee, llevo tanto tiempo guardando cama en mi dormitorio que probablemente ya me habrán empezado a salir úlceras en la espalda, y mi única fuente de nutrición proviene de Nabisco.

Pero todavía no me siento preparada para hablarle de ello a nadie, y por supuesto no a mi jefe, un hombre tan profesional que no supe que había sido padre hasta que me invitó al tercer cumpleaños de su hijo.

—No, Arthur, sólo he tenido... —¿Qué he tenido exactamente? No me gusta mentir, así que le contaré alguna versión modificada de la verdad—. Me han hecho una pequeña extracción. —Y tanto que me la han hecho. Sólo que no menciono que lo extraído ha sido mi marido.

—¿Cirugía menor? —pregunta él.

—Sí, eso. —Cirugía menor. Bill me ha extirpado el corazón.

Colgamos y hago acopio de fuerzas para iniciar mi próxima actividad del día. Pensaba que quería volver a llorar, pero mis conductos lacrimales parecen haberse secado. En vez de llorar, lo que hago es abrazarme las rodillas y encogerme en postura fetal.

—Ashlee, Ashlee, Ashlee —gimoteo, meciéndome adelante y atrás—. ASHLEEEE —gimo con más emoción de la que pudo reunir Marlon Brando para gritar «STELLAAAA».

Ashlee, Ashlee, con sus dos putas es. ¿Y qué edad puede tener alguien que se llama Ashlee, de todas maneras? Apuesto a que será una terapeuta ovolactovegetariana rubia de veintipocos años. En la única llamada de Bill que estuve dispuesta a aceptar, mi marido me explicó que nada de lo sucedido tiene que ver conmigo: aparentemente tiene que ver con vivir la vida al máximo y seguir los dictados de su corazón. Grrr, que no me venga con ésas. No es precisamente su corazón el órgano emisor que le ha llevado a esa dichosa calle Noventa y tres. Ya que ha decidido tener una crisis de la mediana edad, al menos podría haber intentado que la suya tuviese un mínimo de originalidad. Pero veo que en eso es igual que todos los hombres. La casa Porsche da gracias a Dios por ello.

Aun así, me parece que estoy teniendo una respuesta muy original. No he comido un solo kilo de chocolate o visto siquiera una sola película de Meg Ryan. Lo que hago es volverme a poner boca arriba, y esta vez estiro ambos brazos dentro del charquito de luz. Estoy descubriendo nuevos talentos. Ahora el conejito de la sombra está saltando una valla.

Emily acaba de sacarme de mi estado.

—Mamá, acabo de llamar a tu bufete y me han dicho que todavía no has ido a trabajar —dice, cuando telefonea a la mañana siguiente—. ¿Qué está pasando?

Respiro hondo.

—Emily, tengo que contarte una cosa. —Otra vez esa frase. ¿Es mi hija lo bastante mayor para saber que ese preámbulo significa malas noticias?

Aparentemente es lo bastante mayor para saber mucho más que eso, porque enseguida me dice:

—No tienes que contarme nada. Sé que papá te ha dejado. Adam me lo ha contado. Papá se lo ha contado. Y le ha dicho que no lo contara, pero lo ha hecho.

Umm, así que Emily no sólo está al corriente de la situación, sino que me parece que ha empleado todos los tiempos verbales correctos. Pero entonces se me ocurre preguntarme por qué no suena preocupada. Hubiese esperado que al menos derramara una lágrima por la rotura de nuestra hermosa familia.

Pero antes de que pueda preguntarle cómo se siente realmente con todo esto, Emily vuelve a hablar.

—Todavía no tengo muy claro por qué te pasas el día deprimiéndote en la cama. Papá sólo es un hombre. Tu vida no ha terminado.

—Emily, ¿te has vuelto loca? Hablamos de tu padre. ¿Qué estás diciendo?

—Exactamente lo mismo que dijiste tú cuando Paco rompió conmigo. La vida sigue. Hay un montón de peces en el mar.

Claro, pero ahora yo ya no soy gran cosa como cebo. Y eso tampoco viene al caso. ¿Comparar a Bill con Paco, ese plasta tatuado con pendientes que rompió con Emily una semana antes de la noche del baile de fin de curso cuando para empezar nunca tendría que haberse aproximado a mi perfecta y preciosa hija?

—Ya sé lo que estás pensando —dice Emily, quien parece saberlo todo, a diferencia de la mayoría de los adolescentes, que sólo creen que lo saben—. Paco era un novio de tres semanas, y tú llevas una eternidad. Duele. Estoy de acuerdo. Pero tú siempre has sido mi modelo de rol social, mamá. Haces que ocurran las cosas. Puedes seguir adelante con tu vida sin Bill.

—¿Bill? —pregunto sorprendida, sin saber cuándo su papaíto querido se había convertido en «Bill».

—Creo que ayudaría mucho que ambas pensáramos en él sólo como otro hombre —dice Emily con resolución—. Quizá sería todavía mejor que lo llamáramos William. Eso lo alejaría más.

Me está dando el pálpito de que al final Emily se ha apuntado a la clase de feminismo posmoderno. Pero he de admitir que cuanto dice tiene mucho sentido. Comienzo a darle unas cuantas vueltas al nombre en la lengua para comprobar cómo sabe. William. William. William y Ashlee. ASHLEEEE. Emily tiene razón, esto se tiene que acabar.

Estoy admirando la perspicacia y la madurez de mi hija cuando, de repente, oigo unos sollozos entrecortados.

—Un momento, mamá —dice ella, con la voz a punto de quebrársele.

—Mmm, ¿te encuentras bien? —le pregunto.

Lo único que oigo es el ruido de mi hija al sonarse, y me doy cuenta de que está llorando. Se trata de eso, entonces: Emily es consciente de la gravedad de la situación y, aunque intenta ser dura, parece que lo está pasando mal. Ojalá pudiera abrazarla y hacer que se sintiera mejor. Darle un buen abrazo también me ayudaría a sentirme mejor.

—Lo siento, mamá —dice Emily con voz temblorosa cuando vuelve a ponerse al teléfono—. Quiero mostrarme adulta con respecto a ti y a papá, pero no soporto lo que está pasando. No lo entiendo, la verdad. Vosotros dos ni siquiera discutíais.

—Tienes razón, cariño. Pero ¿quién sabe por qué ha ocurrido? Ni se te ocurra pensar en comportarte como una adulta. Ni siquiera los adultos se están comportando ahora como adultos.

—Entonces, ¿quién va a aparecer aquí el Día de los Padres? —pregunta Emily con un hilo de voz. Parece preocupada por el modo en que va a afectar todo esto a su vida, y no la culpo.

—Siempre tendrás un padre y una madre que te quieren. Siempre estaremos ahí —digo, dando la respuesta del manual. Luego me aparto de la página, y añado—: Aunque tu padre se esté portando como un gilipollas.

Emily ríe.

—Se supone que no debes decirme eso —dice, recuperando una parte de su bravuconería anterior—. Pero no pasa nada. Sé lo miserable que debes de sentirte en estos momentos.

—Tampoco ha sido tan terrible. Mi apendicectomía de hace dos años fue más dolorosa. —Aunque al menos me atiborraron de calmantes para la operación.

—Bravo, mamá —dice Emily, tal vez con el mismo exagerado optimismo. De hecho se parece sospechosamente a esas animadoras deportivas a las que tanto despreciaba en el instituto—. ¿Sabes qué deberías hacer? ¿Lo que de verdad te haría sentirte mejor?

—¿Qué?

—Salir de excursión.

—¿Salir de excursión?

—Levantarte de la cama. Hacer un poco de ejercicio para estimular la circulación. Tú no eres ninguna chiquilla asustada. Eres una mujer —me dice Emily.

Sí, soy una mujer. Una mujer abandonada a sus propios recursos. Una mujer cuyo marido acaba de dejarla. Una mujer que no consigue encontrar su dichoso par de Timberlands. Rebusco en el armario por segunda vez. Eh, un momento. Soy una mujer que ni siquiera tiene un dichoso par de Timberlands. Puede que ésa sea la razón de que me haya dejado Bill. Vuelvo a prorrumpir en sollozos.

Pero no, puedo apañármelas. Ahora mi vida consiste en eso, apañármelas. Tengo calzado para correr, zapatillas de tenis, botas, chanclas, playeras, zapatos de tacón para ir al trabajo, zapatos de salón para acudir a los tribunales, y unos zapatos de tacón de aguja que me he puesto exactamente dos veces. Debería ser capaz de subir a lo alto de una colina con alguno de esos pares.

Me ato los cordones de las Nike más resistentes que tengo y meto algo para picar y unas cuantas botellas de agua en una mochila, al tiempo que doy gracias por tener un plan. Pero ¿adónde voy? Ah, sí, ésta es una buena metáfora para mi vida: puedo ir al sitio que quiera. Lo que pasa es que no sé dónde queda eso, o cómo se llega hasta allí.

—¡Te has levantado de la cama! —dice una voz detrás de mí. Doy un grito y giro en redondo, con la mano en el pecho. Entonces veo a mi mejor amiga, Bellini Baxter, de pie en la puerta de mi dormitorio.

—Casi consigues que me dé un infarto —digo.

—Vaya, vamos progresando —dice Bellini—. Mejor un infarto que un corazón roto.

—¿De veras?

Bellini se deja caer en mi cama y asiente categóricamente.

—Con lo del corazón roto, sólo consigues que venga yo a tu dormitorio. Con lo del infarto, enseguida vendrían corriendo todos esos enfermeros tan guapos dispuestos a desnudarte y a empezar a darte masajes en el pecho. Acércame el teléfono. ¿Quieres que los llame?

Niego con la cabeza y me río. Bellini es así. Siempre está pensando. Es la única amiga a la que le he contado lo de Bill; porque, a diferencia de mis mojigatas amigas casadas, ella está soltera y entiende muy bien a los hombres. Por su vasta experiencia, está convencida de que son retorcidos, arteros y nada merecedores de confianza. Pero es lo que hay, claro.

—Te he traído algo para que te sientas mejor —me dice, abriendo una bolsa de compras con la que ha cargado desde los grandes almacenes Bendel de la Quinta Avenida, donde se encarga de gestionar la compra de accesorios.

Conocí a Bellini cuando llegó de Ohio a Nueva York, poco después de dejar su empleo de dependienta en el Kmart de Cincinatti y conseguir un puesto eventual en nuestro bufete. Por aquel entonces todavía era Mary Jane Baxter, pero como estaba decidida a dejar de ser una chica de provincias y quería parecer más sofisticada, se cambió el nombre. Primero se dejó llevar por las buenas vibraciones de la serie televisiva *Sexo en Nueva York*, y pensó en llamarse «Cosmopolitan». Pero le preocupaba que las madres de todo el país pudieran decidir llamar así a sus pequeñinas, así que optó por su bebida favorita, el Bellini; ese nuevo combinado a base de melocotón triturado y vino blanco de aguja que empezaba a hacer furor. Antes, lo habitual era que las madres eligieran el nombre de sus hijas por el mes en que habían sido concebidas, y ésa es la razón de que Estados Unidos se llenara de chicas que se llamaban April o May. Luego le tocó el turno al lugar en que habían sido concebidas, y le dijimos hola a Paris Hilton. Ahora impera lo que estuvieron bebiendo aquella fatídica noche en la cama.

En el bufete, lo de responder al teléfono y archivar las cosas no se le daba muy bien, pero enseguida demostró tener un gran olfato para los accesorios. Bellini nos aprovisionó de clips de colores, y fuimos la primera firma legal de Manhattan que sustituyó sus grapadoras negras de la marca Swingline por los diseños en tonos pastel que tomaban como fuente de inspiración el MoMA. Cuando nos dejó para hacerse con el codiciado empleo en Bendel's, Bellini y yo seguimos siendo buenas amigas, y el bufete dijo adiós con un suspiro de gratitud a los blocs legales de color púrpura pálido seleccionados por ella para volver al amarillo tradicional.

—¿Qué llevas ahí? —pregunto.

—Una nadería salida de las manos de Judith Lieber que espero te haga sentir mejor —dice ella orgullosamente, sacando una agenda con forma de rana en la que relucen pequeñas joyas—. Cualquiera puede consolarte con pastel de manzana o Valium.

La acepto, muy complacida.

—¿De verdad es para mí?

—Bueno, en concepto de préstamo —dice ella—. Nueve mil dólares al por menor. Pero puedes tenerla todo el tiempo que quieras. Está asegurada.

—La última vez que me prestaste un bolso de noche lo llevé a una cena con baile en el Plaza, en compañía de Bill —digo, y las lágrimas vuelven a acudir a mis ojos.

Bellini se apresura a recuperar el regalo.

—Me parece que he metido la pata. Lo siento, querida. Venía a animarte, no a hacerte pensar en ese tarado. —Empieza a rebuscar dentro de una segunda bolsa—. Toma. Pruébate esto. Gafas de sol de Chanel. Me encanta la forma, y Coco siempre es una inspiración para todas las mujeres solitarias, estén donde estén. Su amante la dejó tirada, y ella decidió que ganaría una porrada de dólares creando una firma de alta costura.

Me calo la aparatosa montura de carey.

—Perfectas —digo—. No sé si me ayudarán a construir un imperio, pero al menos ocultarán mis ojos hinchados.

Bellini viene hacia mí y me abraza.

—Se acabó el llorar —dice, mientras me coge un mechón de cabellos y me lo pone detrás de la oreja—. Eres perfecta. Tú no has tenido la culpa.

—Claro que he tenido la culpa —digo—. He repasado mentalmente una y otra vez hasta el último segundo de nuestro matrimonio. ¿Estuve demasiado pendiente de Bill, o no lo estuve lo bastante? ¿Planeé demasiadas salidas fuera, o demasiadas noches en casa? ¿Sería que él odiaba mi nuevo perfume?

—Nada de eso —afirma Bellini con una mueca de simpatía—. Eres una esposa estupenda.

—Entonces no entiendo por qué Bill ha resultado ser tan canalla.

—Bueno, seguro que es algo relacionado con la genética —dice Bellini firmemente—. Pasa a menudo en la naturaleza. Hace poco leí un artículo en el que unos investigadores explicaban que basta con alterar un solo gen de los ratones de campo, que suelen ser la mar de fieles, para que se vuelvan terriblemente promiscuos.

—¿Quieres decir que me tocó en suerte el hombre cuyos genes le pronosticaban ojos azules y unas ganas locas de echarle el ojo a Ashlee?

—Algo así. Ahí es donde deberíamos gastar todos los dólares que invertimos en investigación. Si los científicos pueden alterar los genes de los ratones de campo y los de la mosca de la fruta, ¿qué dificultad puede haber en cambiar los de un hombre?

—Mucha —digo yo con abatimiento.

Bellini suspira.

—En eso tienes razón. Bueno, supongo que ahora lo único que puedes hacer es salir al mundo y buscar un ratón de campo. —A continuación me da un rápido repaso general, se fija en mis Nike, en mis pantalones cortos y en el equipo de excursión reunido deprisa y corriendo—: A juzgar por tu aspecto, ya lo estabas planeando, antes incluso de que yo entrara por esa puerta.

—Me iba de excursión —le digo—. Emily ha pensado que se-

26

ría una buena idea. Me estimularía la circulación y me sacaría de casa.

—Chica lista esa Emily. Precisamente he venido por eso, a sacarte de casa aunque sea por la fuerza. —Hace una pausa y aprieta los labios—. Sabes que por ti haría lo que fuera. Lo que fuera. ¿Quieres que vaya contigo a la excursión?

Me siento realmente conmovida. Viniendo de Bellini, la oferta de adentrarse en la naturaleza para algo que no sea una buena mariscada en los Hamptons es una prueba de amistad mucho más allá de los límites del deber.

—Esos Manolos que calzas no podrían subir la montaña. Pero te adoro por ofrecerte. Y por haber venido. —Le doy un beso en la mejilla, y entonces se me ocurre pensar en ello—. Por cierto, ¿cómo has entrado?

Bellini sonríe.

—Tú me habías dicho que no viniera por aquí y sabía que habías desconectado el timbre. Pero tenía que asegurarme de que estabas bien, así que encontré tu llave dentro del segundo paraguas negro colgado en el perchero a la izquierda del cuarto para limpiarse los pies. —Me guiña el ojo—. Estaba chupado. Es donde todo el mundo esconde la llave extra.

Alentada por la visita de Bellini, caigo en la cuenta de adónde puedo ir. Al menos esta tarde. Me acuerdo de que Bill solía llevar de excursión a los chicos, y me viene a la cabeza el nombre de su lugar favorito. Lo introduzco en el GPS de mi coche. Una hora después, estoy en el atractivo pueblecito de Cold Spring, repleto de preciosas tiendas en las que venden de todo, desde tonterías para adornar la casa hasta auténticas antigüedades. Por un momento se me ocurre hacer un alto en el camino para ver si la joyería de aquí es mejor que las del centro de Nueva York. Pero, no, Emily no consideraría una actividad aeróbica el ir de compras. Por ello, conduzco hasta la base del Taurus, unos cinco kilómetros más allá. Tengo una montaña que escalar.

Salgo del coche, hago unos cuantos estiramientos rápidos y me pongo mis nuevas gafas de sol de la casa Chanel. Estoy tan elegante que puede que incluso consiga atraer a algún ratón de campo perdido en la naturaleza. Claro que no me atrevería a llevarlo a casa sin antes haberle hecho una prueba de ADN.

El cielo está muy azul y, a través del dosel de árboles, el sol motea el sendero que se extiende ante mí. Se respira una paz increíble. No hay nadie a mi alrededor, salvo yo y un par de pájaros que revolotean por ahí, probablemente gorriones. ¿O serán halcones? Para lo que entiendo yo de pájaros, igual son pingüinos. La próxima vez que me apunte a algo, será a la Sociedad Audubon de Observadores de Pájaros, en lugar de al Programa de Recompensas Duane Reade.

La colina es un poco empinada, pero ni siquiera jadeo. Estoy más en forma de lo que creo. Inspiro una profunda bocanada del aire aromatizado por los pinos, que huele mejor que esas velas de sesenta dólares que reparto habitualmente por la sala de estar. Me parece que le estoy cogiendo el tranquillo a esto de salir de excursión. Tampoco es tan difícil. De hecho, esas endorfinas inducidas por el ejercicio de las que tanto se habla últimamente deben de estar circulando por mi cuerpo, porque casi me siento un poco mareada. Bebo un sorbo de mi botella de agua, aprieto el ritmo, y adopto una zancada más resuelta. Eh, quizá debería plantearme lo de ir a hacer expediciones por lugares salvajes. Ésa podría ser la forma de empezar mi nueva vida libre-de-marido, como una montañista intrépida, decidida e independiente. Kilimanjaro, allá voy. El Everest está demasiado visto.

Mi ascensión es rápida y, en cuestión de minutos, parezco estar en la cima. Debería haberme traído una bandera para plantarla. Contemplo con satisfacción la vista panorámica de escarpados riscos rocosos y montañas llenas de verdor. Este campo es el lugar ideal para sentarme y comer. Pero... qué extraño. ¿Tanto alardeaban Bill y los chicos por una subida de siete minutos? Empiezo a quitarme la mochila para tumbarme al sol cuando, a un par de metros de mí, reparo en un letrero de madera: «Sendero a Taurus», y veo que su flecha indica a una vereda bastante más seria, en una colina escarpada. Así que esta pequeña subida sólo era la preexcursión a la excursión. Qué zen. Justo cuando piensas que has llegado, te das cuenta de que sólo has arribado al punto de partida.

Vuelvo a atarme los cordones de las zapatillas deportivas, me ajusto las correas de la mochila, y parto llena de energía y determinación. No tardo en comprender que he de seguir las señales amarillas pintadas en los árboles. Durante los primeros minutos de mi avance, el sendero parece bastante transitado, y aunque las indicaciones en los árboles están más separadas de lo que me gustaría, no me preocupo. Es a medida que me adentro en el bosque cuando el sendero empieza a llenarse de vegetación, y la gruesa alfombra de hojas otoñales oscurece cualquier indicador amarillo que pueda haber más adelante. Hago un alto en el camino y miro a mi alrededor, tratando de orientarme. Ajá. Allí hay una señal amarilla. Reanudo la marcha y atravieso una espesa masa de vegetación que pincha, y consigo abrirme paso por los pelos a través de una masa de zarzales. ¿Seré la única persona que ha llegado tan lejos desde que existen estas montañas? Avanzo cincuenta metros más y, cuando por fin vuelvo a alzar la mirada, el indicador amarillo ha desaparecido y estoy de pie bajo un roble cuyas hojas acaban de empezar a cambiar de color. Al amarillo, maldita sea.

No me voy a dejar dominar por el pánico. Lo único que he de hacer es regresar al sendero... pero, cuanto más lo intento, más parezco alejarme de él. Con todo, esto tampoco es una expedición a la jungla africana que digamos. Me saco el móvil del bolsillo de los vaqueros para llamar a la policía. No tengo muy claro cómo les voy a indicar dónde me encuentro, pero seguramente el grupo de rescate será capaz de localizarme. Abro mi móvil, un modelo último grito en cuestión de tecnología con los que puedes ver vídeos, sacar fotos y llevar tu agenda personal, pero en el visor leo un mensaje de bajísima tecnología: FUERA DE COBERTURA. Por fortuna parece que la cámara todavía funciona. Al menos podré fotografiar mi última hora de vida.

No, he de ser realista. Tengo conmigo agua, además de dos barritas de frutos secos y un sándwich de queso. Y dado el número de Oreos que he estado comiendo últimamente, podría vivir de mi grasa corporal durante los próximos cuatro meses. Animada por el descubrimiento de que mis muslos entrados en carnes pueden ser un auténtico salvavidas, continúo andando, y veinte minutos después llego a otro árbol cuyas hojas también están cambiando al amarillo; aunque, por lo que yo sé, es el mismo árbol y sólo he cubierto un gran recorrido en círculo. Si consigo salir de aquí, me mudaré a Manhattan. Al menos allí todo está puesto encima de una parrilla. Nadie se ha perdido nunca andando desde la calle 62 hasta la 66.

Empiezo a estar cansada y me agacho para hacerme con un bastón de paseo. Extiendo la mano hacia una larga rama caída sobre un montón de hojas y la planto firmemente ante mí. La altura justa. Esto ayudará. Pero, mientras sigo caminando, empiezo a notar un picor en la mano, y bajo la vista para descubrir ¡que tengo el sarampión! Miro más detenidamente. ¡Mierda! Incluso el sarampión sería mejor que lo que hay realmente en mi brazo: varias hileras de hormigas rojas que corretean de un lado a otro. Se están dando un festín con mi carne y avanzan a una velocidad de vértigo hacia mi codo.

Doy un bote, chillo y arrojo la rama por encima del hombro. De pronto, me encuentro atacada por un nuevo enemigo, más grande y todavía más agresivo. Al parecer, la rama le ha dado a un avispero y sus moradoras se han puesto en pie de guerra. Cuando me atacan la cara, grito lo más fuerte que puedo, pero a las furiosas avispas les da igual. Pateo el suelo y corro en círculos, intentando ahuyentarlas a manotazos, pero las avispas se enfadan todavía más y me pican con más vehemencia.

—¡Socorro! ¡Socorro! —grito.

Corro por el bosque sin mirar hacia donde voy, hasta que mi pie encuentra una roca y me caigo de narices en un arroyo. Me quedo tendida allí por un instante, intentando recuperar el aliento. Ésta es la parte de la película en la que se supone que Sam Shepard llega contoneándose y me rescata. Levanto la cabeza, pero Sam debía de estar distraído y no se ha enterado de que tenía que entrar en el encuadre. Bueno, por lo menos las avispas se han ido y el frescor del agua me calma un poco el ardor de las picaduras. La sensación es de lo más agradable. Aplico un poco de barro a las picaduras de mi cara y luego, sólo por si acaso, me pongo un poco en el cuello y los brazos. Si tuviera un recipiente, me llevaría una buena cantidad de ese barro a casa, y así me ahorraría los treinta y siete pavos que gasto normalmente en esa célebre Máscara de Barro del Mar Muerto. La fórmula básica probablemente es la misma, de todos modos. Lo único que tendría que hacer es añadirle un poco de sal kosher.

Paso la mano por el suelo en busca de mi pie, que aparentemente aún está unido a mi cuerpo. Pero el tobillo se me está hinchando. No creo que me lo haya roto, pero está claro que me he hecho un esguince. Entre mi cara y mi pie, soy prácticamente un experimento médico unipersonal. Puede que la Clínica Mayo lo esté investigando en estos momentos: «¿Qué causa mayor hinchazón, las picaduras de avispa o una caída tonta?» Pero intentemos no perder de vista el lado positivo de la situación. Con todas las otras partes de mi cuerpo tan desproporcionadamente hinchadas, al menos mi cintura parecerá esbelta.

Me alegro de que Emily no pueda verme ahora. Pero espero que tenga ocasión de volver a verme. Tengo que salir de aquí como sea. Paso los dedos por el arroyo, y entonces se me ocurre: puede que yo no sea la Chica Naturaleza, pero un arroyo siempre fluye hacia abajo, y seguir esa dirección debería llevarme hacia la base de la montaña y mi bendito coche. Medio caminando, medio arrastrándome, empiezo a seguir el curso del arroyo. Me duele todo y me siento muy desgraciada, pero tampoco es que tenga mucho donde elegir. Cantar canciones de acampada quizás ayude. Gimoteo «Frère Jacques» simultaneando la versión original con la doblada, pero enseguida descubro que cuesta un horror cantarla sola. Paso a «Noventa y nueve botellas de cerveza en la pared» y, por primera vez en mi vida, consigo llegar a la segunda botella.

Pero no llego a la primera, porque de pronto veo la carretera.

Me pongo tan contenta que podría dar saltos. En realidad, no podría. Debido a mi tobillo. Tendré que conformarme con cojear hasta mi coche.

Una vez fuera del bosque, miro carretera arriba y carretera abajo en busca de la pequeña área de aparcamiento donde dejé mi Saab. Suspiro. No hay ningún Saab. Pero hay un letrero que indica hacia Cold Spring, e incluso con mi pésimo sentido de la orientación, comprendo que no he salido del bosque por el sitio en que entré en él, y ahora me encuentro al menos a un kilómetro y medio del lugar en que dejé el coche. Y eso es la gota que colma el vaso. Después de tanta bravuconada, heroísmo y estoicismo, me doy por vencida. Estoy harta de ser una mujer independiente. Es hora de agachar la cabeza y llorar.

Y lo hago. Aquí mismo, junto a la carretera. Pongo la cabeza en mis manos y prorrumpo en ruidosos sollozos.

—¿Se encuentra usted bien, señorita?

Levanto la vista, sobresaltada, y veo que un jeep Cherokee de color verde se ha detenido junto a mí y que un hombre bastante guapo ha asomado la cabeza por la ventanilla. Intento enjugarme las lágrimas, pero lo único que consigo es llenarme la cara de barro.

—He tenido un pequeño problema en el bosque —digo, por si acaso no resulta obvio.

—A ver si lo adivino. Echó a andar por el sendero equivocado. Su coche está aparcado junto a la entrada del parque. Le ocurre a todo el mundo, no crea —dice él bondadosamente—. ¿Quiere que la lleve hasta allí?

Los coches pasan a toda velocidad, y me doy cuenta de que es peligroso estar sentada donde estoy. Por otra parte, dada la suerte que estoy teniendo hoy, ¿cuáles son las probabilidades de que este buen samaritano en realidad sea un asesino en serie? ¿Del noventa por ciento? ¿Del noventa y cinco por ciento? Al menos eso me da un cinco por ciento de probabilidades de llegar a casa sana y salva, lo cual siempre aumenta las probabilidades que tenía hace una hora.

—Gracias —digo, mientras cojeo hacia la puerta de la derecha.

Cuando me dispongo a entrar, él me mira con más atención y ve lo sucia que estoy.

—Un momento —dice, estirando la mano hacia el asiento trasero para coger una toalla.

La pone en mi asiento, como si estuviese protegiendo su cuero gastado frente a una niña de seis años que se ha puesto perdida o frente a un cachorrito meón. Sin embargo, ahora ya nada puede avergonzarme.

—Vivo carretera arriba —dice él, en un intento de hacer que me sienta cómoda si me preocupa subir al coche de un desconocido—. Soy el médico local. Me llamo Tom Shepard.

Le dirijo una sonrisa. Veo que Sam Shepard no podía venir, pero ha mandado a su hermano. Y éste es casi igual de guapo. Alto y con hoyuelos, con ese aspecto ligeramente curtido del hombre que pasa mucho rato a la intemperie. Caramba, si hasta lleva Timberlands. Intento meter mis pies calzados con Nike debajo del asiento para que no se dé cuenta.

—Hola. Soy Hallie Pierpont —digo. Y de pronto cambio de parecer. He sobrevivido un día sola, y voy a sobrevivir mucho más tiempo. Si ya no tengo un marido, no voy a utilizar su apellido—. En realidad, soy Hallie Lawrence —corrijo al tiempo que le tiendo la mano.

—Encantado de conocerla. —Ahora me devuelve la sonrisa—. Pues precisamente el mes pasado un amigo y yo fuimos a pescar con mosca y no paró de hablarme de una amiga suya de la universidad que tenía ese mismo apellido. —Mete la primera y empieza a rodar por la carretera.

—Espero que dijera cosas agradables —ofrezco.

—No pudieron ser mejores. Mi amigo se llama Eric Richmond. ¿Por casualidad no será usted la misma Hallie de la que me habló?

—Podría ser —digo con un hilo de voz.

Tom me mira, sorprendido.

—Vaya, no me diga. ¿Así que conoce a Eric? Quiero decir, ¿no sólo por haber leído acerca de él en *Forbes*?

—No leo *Forbes* —intento decir, aunque parece que tengo algún problema en la garganta.

O esas picaduras de avispa me están causando un shock anafiláctico, o es que me estoy emocionando al acordarme de Eric, mi gran romance universitario, mi primer amor..., con el que rompí en el último curso por razones de las que ya no me acuerdo muy bien.

—Conozco a Eric —digo—. Es decir, lo conocía, vamos. En

otra vida. —Ahora que lo pienso, si no hubiera roto con Eric, habría tenido una vida distinta que probablemente no hubiera incluido subir a esa estúpida montaña.

Tom Shepard me mira, y me entran ganas de decirle que siempre he sabido recoger los platos rotos. Tiene que estar preguntándose cómo es posible que esta mujer llorosa, hinchada, torpona y sucia de barro que tiene sentada a su lado en el jeep sea la misma Hallie Lawrence de la que le ha hablado alguien tan guapo y listo —y que encima es lo bastante rico para que hablen de él en *Forbes*— como Eric Richmond.

—El mundo es un pañuelo —dice Tom mientras entra en el aparcamiento donde me está esperando mi coche, mi querido y bendito Saab.

—Si ve a Eric, dele usted recuerdos de mi parte —sugiero, extendiendo la mano hacia la manija de la puerta a pesar de que me gustaría quedarme sentada aquí un rato y averiguar cómo es que mi rescatador rural conoce a mi novio de la universidad. Dos amigos que han ido de pesca se ponen a hablar de sus antiguas novias. ¿Le habrá contado Eric lo de aquella noche en que pillamos una trompa de malta escocés —él ya tenía buen gusto incluso entonces— y dormimos juntos en la playa?

Desgraciadamente, Tom, como la mayoría de los hombres, no sabe leer la mente. Y en lugar de responder a la pregunta que no he formulado, dice:

—¿Necesita algo más? ¿Podrá llegar a casa sola?

—Claro —digo yo, intentando que mi voz suene como la de la Hallie decidida y segura de sí misma que yo era en la universidad. De hecho, la Hallie decidida y segura de sí misma que era hasta hace unas semanas.

Intento no torcer el gesto mientras llevo a cabo las maniobras necesarias para salir de ese jeep que queda tan elevado desde el suelo y descargar el peso sobre mi tobillo dolorido.

—Oiga, me ha salvado usted la vida —le digo a Tom—. Nunca podré agradecérselo lo suficiente.

—No hay problema. Pero quizá debería pasarse por alguna farmacia y comprar un poco de Benadryl antes de ir a casa. Esa cara no tiene muy buen aspecto.

En un primer momento me siento insultada, pero luego me echo a reír.

—Gracias, doctor —digo.

Claro, tampoco estoy como para que me saquen fotos, pero el día no ha sido tan horrible después de todo. Perdí la batalla con las avispas y la gran colina, pero he sobrevivido y estoy aquí. Y lo mejor de todo: ahora me voy a casa.

Tom se despide agitando la mano mientras se aleja, y yo meto la mano en el bolsillo de mi chaqueta para coger las llaves del coche. Cuando descubro que no están allí, busco en mi mochila y voy sacando el contenido pieza a pieza. ¿Dónde pueden estar? Dedico unos instantes a pensar racionalmente, y entonces las localizo: a buen recaudo en el asiento delantero del Saab.

Suspiro. Una aventura tras otra.

2

Utilizo mi móvil ahora operativo para llamar a la policía local y explicarle mi problema.

—¿No podrían darme ustedes el número de teléfono de algún cerrajero? —sugiero.

—Tranquila, señora. Enviaremos a alguien —dice con determinación el sargento que atiende la centralita.

Los delitos tienen que ser bastante raros en Cold Spring, porque apenas me ha dado tiempo a cortar la conexión cuando tres camiones de bomberos con la sirena puesta al máximo de volumen, dos coches patrulla del pueblo lanzados a toda velocidad y un policía de tráfico montado en su moto llegan como una exhalación para salvarme. La partida, sin embargo, no incluye una ambulancia, así que me imagino que tendré que comprar el Benadryl por mi cuenta.

Cuando anochece, al fin estoy en casa. Meto mi ropa sucia de barro en la cesta de la colada y mis Nike irrecuperables en el cubo de la basura. Plantada ante la nevera, acabo con el poco de Nutella que me quedaba, directamente del tarro. Se me ocurre que cuando le agradezca a Emily su recomendación a salir de casa, le ahorraré los detalles menos espectaculares de mi día de independencia, como el hecho de que para regresar a casa he necesitado de un hombre generoso al volante de un jeep y de todo el equipo de rescate de Cold Spring.

Pongo los conciertos para violonchelo de Vivaldi, me envuelvo el tobillo con una bolsa de hielo, y deslizo con mucho cuidado el resto de mi maltrecho cuerpo en un baño caliente perfumado con esencia de jazmín. Con el pie colgando en el borde de la bañera, me pongo una tranquilizadora bolsa de gel en la cara y agito los dedos entre las burbujas espumosas. Voy cerrando los ojos, y finalmente empiezo a relajarme.

Pero, naturalmente, suena el teléfono. Debe de ser uno de los chicos. Todas las madres saben que cuando tus chicos llaman desde la universidad, coges el teléfono inmediatamente. Si dejas que suene sin responder a la llamada e intentas telefonear pasados cinco minutos, puedes tener la certeza de que te verás remitida al limbo del buzón de voz, también conocido como infierno maternal. Así que planto los brazos en los lados de la bañera, mantengo mi tobillo lesionado extendido ante mí, e intento incorporarme. Logro sacar mi cuerpo de la bañera junto con unos diez litros de agua, y atravieso a toda velocidad el suelo de mármol de Carrara en dirección al teléfono que está sonando en el dormitorio.

—*Aló* —digo, impaciente por charlar con uno de mis hijos.

Oigo un clic y luego una profunda voz masculina.

—Hola, Hallie Lawrence Pierpont. Ya sé que no estabas esperando esta llamada, pero ¿puedo disponer de un minuto de tu tiempo?

—No, no puede disponer de un minuto de mi tiempo —respondo airadamente. Maldición. He salido de la bañera para atender a un teleoperador—. Ni siquiera puede disponer de un segundo de mi tiempo —añado venenosamente, preparándome para incrustar el auricular en el soporte.

Pero entonces oigo una risita.

—Así que no has cambiado, Hallie. ¿Sigues siendo tan sexy como solías ser?

Oh, Dios. ¿Será posible? En un acto reflejo, bajo la vista hacia mi cuerpo desnudo y llevo a cabo un rápido inventario. El estómago está bastante plano y no me cuelgan los pechos, pero los muslos están de buen ver. Empiezo a pasarme la mano por la cadera. Eh, espera un momento. ¿Estoy hablando con quien pienso que estoy hablando?

—Perdone, ¿nos conocemos de algo? —digo mansamente.

—A Tom Shepard le dijiste que sí —dice él con una retumbante voz de barítono.

El agua gotea de mis piernas para caer sobre la alfombra persa del dormitorio. Empiezo a temblar incontrolablemente, pero quizá no sea a causa del frío.

—¿Eric? —pregunto con un hilo de voz.

—Soy yo. Espera un momento —dice él.

Oigo un ruido de fondo consistente en voces ahogadas y luego a Eric diciéndole a alguien que en este momento está ocupado y que la llamada del embajador tendrá que esperar. Bien. Han transcurrido veinte años desde que hablé con él. No debería hacerme esperar otro minuto.

—Bueno —dice Eric cuando vuelve al auricular—. ¿Cómo ha ido todo?

No estoy segura de cuál es el marco temporal que estamos utilizando. ¿Se refiere a desde que bajé del coche de Tom o a desde la última vez que lo vi?

—Cuéntamelo todo —me insta él.

Veamos, no cabe duda de que he pasado por unos cuantos puntos culminantes en mi vida posterior a la universidad. Estudié en la Facultad de Derecho de Columbia, escribí tres artículos para publicaciones jurídicas, y defendí un caso ante el Tribunal Supremo. Vale, era el Tribunal Supremo del Estado, pero marcó un precedente. Inicié a Adam y Emily en la filosofía infantil de Mommy & Me y Gymboree, los lleve a muchos partidos de fútbol y estuve en su ceremonia de graduación del instituto. Aprendí a hacer pan de plátano. Conseguí leerme, por fin, el *Ulises* de Joyce. Y logré deducir cuál es la cañería que tienes que cerrar cuando se te empieza a salir el agua de la lavadora.

¿Por dónde empezar, pues?

—Tengo dos hijos maravillosos —le digo—. Tuve un matrimonio magnífico hasta que el muy capullo se fue de casa. —Respiro hondo—. Y desde que Tom mencionó tu nombre, me he pasado el día entero pensando en ti.

Oh, no, ¿realmente he dicho eso? No pretendía flirtear. Me parece que he estado casada durante tanto tiempo que he perdido mi retardante censor de seis segundos, el que sirve para filtrar lo que vamos a decir antes de soltarlo.

Está claro que a Eric no le ha molestado que le dijera eso.

—¿No has pensado en mí ningún otro día que no sea hoy? —me pregunta en un tono que se podría calificar de sugerente.

Descubro que estoy sonriendo.

—Puede que hayas pasado por mi cabeza unas cuantas veces más.

—Eso ya suena más prometedor —dice él.

—Bueno, ¿y qué has estado haciendo? —pregunto.

—Lo realmente interesante es lo que voy a hacer el próximo fin de semana —dice él, ignorando la pregunta y dejándose de rodeos—. Voy a acercarme a Nueva York. Acabo de comprar otra segunda residencia en el piso sesenta y siete del Time Warner Center, con una vista de doscientos ochenta grados de la ciudad.

—Lástima que no pudieras permitirte la vista de trescientos sesenta grados —me río.

Hay un silencio al otro extremo de la línea. Al parecer he puesto el dedo en la llaga.

—Era el único apartamento que quedaba libre —dice Eric en un tono bastante seco.

—Estoy segura de que de todos modos será precioso —digo apaciguadoramente—. Sé que, en estos momentos, el Time Warner es la dirección más buscada de la ciudad.

—¿Por qué no vienes a verlo? —dice Eric—. Te enseñaré el apartamento, y luego podríamos disfrutar de una buena cena. Hay dos restaurantes fabulosos en el edificio. Per Se siempre es bueno. O Masa. Elige tú.

Eric no está viviendo exactamente encima de un chino barato especializado en comida para llevar. Per Se es tan exclusivo que necesitas presentar un extracto de tu situación financiera sólo para hacerte con una reserva. En cuanto a Masa, dos personas no pueden comer allí por menos de quinientos pavos. Y es sushi. Ni siquiera cocinan el pescado.

—Me encantaría. ¿A qué hora? —pregunto, sorprendida de oírme acceder tan deprisa. Está claro que el filtro sigue desconectado y voy a salir con un hombre.

—Más o menos a la hora de la cena. Te llamaré cuando llegue, y puedes venir entonces.

—Estupendo. De acuerdo, tienes una cita. Es decir, nos encontraremos allí —digo, enmendando rápidamente mi osada afirmación. ¿Tenemos una cita? Probablemente no. Mejor suponer que Eric está casado y sólo quiere quedar con una vieja amiga para ir a cenar.

—Perfecto —dice él.

Me pongo a jugar con mi pelo mojado, retorciéndome un mechón alrededor del dedo.

—Antes de que nos veamos, al menos tienes que contarme algo sobre tu vida —digo—. ¿Dónde vives cuando no estás en Nueva York? ¿Estás casado? ¿Tienes...?

Me disponía a preguntarle si tiene hijos, pero me doy cuenta de que tendré que esperar y descubrirlo personalmente. Como su misión está cumplida, Eric corta la conexión tras la palabra «perfecto».

Al día siguiente, mi tobillo está mejor y mi cara casi ha vuelto a la normalidad, aunque, francamente, se podría argumentar en favor de la hinchazón. Al menos rellenaba las líneas en mi frente. Podría volver al bufete, pero ya le he dicho a Arthur que voy a tomarme la semana libre. Y tengo un plan para hoy. Éste es mi nuevo lema: «No te cabrees, házselo pagar.» He decidido que me sentiré mucho mejor si, en lugar de deprimirme, le hago algo completamente despreciable a Bill.

Bajo al sótano y selecciono *El club de las primeras esposas* en una caja llena de vídeos antiguos. Después de veinte minutos, saco la cinta. Demasiado insulsa. Lo que necesito es *El padrino*. Qué gratificante pensar en Bill y en Ashlee que despiertan con una cabeza de caballo muerto en su cama.

Entro en el Google, tecleo «venganza» y me asombra ver aparecer diez mil cuatrocientas treinta y dos páginas referentes al tema. Es evidente que se está edificando toda una industria de muchos millones de dólares sobre la idea de que en lugar de poner la otra mejilla, lo que deberías hacer es abofetear la de alguien. Las mentes emprendedoras de la red se han apresurado a intervenir, y ofrecen regalos que nunca se les habría pasado por la cabeza entregar a los de UPS: flores muertas, cacas de perro... y, para aquellos que no reparan en gastos, boñigas de vaca suministradas por la Central Lechera Hereford (entregadas a domicilio, calentitas y recién salidas del horno). Una de sus ideas me parece realmente magnífica. Según esa página web, si introduzco gambas congeladas en la varilla de una cortina del apartamento de Ashlee, pasadas dos semanas el olor a pescado podrido hará el lugar completamente inhabitable. Ella y Bill podrán contratar a todos los fumigadores, exterminadores o detectives privados que quieran, que nadie descubrirá jamás el origen de esa peste. Qué guay. Un nuevo uso para la gamba que prescinde de la salsa de cóctel.

Leer sobre la venganza parece haber bastado para obrar el milagro. Ahora puedo dejar de pensar-en-eso, porque sé que tengo opciones a sólo un clic de distancia. Además, ¿verdad que la mejor venganza es vivir bien? Y evidentemente vivir bien es lo que voy a hacer el próximo fin de semana. Per Se, Masa, Masa, Per Se. Puede que Eric y yo cenemos en uno y tomemos el postre en el otro, y después... bueno, que nos bebamos la última copa en su apartamento. No, no voy a ir allí. Quiero decir que iré a su apartamento, pero me niego a pensar en lo que podría llegar a ocurrir después. Ya hace dos décadas de nuestro amor universitario y han cambiado mucho las cosas. Olvidas que quizás esté casado, me digo. ¿Y si se ha quedado calvo?

Antes de mi cita con Eric, tengo otro compromiso en el que pensar: mi puesta de largo en una fiesta a la que no iré acompañada (aunque me parezca un poco ridículo ponerme de largo a los cuarenta y cuatro, después de veinte años de matrimonio). Echo mano de la invitación que mi vecina Rosalie Reilly me envió hace un par de semanas. Rosalie animaba a todos los padres de la clase de graduación del instituto al que iba Emily con una nota escrita a mano en caligrafía de pan de oro: «¡Ahora que nuestros pajaritos han echado a volar, os ruego que vengáis a nuestra Fiesta del Nido Vacío!» La nota reposaba en un nidito de pájaro hecho con rafia. ¿Quién sino los críos de cinco años, los pacientes mentales y las madres solitarias tienen suficiente tiempo libre hoy en día para las artes y los oficios manuales?

Conduzco hasta la casa de Rosalie porque en las afueras existe una ley no escrita contra el peatón, a menos que lleves un perro al final de la correa. Como Rosalie vive al doblar la esquina, termino aparcando prácticamente en mi acceso privado para automóviles.

Llamo al timbre y me aliso la vistosa falda de lunares que llevo, elegida con la idea de presentar el aspecto más animado posible. Voy armada con una botella de Cabernet y una historia que me servirá de tapadera.

—Qué alegría de verte —dice Rosalie, mientras me besa en cada mejilla en la puerta.

Entra y deja el vino en la mesa del vestíbulo, en una hilera anónima formada por otras doce botellas de regalo. La próxima vez pondré una sutil «X» en la etiqueta, y así sabré cuántas fiestas tienen que transcurrir antes de que la botella termine volviendo a mi casa.

—¿Dónde está Bill? —pregunta Rosalie.

—Esta noche está en la ciudad —digo, sin mentir.

Porque no veo la razón de decir nada más. No me siento preparada para todos los chasquiditos de lengua conmiserativos y los «oh, pobrecita» que sin lugar a dudas suscitaría mi historia. Todo el mundo se sentiría fatal por mí, e incluso serían sinceros cuando me ofrecieran consejo y los nombres de unos cuantos abogados especializados en divorcios. Pero mañana mi desgracia hubiera sido el gran tema de conversación a la hora del café con leche.

Me dirijo a un grupo de padres que están de pie, todos ellos madres y padres de amigos del instituto de Emily, de cuando ella asistía a las clases para alumnos avanzados. Del mismo modo que han formado una camarilla los aspirantes a las mejores universidades, también lo han hecho los adultos. Miro a mi alrededor y me doy cuenta de que todos los adultos presentes en la fiesta están agrupados de acuerdo con aquello en lo que destacaron sus hijos. Los padres de quienes sobresalieron en los montajes escénicos gesticulan teatralmente los unos con los otros de pie junto al bar. Los de los deportistas están bebiendo cerveza en la cocina, armando mucho jaleo y criticándose afablemente. Y aquellos cuya progenie perfumaba el instituto con los aromas de la marihuana están sospechosamente reunidos en el patio, haciendo Dios sabe qué. ¿Encendiendo porros y hablando de tratamientos de rehabilitación, quizá?

—Hola, Hallie —dice el coro de padres con inclinaciones académicas en cuanto me uno al círculo. Le sigue una ronda de besos.

—¿Dónde está Bill? —pregunta Steff Rothchild (madre de Devon, ahora en Cornell).

—Eso, ¿dónde está Bill? —se hace eco Amanda Michaels-Locke (madre de los gemelos Michael y Michaela, Princeton y Holstra, respectivamente. Michaela tuvo muchos problemas durante el último curso).

—Bill, eso es. Esta semana no lo he visto en nuestro tren habitual de las 7.42 —salta Jennifer Morton (madre de Rory, Duke).

Bill, Bill, Bill. ¿Ésta es la superconversación que obtengo de los padres intelectuales? Mejor me voy al porche.

—Está en la ciudad —digo, con toda la jovialidad de que soy capaz: cuatro palabras que espero me permitan sobrevivir a la velada.

—Vaya, se ha quedado a trabajar hasta tarde —dice Steff chasqueando la lengua. (Ya salió ese ruidito acusador, y eso que no conoce las últimas novedades)—. Pues no le dejes. Cuando los hijos se han ido, los mariditos y las mujercitas tienen que estar juntos. —Desliza el brazo alrededor del de su marido, con la sonrisita llena de petulancia propia de una mujer que con toda seguridad pasa demasiadas tardes escuchando los consejos matrimoniales del doctor Phil en la televisión. Su Richard da un trago al vodka con tónica.

—Muy bien dicho —susurra Jennifer—. No queremos que nuestros hombres se descarríen.

El vodka con tónica debe de habérsele ido por el conducto equivocado, porque Richard se atraganta y empieza a toser.

Una leve sonrisa cruza el rostro de Amanda, y me rodea con un brazo.

—¿Así que todo va bien entre tú y Bill? —pregunta solícitamente—. ¿No echáis demasiado de menos a Emily y Adam?

—Estamos perfectamente —miento.

Justo entonces, la pelirroja Darlie llega corriendo encaramada sobre los diez centímetros de tacón de sus sandalias Jimmy Choo, y luciendo una minifalda Gucci tan diminuta que probablemente apenas haya quedado sitio para poner la etiqueta del modisto. La media docena de brazaletes de oro que lleva resuena ruidosamente en su muñeca y, a su manera, su collar de diamantes es igual de ruidoso. Pero, claro está, nada relacionado con Darlie, la tercera esposa del rey de las importaciones-exportaciones Carl Borden, es sutil.

Incluida su razón para reunirse con nosotros.

—Hallie, me he enterado de lo de Bill y tú —pregona con una voz tan estridente que el labrador dorado de Rosalie, tumbado al fondo, suelta un gañido de dolor.

¿Son imaginaciones mías, o todo el mundo acaba de dejar lo que estaba haciendo para averiguar qué tiene que decir nuestra siempre atrevida Darlie?

—Abandonada, abandonada, abandonada —exclama ella, cerrando la mano sobre mi brazo con una firmeza tal que sus garras pintadas de escarlata se me clavan en la carne—. No puedo creer que Bill te haya dejado así.

Ahora, los padres que habían estado agrupados por las actividades de sus hijos tienen un interés más común. Yo. Todos se acercan a enterarse del notición.

—¿Pero qué estás diciendo? Bill sólo se ha quedado en la ciudad esta noche —dice Steff. No puedo decidir si está saliendo en mi defensa o sólo quiere animar a Darlie a que siga hablando.

—¿Soy la primera en saberlo? —pregunta Darlie orgullosamente mientras pasea la mirada por la habitación. Sacude la cabeza—. Bill se ha ido de casa y está viviendo con esa Ashlee. Ashlee con dos es. Me quedé horrorizada cuando lo supe. Ella sólo tiene veintiocho años. Es ligeramente mayor que vuestros hijos.

—Emily sólo tiene dieciocho años. Ashlee es el cincuenta por ciento más vieja que ella —digo, como defensa, aunque no sé por qué estoy intentando defender a Bill.

—Lo que tú digas —dice Darlie, que no tiene intención de discutir sobre ecuaciones matemáticas. Aunque sí parece encantarle la geometría, pues sigue hablando de triángulos—: De todos modos, no tienes de qué avergonzarte: Bill ha elegido bien. Ashlee es preciosa, con esos enormes ojos castaños y ese cuerpo tan perfecto. Dios, esos abdominales. Moriría por esos abdominales.

En ese momento pienso que ojalá muriera por esos abdominales. De hecho, ahora mismo sería un momento muy apropiado para que lo hiciese. Sé que debería mantener la boca cerrada y marcharme, pero no me puedo contener.

—¿Larga melena rubia? —pregunto, intentando confirmar la imagen que no ha dejado de obsesionarme durante las dos últimas semanas.

—No, algo menos corriente. Finas capas cortas que parecen bailar cuando se mueve. Un pelo fino y brillante. Ashlee podría servir para un anuncio de Herbal Essence.

Ah, sí, ese anuncio de champú en el que la modelo se lava el pelo y tiene un orgasmo. ¿Qué le hubiese costado parecerse a la mujer del anuncio de esa terapia hormonal contra la pérdida de estrógenos? La que no sigue la terapia, quiero decir.

—¿Cómo te has enterado? —pregunto mansamente.

—Ashlee es mi monitora personal en Equinox. Hace un tiempo mencionó que estaba teniendo una aventurilla con uno de sus clientes. No quería hablar de los detalles, pero, al final, la semana pasada me lo contó todo. Lo siento, Hallie, de verdad. Sabes que te adoro, pero Ashlee es guapísima. Desde que la conozco siempre he querido que encontrara a su hombre.

Se me ocurre que ojalá «pudiera haber encontrado» a un hombre que estuviera libre, en lugar de uno que tiene una familia, dos hijos, un ficus, tres peces tropicales y, además, da la casualidad de que está casado conmigo.

Entonces todo encaja súbitamente. El regalo de cumpleaños que le hice a Bill el año pasado, para que volviera a sentirse joven, consistió en diez sesiones con una monitora personal en Equinox. Según parece, una monitora personal de pelo reluciente, saltarín y nivel orgásmico. Para que luego hablen de plantar las semillas de tu propia destrucción. ¿Por qué no me limitaría a comprarle una corbata en Lord & Taylor?

Ninguno de los invitados que hacen corro a nuestro alrededor ha abierto la boca desde que Darlie empezó a contar su fascinante historia. Pero ahora Steff farfulla:

—¡No me lo puedo creer!

—Sí, es terrible —dice Amanda—. Quién iba a imaginar que Bill sería capaz de hacer algo así.

—Olvídate de Bill —dice Steff—. Richard acaba de firmar un contrato de un año con Equinox. Mañana mismo lo cancelo. Si quiere hacer ejercicio, siempre puede caminar.

Las otras mujeres del grupo asienten solemnemente. Tengo el presentimiento de que la tienda de artículos deportivos del barrio agotará mañana las existencias de cintas de correr. Todas las esposas de por aquí van a instalar un gimnasio doméstico.

A la mañana siguiente, me encuentro plantada frente al gimnasio Equinox en la calle Cuarenta y tres, a sólo un par de manzanas del despacho de Bill. Confieso que no sé cómo he llegado aquí. Si le ocurre algo horrible a Ashlee cuando yo entre, le echaré la culpa de ello a mi estado de confusión mental. Más de uno se ha librado de que lo encontraran culpable de asesinato alegando que había comido demasiados Twinkies, así que después de la información que obtuve de Darlie anoche, ciertamente puedo alegar que sufría de estrés postraumático. Tampoco es que vaya a necesitar una defensa muy complicada. Sólo con que haya tres mujeres casadas en el jurado, saldré absuelta.

Ya puedo visualizar el cruel asesinato que voy a cometer. En cuanto esté cara a cara con Ashlee, sacaré de mi bolso una elegante pistola plateada. No, espera, olvidaba que estoy a favor de la no violencia. Nunca he empuñado un arma de fuego. No sabría distinguir entre una Beretta y un birrete, y nunca iría por el mundo con ninguna de esas dos cosas. (Llamadme hipócrita: creo en el control de las armas de fuego, pero cuando estaba en la universidad siempre me entraban ganas de liarme a tiros con todos los que llevaban birrete.) Rebusco en mi bolso. Ni tijeras, ni pinzas para los pelitos, ni lima de esmeril para las uñas. Podría subir a cualquier avión en el país. Lo máximo que puedo hacer es atacar a Ashlee con mi trocito de papel de lija. Perfecto, le haré polvo la manicura.

Una vez dentro, fulmino con la mirada al tipo con el pelo cortado al uno que espera detrás del mostrador de registro a que le enseñe mi tarjeta de miembro.

«Hola, vengo a matar a Ashlee. ¿Podría decirme por dónde anda?» Gracias a Dios, sólo lo pienso. No llego a decirlo.

—¿Puedo ayudarla en algo? —pregunta él, flexionando los bíceps como si tal cosa cuando ve que yo sigo plantada ante él sin abrir la boca.

Ahora que lo pienso, en realidad no quiero matar a Ashlee, ¿verdad?

«Sí, sí que puede. ¿Le gustaría ganarse un dinerito extra? Verá, es que necesito contratar los servicios de un asesino a sueldo.»

Estoy bastante segura de que en realidad no digo eso en voz alta, tampoco.

—Me gustaría echarle una mirada... al gimnasio —digo, cambiando el final de la frase antes de que se me escape que vengo a echarle una mirada a cierta monitora personal de pelo saltarín especializada en robar maridos.

—Estupendo —dice él alegremente, enfocándome con su sonrisa perfecta blanqueada por el láser—. Está usted de suerte. Si se inscribe hoy, puedo ofrecerle un paquete increíble: un veinte por ciento menos en la matrícula, un dieciocho por ciento menos en la tarifa mensual durante el primer año, y un doce por ciento menos el segundo año. Más dos alisamientos gratis.

—De momento no —digo. Aunque quisiera inscribirme, antes necesitaría hablar con el presidente de Citibank para que me evaluara esa oferta.

—Pero es una promoción estupenda —dice el chico abrillantado al tiempo que sacude la cabeza—. Expira a mediodía. No querría que se la perdiese. Parece usted tan agradable. —Pone significativamente la mano sobre la mía.

Vaya, conque Ashlee no es la única que se dedica a seducir clientes por aquí. Supongo que con toda la competencia que hay para hacerse con la clientela, los gimnasios necesitan ofrecer algo más que unas cuantas máquinas de ejercicio para que te inscribas.

—Bueno, en realidad esperaba que me ofrecierais un día de prueba gratis —digo, pensando en que este gimnasio ya me ha salido bastante caro.

—No hay problema —dice él, rellenando rápidamente un pase y tendiéndomelo.

Abro la boca para preguntar dónde podría encontrar a Ashlee, pero al final no lo hago. O es que no puedo soportar hacerla venir o estoy intentando no dejar rastros. Si Ashlee va a acabar muerta hoy, no quiero dejar pistas que puedan llevar hasta mí.

Entro en el vestuario a cambiarme. Casi puedo oír al fiscal del distrito sacándole jugo a la metedura de pata de la asesina. Dado que se me ha ocurrido traer conmigo la ropa de hacer gimnasia, añadirá premeditación a los cargos.

Me pongo una camiseta blanca de algodón y me sacudo el pelo. No, en realidad no la voy a atacar: soy abogada, mi arma es la razón. Me mantendré racional y tranquila y le explicaré por qué esto es un pésimo negocio para todos. Nadie va a salir ganando. Incluso si a Ashlee no le preocupa destruir mi familia, yo puedo argumentar que esto es un tremendo error desde su punto de vista. ¿De verdad quiere a un hombre cuya idea de dárselas de *gourmet* incluye las palomitas de maíz adquiridas en bolsas gigantes? ¿Está preparada para una vida de regalos de aniversario comprados en el Todo a Cien? Ella es joven y tiene todo el futuro por delante. No necesita a un hombre mayor que está casado, toma Lipitor, y se resiente de la espalda cada vez que saca la basura. Vaya lista. Ahora que pienso en ello, puede que yo tampoco necesite a un hombre así.

Súbitamente llena de valor, voy hacia una joven del personal de Equinox que está guardando sus cosas en una de las taquillas.

—¿No sabrá usted por casualidad dónde puedo encontrar a una monitora personal que se llama Ashlee?

—Claro, está ahí dentro —dice ella, y señala una habitación para cambiarse oculta por una cortina.

—¿Ashlee? —llamo, con voz firme y afable.

—Soy yo. Un momento.

—No hay prisa —digo, mientras intento controlar mi respiración, que de pronto se ha vuelto demasiado rápida.

Realmente no hay ninguna prisa. ¿De verdad quiero tener este enfrentamiento? ¿En qué estaba pensando?

De pronto, la cortina se aparta y veo un pelo reluciente. Es Ashlee, de carne y hueso. Decididamente en carne. Está contenta, toda sonrisas, y perfectamente desnuda. Y además es perfecta. Tiene el cutis terso, los pechos erguidos y —no es que yo esté mirando, cuidado— la ingle un poquitín depilada al estilo *bikini wax*.

—¿Me buscaba? —pregunta alegremente—. Iba a entrar en la ducha.

Intento responder, pero me he quedado sin habla. Adiós a todo eso de ser sensata, madura, y decirle cómo tiene que llevar su vida. Ahora lo único que quiero es dar media vuelta y salir huyendo por la mía. Pero lo menos que puedo hacer es asegurarme de que la situación se vuelva real para Ashlee. Meto la mano en el bolso y, con una floritura, cojo la foto de familia que llevo a todas partes dentro de la cartera. No el típico retrato en el que posas, sino esa en la que los cuatro estamos haciendo el tonto en la playa de Nantucket, el verano pasado. Mirando a los ojos a Ashlee, saco la foto y se la tiendo.

—Toma —digo—. Esto es lo primero en lo que deberías pensar cuando estás con un hombre casado.

Ashlee le echa una buena mirada a lo que le he dado. Parece perpleja, y luego me devuelve la foto.

—Oiga, no sé quién es usted, pero de verdad que necesito ducharme. Gracias por enseñarme eso. Hasta luego.

Se va impertérrita, el pelo oscilando suavemente, las caderas meneándose y, maldita sea, sin una sola oscilación en los muslos libres de celulitis.

Su compostura me ha dejado muy sorprendida. ¿Ninguna clase de reacción? Vaya aplomo que tiene. Bajo la vista hacia lo que tengo en la mano, y en lugar de ver a mi familia haciendo el tonto, me encuentro ante un logotipo: CLUB DE SAM. MIEMBRO # 4555683310967. Trago saliva. ¿Eso es lo que le he dado?

Mortificada, vuelvo a guardármelo en el bolso, justo al lado de la foto que pretendía enseñar. Esta noche durante la cena, Ashlee deleitará a Bill con su historia sobre la chalada que iba por el gimnasio enseñando su tarjeta del Club de Sam.

Me pongo recta e intento recuperar un poco de autoridad. Agito el dedo en el aire tras su espalda en retirada.

—No lo olvides nunca, Ashlee —digo—. Siempre compro en las rebajas.

3

Me apresuro a salir de Equinox, convencida de que he hecho el ridículo. Ahora lo único que quiero es meterme en un agujero y desaparecer. O al menos meterme en la cama y esconderme bajo la colcha. Pero ya he pasado demasiado tiempo allí, y lo único que he sacado en claro es un montón de migas de galleta entre las sábanas.

¿Y qué otra cosa puedo hacer? Está claro que no estoy en condiciones de formar parte del mundo civilizado. Tampoco es que este mundo, sobre todo el rincón habitado por Bill, parezca demasiado civilizado en estos momentos. No puedo creer, además, que le haya dicho a Eric que vamos a vernos. ¿Qué me hace pensar que puedo hacer frente a una velada con un hombre, cualquier hombre? Me he comportado como una boba con Ashlee, y haré lo mismo con Eric. Tengo que cancelar la cita.

Camino un rato y me detengo en la esquina de la Quinta Avenida con la calle Cincuenta, sin saber qué hacer. ¿Me voy a casa o sigo adelante?

Bill ha encontrado a alguien más joven, más bonita y con una mejor depilación de ingles que yo. (De hecho, cualquier depilación de ingles sería mejor, dado que nunca he llegado a hacerme ninguna.) Esto es lo peor que le puede pasar a una mujer de mi edad, ¿verdad? Pero quizás haya otra manera de verlo. ¿No dicen que cuando una puerta se cierra, una ventana se abre? Quizá debería empezar a buscar ventanas abiertas. Y, maldita sea, si resulta que todas están cerradas a cal y canto, intentaré forzarlas.

No quiero poner fin a este matrimonio. Yo era feliz, o creía que lo era. Pero mi matrimonio se ha esfumado y no puedo desandar lo andado. Lo único que puedo hacer es seguir adelante. ¿Y qué sitio mejor para empezar que con alguien a quien ya conozco?

Voy a Saks con la idea de prepararme para mi cita-encuentro-velada —o lo que sea que voy a tener— con mi antiguo novio. Ashlee puede tener un aspecto magnífico desnuda, pero yo estoy decidida a tener un aspecto magnífico vestida.

Subo a las boutiques del cuarto piso y selecciono varios pares de zapatos, todos ellos de más de trescientos dólares, para probármelos. A la porra con las rebajas. Si por fin vuelvo a tener algo que esperar, al menos haré las cosas como es debido. Además, comprar zapatos al peso nunca da buen resultado.

—Decididamente este par —dice el vendedor gay del pelo erizado, después de que yo me los haya probado todos y esté de vuelta en el par número dos. Gira la cadera y me pasa un brazo por encima del hombro—. Son absolutamente fantásticos, puros zapatos «fóllame».

Me planto delante del espejo y contemplo esos Christian Louboutin que te dejan los dedos atractivamente expuestos al aire y tienen unas plumitas minúsculas (que seguro que se caerán) para acariciarte el empeine. ¿Zapatos «fóllame»? No estoy muy segura de qué espero exactamente de la velada con Eric, pero desde luego no es eso. Por otra parte, la verdad es que son unos zapatos fabulosos. Fóllame, no me folles. Qué puñetas; me los voy a comprar.

¿Estoy intentando impresionar a Eric? Nunca hice eso en los viejos tiempos. En aquel entonces pensaba que Eric era inteligente y gracioso y atractivo y romántico, pero sabía que yo también lo era. Cuando se fue a Stanford a estudiar Ciencias Empresariales, yo aún no había terminado la universidad y ni loca se me hubiese ocurrido trasladarme a través del país para seguir a un hombre. Además, los cinco mil kilómetros que había entre nosotros me proporcionaban una buena excusa. Sí, yo adoraba a Eric, pero en el fondo quería tener nuevas experiencias. ¿Cómo vas a elegir al primer tipo del que te has enamorado para pasar el resto de tu vida con él?

Eric había ido reapareciendo en mi mente a lo largo de los años. Me enteraba de lo bien que le estaban yendo las cosas, y a veces imaginaba que, si me hubiera casado con él, mi vida estaría llena de fiestas y viajes alrededor del mundo. Me veía alojándome en hoteles de cinco estrellas en Venecia y pidiendo suntuosos desayunos con champán al servicio de habitaciones en Cannes, en lugar de (como hacía con Bill) ir a la cafetería de enfrente para experimentar el color local. Color local, un cuerno. Mi marido simplemente es un rácano.

Viernes por la mañana, zapatos preparados, empiezo a pensar en la hora a la que debería vestirme. Eric dijo que quedaríamos para cenar, pero no sé qué hora es la de cenar para él. Cuando mis hijos eran pequeños, se cenaba a las cinco, pero si Eric ha pasado mucho tiempo en Europa, podría pensar que la cena es a las once. Opto por no arriesgarme: voy a comer tarde, pero estaré arreglada pronto.

A eso de las cuatro, me meto en la ducha y luego inicio el (para mí) raro proceso de aplicarme algo más que colorete y lápiz de labios. Casi nunca me pinto los ojos, pero, ya puestos, me parece que esta noche debería hacerlo. En el tocador de mi cuarto de baño desentierro un polvoriento tubo de rímel negro Maybelline, del año 2001 más o menos, que me costó 4,99 dólares. No es que tenga una pinta impecable, vamos. En el cuarto de baño de Emily encuentro un elegante recipiente de Lancôme Définicils Pestañas Largas Volumen Extra, en tono azul marino, que se dejó olvidado cuando se fue a la universidad. Decididamente es más actual y de mejor calidad. ¿Qué hago, uso mi viejo Maybelline lleno de grumos o cometo lo que para las revistas femeninas es el peor de los delitos, compartir el rímel de otra? Bueno, Emily es mi hija, y todo el mundo dice que tiene mis ojos, así que no veo razón por la que yo no pueda tener sus pestañas.

En una hora me he puesto hasta el último maquillaje que he podido encontrar, y paso a la sección Vestirse de Noche. Me decido por unos pantalones negros que me hagan parecer delgada y no dé la impresión de que he decidido poner toda la carne en el asador. ¿Qué me pongo encima? El suéter de casimir amarillo claro es bonito, pero ¿y si hace calor en el restaurante? Extiendo la mano hacia la blusa rosa, que es preciosa, pero ¿demasiado delgada, tal vez? Vuelvo a dejarla en su percha. Justo al lado cuelga el satén negro, pura elegancia neoyorquina. Yendo negro-sobre-negro estaré preparada para cualquier fiesta o funeral repentino en el SoHo.

Suspiro. Eric no ha telefoneado, así que tampoco tengo que decidirlo inmediatamente. Voy por la casa llevando mis pantalones negros, mis zapatos «fóllame-no me folles» de trescientos dólares, y mi sujetador de encaje Lejaby. Me miro el reloj: las seis y cuarto. Esperaba haber tenido ya a estas alturas noticias de Eric. Qué boba he sido al no pedirle su número de teléfono para poder llamarlo. Quizás el avión haya llegado con retraso, aunque no sé de dónde viene. Por lo que sé, Eric podría estar cruzando el Hudson a bordo de un kayak.

Me siento a mi escritorio, pensando en trabajar un poco. Miro un artículo de una publicación jurídica, pero las palabras bailan ante mis ojos. Con un memorando enviado por Arthur me pasa exactamente lo mismo. Pago un par de facturas y respondo a unos cuantos correos electrónicos.

Son las siete y media.

Esto es ridículo. Descuelgo el teléfono para llamar a información, pero Eric no está registrado y no sé el nombre de su empresa. Cuelgo y empiezo a dar vueltas por la habitación. ¿De verdad estoy sentada al lado del teléfono, esperando a que me llame un hombre? No hacía eso ni siquiera cuando tenía dieciséis años. Soy una mujer adulta que ha triunfado en su profesión, y ahora heme aquí, yendo de un lado a otro con mi sujetador de encaje y poniéndome un poco más nerviosa con cada segundo que pasa. ¿Qué es lo que reduce a todas las mujeres a adolescentes cuando se disponen a acudir a una cita? Y ni siquiera sé si esto es una cita.

Me muero de hambre, así que bajo a comer un yogur desnatado. Sin darme cuenta, mi cuchara termina en el vaso de helado de chocolate a la crema. Vale, no tomaré postre en la cena. Además, me da que la repostería japonesa de Masa tampoco es una maravilla.

Masa. Per Se. Eric tiene que haber hecho una reserva en alguno de los dos. Finalmente se me ocurre una idea constructiva. Llamaré y averiguaré a qué hora se nos espera.

Pero las dos llamadas se estrellan contra un muro.

—Lo lamento, señora, la lista de nuestros clientes es confidencial —me dice el maître de voz impasible que responde al teléfono en Masa—. No puedo revelar esa información.

En Per Se, me ponen con tres personas distintas, pero obtengo el mismo resultado. Ahora va a resultar que los restaurantes son más herméticos que la CIA. Cualquiera diría que le estabas pidiendo al Coronel los ingredientes clasificados del Kentucky Fried Chicken.

Frustrada, cuelgo y repaso mentalmente la conversación con Eric. Estoy segura de que dijo que llamaría alrededor de la hora de cenar. Y que iba a llegar este fin de semana. Oh, mierda. ¿Por qué di por sentado que «fin de semana» significaba viernes?

A las once, tengo bastante claro que Eric no se refería al viernes.

Y estoy en lo cierto. Cuando Eric llama por fin, le contesto con voz de sueño y son las dos de la madrugada, así que oficialmente ya es sábado. Aún vestida, debo de haberme quedado dormida en el cómodo sillón de mi dormitorio, leyendo *Cuando les pasan cosas malas a las mujeres que eran la mar de felices en su matrimonio*.

—Hallie, soy Eric. Siento mucho llamar tan tarde —me dice en cuanto consigo hacerme con el teléfono—. Mi piloto no ha aparecido y he tenido que esperar dos horas a que viniera otro.

—Eso ha tenido que ser increíblemente frustrante para ti —digo yo, intentando compadecerme de las tribulaciones que acarrea tener tu propio avión privado.

—En fin, el caso es que acabo de llegar de Londres. Vives en el 21 de Oak Street, ¿verdad? —pregunta él.

—En el veintisiete —digo automáticamente. Me levanto y cruzo la habitación con el inalámbrico en la mano, intentando desperezarme después de mi cabezadita sin cama.

—Oh, ya te veo —dice él.

Recorro la habitación con la mirada, medio esperando que Eric salte del armario, y el caso es que tampoco ando tan desencaminada. Voy a la ventana y atisbo la oscuridad. Bajo la farola de la calle, veo el perfil de una larga limusina negra que se está deteniendo frente a mi casa.

—Bonito sujetador —dice Eric alegremente—. ¿Es nuevo?

Bajo la vista y comprendo que él debe de estar en el coche, contemplando el iluminado escaparate de mi dormitorio. De inmediato, echo los hombros hacia atrás y me apresuro a extender la mano hacia la correa de la persiana. Tiro tan fuerte de ella que se me desploma sobre la cabeza.

—¿Te has hecho daño? —pregunta Eric.

Maldito Bill. Ya hace meses le dije que esa persiana estaba floja. ¿Puedo pedirle a Eric que la arregle? Quizás a su chófer, piloto, administrador, mayordomo o encargado de mantenimiento. O a su esposa. Recuerda: puede que tenga una esposa.

—No, estoy bien. Pero ya he cenado. Y son más de las dos de la madrugada. ¿Qué te parece si nos vemos mañana? Almuerzo, cena, estoy libre para cualquiera de las dos cosas.

—Pero yo no. Ha habido un cambio de planes. Pensaba que estaría aquí durante todo el fin de semana, pero he de irme mañana a cerrar un trato en Bermudas.

—¿Una compra de pantalones cortos? —pregunto, bromeando.

—No, es una operación a largo plazo. —Y luego hace una pausa—. Vale, ya lo he pillado. Bermudas. Pantalones cortos. Muy gracioso, Hallie. —Se ríe—. Baja. Quiero verte. Y date prisa. No te sientas obligada a ponerte una camisa sólo por mí.

Me descubro sonriendo y echo mano de la blusa rosa. Después de todo, Eric ya ha visto el sujetador.

Cuando salgo a mi fresco y oscuro porche, veo a Eric apoyado en la limusina, con los brazos cruzados y una amplia sonrisa dibujada en su cara. Me siento un poco cohibida mientras bajo los escalones con mucho cuidado y cruzo el largo camino de la entrada, consciente de que Eric está siguiendo cada uno de mis movimientos. Menos mal que llevo estos zapatos tan sexys.

Mientras no tropiece, añaden un poco de contoneo a mis andares.

En vez de preocuparme por la impresión que estoy causando, decido concentrarme en ese hombre tan apuesto que tengo delante. Y Eric todavía es apuesto. Si han pasado veinte años, no sé adónde habrán ido a parar. El pelo sigue cayéndole sobre la frente como si fuera un muchacho, y su cuerpo parece tan esbelto y musculoso como cuando era capitán del equipo. La última vez que lo vi no llevaba un traje de raya fina impecablemente cortado con gemelos franceses asomando de las mangas, pero aquellas facciones soberbiamente esculpidas palidecen ahora ante la sonrisa irónica y divertida que me conquistó la primera vez.

—Tú tienes que ser Eric —digo, tendiéndole la mano con una risita.

—Y tú no has cambiado nada —dice Eric, atrayéndome hacia él y rozándome la mejilla con los labios.

Abre la puerta del coche y nos instalamos en el asiento trasero de la limusina. El chófer ofrece un breve saludo antes de subir el cristal que lo separa del compartimento de pasajeros, y a continuación nos separamos de la acera. Eric me coge la mano. ¿Es posible que yo no haya cambiado, o es que a sus ojos siempre seré la misma? Qué romántico. O quizá simplemente es demasiado vanidoso para ponerse las gafas.

En el coche, Eric me hace un recuento de todos sus negocios, que parecen incluir el suministro de materias primas y la financiación internacional. Por si su limusina, su avión privado y su apartamento en el último piso del Time Warner Center no me hubieran dejado suficientemente claro que las cosas le van de maravilla, Eric me anuncia que hace poco salió en *Forbes*.

—Tu amigo Tom Shepard mencionó algo al respecto, pero no he leído el artículo.

—Mira esto —dice él, tendiéndome una copia plastificada del artículo de la revista *Forbes* que llevaba casualmente en el asiento trasero.

Me gustaría saber lo que pone. De hecho, me encantaría saber lo que pone. Pero soy tan vanidosa como Eric. Ni hablar de ponerme las gafas de leer delante de él para averiguarlo. De hecho, ya he entrado en Google para examinar los menús de Per Se y Masa y elegir lo que quería, precisamente para evitar esta clase de situación.

—Esto está muy oscuro, por qué no me lo lees —susurro.

—El titular de portada dice que he ascendido al 277, nada menos.

Está claro que no se refiere a su peso. Y espero que no lo diga por su nivel de colesterol. ¿O es que todos los hombres que conozco tienen que tomar Lipitor?

—¿En qué has ascendido al 277? —pregunto.

—En la lista.

No caigo inmediatamente en la lista de la que está hablando.

—Tranquilo. Conmigo eres el número uno —digo.

Él se ríe.

—El número uno es Bill Gates. O quizás algún príncipe saudí. Pero todavía no compito con ellos.

Ah, se refiere a una lista de tipos ricos. Supongo que debe de ser bastante importante haber ascendido al 277. De hecho, es mejor puesto que el que sacaría yo: ayer me sentí muy orgullosa cuando abrí el correo y encontré una tarjeta de crédito Discover preaprobada.

—Supongo que fue una suerte que no siguiéramos adelante con lo nuestro —ofrezco—. Conmigo a tu lado, nunca habrías figurado entre los trescientos primeros.

Mi intención era hacer un chiste a expensas de mí misma, pero Eric le da la vuelta.

—Tienes razón. Nos habríamos divertido tanto juntos que no habría podido concentrarme en el trabajo. Todo ese sexo. Aunque no me hubiera importado quedar fuera de la lista, si hubiera sido por eso.

—En esa época le dábamos mucho al sexo —digo yo con una risita.

—Todavía tengo esa hucha azul en forma de cerdito. ¿Te acuerdas de ella? —pregunta, como si yo pudiera olvidarla—. Una moneda de cinco centavos por la ranura cada vez que hacíamos el amor. Apenas puedo levantarla de lo que pesa. Creo que nuestro récord en un día estuvo en cincuenta centavos.

—Veinticuatro horas de ensueño —digo con una sonrisa.

—Todo ese dinero inmovilizado ahí dentro. Es la única inversión de mi vida que no ha seguido creciendo. Pero estoy seguro de que tarde o temprano me dará beneficios.

—Siempre puedes usar mi mitad para comprar un billete de lotería —bromeo, aunque me estoy preguntando si la inversión que hizo era en mí. Y cómo espera exactamente que tarde o temprano le dé beneficios.

—¿Nunca has tenido otro día de cincuenta centavos? —pregunta él, cogiéndome la mano y acariciándome juguetonamente la palma con el dedo.

—He tenido años de cincuenta centavos —gimo—. Si has estado casado alguna vez, ya sabrás a qué me refiero.

—He estado casado tres veces, aunque en este momento estoy soltero —se apresura a añadir Eric.

¿Tres veces? Obviamente no es reacio a establecer un compromiso, sólo a mantenerlo.

—¿Qué les ocurrió a tus matrimonios? ¿Unos cuantos meses de cincuenta centavos y luego lo dejas correr?

—No, más bien que siempre tengo una amante.

—¡Eric! —grito yo.

Él se ríe.

—Es el trabajo. Mi amante es mi trabajo. Me ocupa más tiempo que cualquier mujer. Y más tiempo del que cualquier mujer puede soportar. —Luego sonríe y me guiña el ojo—. Además, querida mía, nadie ha podido igualar jamás tus encantos. Aunque te diré que cada una de mis esposas me recordaba un poco a ti.

—¿Eso es un cumplido? —pregunto—: ¿medían metro sesenta y su pelo era castaño un poco ondulado? ¿Sus ojos eran gris verdoso? ¿O todas ellas tenían diecinueve años, la edad que tenía yo cuando estuvimos juntos?

—Todo lo anterior —dice Eric con una risita.

Tener un chófer es la manera ideal de viajar. Ya estamos en Manhattan y no he tenido que pagar un billete de tren o estar sentada junto a un hombre de negocios que se enjuaga con cerveza en la línea Metro-Norte. Nos detenemos a la entrada de los apartamentos Time Warner y Eric salta del coche antes de que el chófer pueda dar la vuelta para abrirme. Miro a través de la ventanilla, estirando el cuello hacia el imponente edificio de cristal verde. A pesar de la hora, la calle está llena de gente que se dirige a los clubes y charla animadamente mientras entra y sale de los taxis.

Eric abre la puerta de mi lado y me ofrece la mano. Hace media hora, cuando entré en el coche, no me fijé en qué dirección tomábamos, pero es evidente que estamos en la parte más elegante de la ciudad. Son casi las tres de la madrugada. Los restaurantes no pueden estar abiertos todavía. Acepto la mano que me ofrece Eric y voy con él a través del vestíbulo hasta el ascensor. Mientras pasamos, el portero, dos vigilantes de seguridad, un conserje y el ascensorista nos saludan con obsequiosos movimientos de cabeza mientras dicen: «Buenas noches, señor Richmond. Es un placer tenerlo de vuelta.» Y nadie se molesta en mirarme. Es obvio que estoy de paso.

O que soy una cualquiera. Como a Emily se le ocurra hacer esto alguna vez, la mato. Quiero pensar que mi hija sabe lo que significa para un hombre que accedas a subir a ver su apartamento a unas horas como éstas. Pero no me cuesta nada convencerme a mí misma de que tampoco hay nada de malo en lo que estoy haciendo. Eric está soltero, y parece que yo también, al menos en todos los aspectos que importan. No llevo el anillo de boda y tampoco lo lleva mi marido, que está con otra mujer. Si Bill puede tener a Ashlee, yo puedo tener a Eric. Al fin y al cabo, éste ni siquiera suma. Ya tengo esa muesca en mi cinturón.

Entramos en su apartamento y suelto un gritito. Incluso antes de que Eric encienda las pequeñas luces disimuladas en el techo, el apartamento ya reluce con el resplandor de la ciudad. Las vistas refulgentes reflejadas en la superficie de todos los ventanales que discurren de suelo a techo le proporcionan realmente la decoración que necesita. Algún diseñador de interiores ha sido lo bastante inteligente para darse cuenta de que el grueso del trabajo ya estaba hecho, y que él debía limitarse a no sabotear las fantásticas vistas. Varios sofás en discretos tonos grises reposan sobre una alfombra beis de elegancia discreta. Una ondulante mesita de centro apenas se hace notar, salvo por la esbelta escultura de Giacometti depositada con decoro en su sobre. La única pared carente de ventanal se las arregla para defenderse con un Picasso sutilmente espectacular.

Alguien tiene que haber sabido que veníamos, porque la elegante mesa de acero del comedor está puesta para dos personas. Las velas ya están encendidas, y un generoso plato de caviar reposa dentro de un cuenco de plata lleno de hielo. Eric va hacia el mágnum de Dom Perignon que aguarda, lo descorcha, llena dos copas y se inclina hacia mí para ofrecerme una.

La tomo y doy un gran sorbo.

—Eh, un momento. Hay que brindar —dice Eric acercándose un poco más. Levanta su copa y toca con ella la mía—: Por ti. Por nosotros. Por el primer amor.

Me llevo la copa a los labios, pero apenas puedo tragar. El apartamento podría haber salido de una película, y esta escena también. ¿Y si todo esto no es más que una fantasía? Hallie: recuerda que llevas veinte años sin ver a este hombre.

—Fuiste mi primer amor, ¿sabes? —dice Eric mientras nos sentamos en un sofá muy mullido y él pone algo de caviar en un plato. Acto seguido me ofrece una cucharadita de beluga—. Y fuiste mi primera amante. Desde entonces he sido mejor en la cama.

—Yo no sé si he mejorado. He estado todo este tiempo con el mismo hombre. —No estoy segura de que eso ayude a vender el producto.

Él saca pecho, claramente complacido consigo mismo.

—¿Sólo has estado conmigo y con Bill?

—No sólo. Pero casi —digo, orillando la pregunta.

De todas formas, los hombres tampoco quieren saber el número exacto. Si quisieran saberlo, ¿cuál sería la respuesta ideal? ¿Más de dos (tienes experiencia), pero menos de cinco (no eres una..., bueno, ya sabes)? ¿Y quién va a admitir la verdad, sobre todo si es un número de dos cifras?

Me inclino hacia delante para probar el contenido de la cuchara que me ofrece Eric. Mmm, buen caviar. Paso la lengua por mis ahora salados labios y hago un ruidito de succión mientras intento extraer de entre mis dientes la hueva negra extraviada.

Muy atractivo. ¿Cuándo se les ocurrirá a Dios o al general Mills inventar algo que puedas comer sin peligro delante de un hombre? Todo gotea, cruje o se te pega a las muelas.

El champán parece bastante exento de peligros. Cuando Eric trae una bandeja con finas rodajas de chateaubriand de una mesita auxiliar, decido que seguiré con el espumoso. Él vuelve a llenarme la copa por segunda vez. ¿O es la tercera? ¿Qué estoy intentando hacer, ser como una de esas universitarias que se pulen una botella entera de tequila para luego poder decir «No sabía lo que me hacía» cuando terminan acostándose con el tío?

Sigue apareciendo más comida, aunque nunca veo a nadie trayéndola. Eric debe de ser tan rico que además de sirvientes dispone de elfos.

Sigue siendo tan encantador como yo lo recordaba, y conforme discurre la velada —o la mañana—, empiezo a relajarme. Y no sólo debido al champán. Siento esa mágica mezcla de nueva excitación y tranquilo estar a gusto. La conversación pasa de las últimas historias de negocios de Eric a viejos recuerdos, y ambos reímos mientras nos ponemos al día acerca de amistades casi olvidadas. Eric me cuenta que el luchador aficionado a las fiestas que vivía debajo de su habitación en la residencia de primero es ahora misionero en el Sudeste asiático. Yo le cuento que el chico que ganó el campeonato de absorción de cerveza en la universidad (quince latas en cincuenta y siete minutos) ahora es piloto de United Airlines.

—Pero no cubre ninguna de las rutas importantes —añado.

Eric ríe y se mete un tomate cherry en la boca.

—La gente cambia, ¿verdad? —dice. Luego me mira seriamente por un instante—. Me enteré de lo de tu hermana pequeña, por cierto. Hace ya unos años. Lo siento mucho.

—Gracias. —Ha tocado un nervio, pero trago saliva y decido pasar del asunto. Resuelta a cambiar de tema, pregunto rápidamente—: ¿Cómo está tu madre?

—Muy bien. Ha vendido otro de sus cuadros. No entiendo cómo puede querer alguien colgar lo que pinta, pero en Boca Ratón se disputan sus cuadros. Por cierto, todavía pregunta por ti. Nunca me ha perdonado que no me casara contigo.

—Tu madre tiene un gusto exquisito —digo, volviendo a sentirme cómoda. Es lo bueno de estar con un antiguo novio. Experimento el típico hormigueo sexual de la primera cita, pero me encuentro lo bastante a gusto como para quitarme los zapatos y curvar los dedos de mis pies descalzos sobre el sofá. Me acerco un poco más a Eric y apoyo la cabeza en su hombro, aspirando su sutil e intenso aroma.

—Has cambiado de colonia. Echo de menos la Old Spice —digo, bromeando—. ¿Te acuerdas? Solías volver del entrenamiento y, en vez de darte una ducha, lo que hacías era rociarte con ella.

Eric hace una mueca.

—No seas injusta conmigo —dice, defendiendo sus hábitos higiénicos de cuando pertenecía a la fraternidad universitaria—. Siempre me pongo desodorante primero.

—Lo sé, y todavía me acuerdo de que usabas Ban. Un olor que nunca olvidaré. —Arrugo la nariz fingiendo horror—. Siempre ha estado prohibido en mi casa desde entonces.

—Ahora uso L'Occitane, importado de Francia. Espero que merezca tu aprobación —dice, rodeándome con un brazo mientras se me acerca un poco más.

No sé si será por el efecto cautivador del momento (y de esa loción para la piel que cuesta cien dólares el frasco) o por la atracción del pasado (y la Old Spice recordada), pero levanto la barbilla hacia Eric. Y por si acaso él no tuviera claro qué ando buscando, me acerco un poco más y lo beso.

El beso parece surtir efecto inmediatamente, porque de pronto siento palpitar una vibración entre nosotros. Eric baja el brazo, deslizando la mano sobre mi cadera y en dirección a la suya. La vibración se intensifica.

—El móvil —explica Eric, retrocediendo al tiempo que se saca el Motorola del bolsillo. Mira el número—. Tengo que responder a esta llamada.

Me recuesto en el sofá, ligeramente avergonzada. Sé que mi vida sexual con Bill ha aminorado bastante la marcha últimamente, pero ¿de verdad soy incapaz de notar la diferencia entre la vibración de un móvil y un hombre que palpita?

Eric se ha levantado de un salto y da vueltas por la sala, ladrando órdenes a quienquiera que esté al otro extremo de la línea. No está nada satisfecho con algo en, por lo que me parece entender, una operación bursátil sobre el zumo de naranja dentro del mercado de futuros. Personalmente, yo opino que el futuro está en la papaya, pero presiento que Eric no va a pedirme consejo al respecto.

Cierra el móvil de un manotazo y vuelve al sofá. Empieza a acariciarme la cara, y me pasa un dedo por el pelo. Pero vuelve a levantarse de un salto.

—Lo siento, Hallie, pero más vale que siga con este problema o no dejará de preocuparme.

Bueno, pues yo no voy a permitir que me preocupe. Cojo un poco más de caviar mientras él organiza una conferencia telefónica a cuatro bandas que abarca tres continentes. Vista la atención que le dedica Eric, el futuro del zumo de naranja parece estar asegurado.

Finalmente, Eric vuelve de nuevo al sofá, pero todavía parece estar un poco tenso.

—¿Quieres que te dé un masaje? —pregunto, restregándole los hombros.

—Tengo una idea mejor. No me vendría mal otro beso —dice, mientras pone sus manos en mi cara y aprieta sus labios contra los míos.

Permanecemos abrazados un buen rato. Los besos de Eric son delicados y tiernos, y las manos con que me acaricia familiares y nuevas al mismo tiempo. Me apoyo en su firme pecho y lo estrecho entre mis brazos mientras tanto el espacio como los años transcurridos se disuelven entre nosotros. El tiempo en toda su esencia desaparece y, cuando por fin abro los ojos, veo los primeros susurros de luz abriéndose paso afuera, en la oscuridad del cielo.

Eric respira suavemente en mi oído y, cuando todo mi cuerpo responde, me pregunta cariñosamente:

—¿Vienes a mi dormitorio?

Titubeo y, por encima de mi hombro, veo que él se mira el reloj.

—¿Andas mal de tiempo? —pregunto.

—Siempre —admite él—. Pero no quiero dejar escapar esta ocasión.

El teléfono no suena, pero el timbre de la puerta sí. Eric gime y se levanta del sofá.

—Es mi ayudante, Hamilton. Siempre empezamos temprano.

Deja entrar a un hombre de unos treinta años con cara de empollón que trae consigo un grueso maletín.

—Buenos días, señor Richmond. Ya tengo esos papeles de los que habíamos hablado; podríamos... —Hamilton se da cuenta de mi presencia, hace una pausa y parece sentirse ligeramente avergonzado, aunque probablemente no soy la primera mujer que encuentra apoltronada en el apartamento de Eric cuando clarea el día. Ahora tartamudea—: ¿les he interrumpido?

Eric me mira con una sonrisita en los labios.

—Aún no lo sé. Sólo estábamos negociando.

Hamilton desaparece discretamente en una habitación del fondo que todavía no he visto, y Eric me mira seductor y me coge de la mano.

—Anda. Vamos a echar otra moneda de cinco centavos dentro de la hucha.

—No en la primera cita —digo, con una sonrisita entre tímida y coqueta—. Ya me conoces.

Eric sacude la cabeza.

—Sí, pero no irás a hacerme esperar otra vez seis meses, ¿verdad? En realidad esto no es una primera cita.

De pronto, no sé qué hacer. La noche ha sido maravillosa, pero quizás ha llegado todo lo lejos que debería. Ahora, Eric es un hombre ocupado. No sé si quiero dar el próximo paso.

—Ya es de día, y hoy tienes muchas cosas que hacer —le digo—. ¿No ibas a ir a las Bermudas?

Eric me acaricia el pelo con una mano y consulta su Black-Berry con la otra.

—Ven conmigo —dice, mientras repasa sus mensajes. Ser capaz de hacer varias cosas al mismo tiempo es algo que siempre he admirado en un hombre, pero ¿realmente tiene que hacerlas cuando está intentando seducirme?—. Vente conmigo a las Bermudas esta tarde. Luego voy a ir a Londres. Creo que después de eso haré un viaje a Hong Kong. Podrías seguirme adonde quisieras.

Una sonrisa de complicidad cruza por mi cara. Claro. Eric ya me ha dicho que su trabajo está antes que cualquier mujer. Hace dos décadas yo no estuve dispuesta a seguirlo a través del país cuando fue a sacarse la licenciatura, probablemente porque incluso entonces ya había comprendido que sus prioridades y las mías nunca serían las mismas. Quizá mi vida habría sido más emocionante si hubiera seguido a su lado, pero no habría sido mi vida. Incluso a los veinte, yo sabía que no quería vivir a la sombra de ningún hombre.

Me levanto del sofá y lo rodeo con mis brazos. El sol de primera hora de la mañana que entra en la sala brilla cada vez más, y le doy un largo beso a Eric.

—Te quiero —le digo exuberantemente—. Te quiero de veras.

—¿Así que vamos a hacer el amor o vas a venir a las Bermudas? —pregunta él, no muy seguro de cuál es el terreno que estamos pisando.

—Ninguna de las dos cosas —respondo yo—. Decididamente ninguna. Pero aún eres divertido, irresistible y guapísimo. Exactamente lo que yo recordaba.

—¿Por qué no quieres acostarte conmigo, entonces? —pregunta Eric, el hombre que nunca deja que la ocasión de cerrar un trato se le escurra de entre los dedos.

—Porque me he acordado de unas cuantas cosas, también.

Eric sacude la cabeza y luego sonríe.

—Volverás a mí, ¿sabes? Puede que no esta noche. Pero volverás a mí.

—Estás muy seguro de ti mismo, ¿verdad? —contraataco yo.

—Ésa es la clave de mi éxito —dice él, volviendo a besarme.

Me pongo mis zapatos de tacón de aguja, le doy un último abrazo a Eric, y voy hacia la puerta. Ahora soy una mujer soltera. He de fijarme mucho en con quién gasto mis monedas de cinco centavos.

Al salir del edificio, el portero que me ignoró cuando llegué me acompaña ahora hasta la pesada puerta de cristal, y la abre para que pueda salir.

—Espero que haya disfrutado de una velada maravillosa —dice.

—Ha sido mejor de lo que usted se imagina —le digo, echando la cabeza hacia atrás y saliendo a la ahora tranquila calle.

Él levanta una ceja, y con ello me queda muy claro que ha tomado buena nota de mi observación. No me importa empañar la reputación de Eric, pero tampoco he mentido. La velada ha sido maravillosa, aunque no del modo que piensa el portero. Acabo de tener mi primera cita en veintiún años y todo ha ido tal como yo quería. He estado encantadora y sexy, y sigo siendo virgen. Espero que las citas de Emily terminen del mismo modo. Y para dejar claro que no soy sexista, espero que las de Adam también terminen así.

Salgo a la Nueva York de primera hora de la mañana, y la sensación casi se me sube a la cabeza. Por fin se han ido a acostar los juerguistas de las tres de la madrugada, y los hombres de negocios y los propietarios de los establecimientos todavía no han empezado el día. Quizás el único momento en que Nueva

York duerme sea de las seis cuarenta a las seis cuarenta y cinco.

No me siento preparada para ir a casa, así que decido caminar las escasas manzanas que me separan del bufete en que trabajo. Oficialmente vuelvo el lunes, pero como estoy tan cerca decido empezar a poner un poco de orden en mi sin duda rebosante bandeja de entrada. Un coche de caballos pasa junto a mí, y el cochero me saluda llevándose la mano a la gorra.

—Buenos días, señora. ¿Necesita que la lleven a dar una vuelta por el parque?

—No, gracias —respondo automáticamente. Y a continuación pienso: ¿por qué no? En todos los años que llevo en Nueva York, nunca me he dado el gustazo de subir a un carruaje tirado por caballos. Vale, se supone que ese paseo romántico tienes que darlo en tu primer viaje a Manhattan o en compañía de un hombre al que amas, pero ahora estoy jugando según mis propias reglas.

—Espere —llamo al cochero antes de que pueda alejarse demasiado.

El carruaje vuelve a detenerse y me subo en él. Estoy acomodándome en el asiento recubierto de piel de imitación cuando suena mi móvil.

—Hola —digo alegremente, olvidándome por una vez de mirar el número antes de aceptar la llamada.

—Hola.

Un par de sílabas y mi buen humor desaparece. Y no soy la única afectada. Como si acabaran de darle pie a que lo hiciera, la yegua pinta se para en seco y efectúa su deposición del día. Un comentario editorial muy apropiado. Buena yegua.

—Hola, Bill —digo. ¿Cómo se le ha podido ocurrir llamarme diez minutos después de que yo haya dejado a Eric? ¿Habrá captado algún tipo de onda del cosmos? ¿Alguna vibración que delate que alguien-más-está-interesado-en-ella?

—Hallie, me alegro de que por fin me hables. ¿Quieres desayunar conmigo?

Me pregunto si «hola» realmente cuenta como hablar con él. Decir «Bill» quizás haya sido excesivamente íntimo.

—¿Por qué me llamas a las siete de la mañana? —pregunto en un tono muy frío, para ganar tiempo.

—Quería pillarte antes de que fueras al trabajo —dice él.

No digo nada. Es una mañana de sábado y el primer día en que se me ha pasado por la cabeza ir al bufete, ¿él también sabía eso?

—Rápido: ¿de qué color son los pantalones que llevo? —pregunto, queriendo comprobar hasta dónde llega su percepción extrasensorial de cónyuge.

—Negros —responde él sin vacilar.

Suspiro. Pero ésa era demasiado fácil, así que tampoco quiere decir nada.

—Podemos desayunar tortitas —dice Bill, como si la perspectiva de unos fritos grasientos saturados de hidratos de carbono pudiera seducirme. Y el caso es que tengo hambre, así que me seduce. Debería haber comido más caviar en el apartamento de Eric. De hecho, siempre debería comer más caviar.

—Bueno —contestó a regañadientes—. ¿Dónde deberíamos quedar?

—Desayuno en el Regency —dice él.

—¿De verdad? —pregunto yo, sorprendida de que mi marido o antiguo marido o pronto-antiguo-marido haya elegido el sitio donde desayunan los peces gordos de la ciudad.

—Sólo bromeaba. Hay un bareto bastante bueno en la Novena con la Cincuenta y cinco. Te veo allí dentro de diez minutos.

Corta la comunicación. «Un bareto», ha dicho. Menuda sorpresa. Me examino la cara en el espejo de la polvera que saco del bolso y observo con satisfacción que mi pintura de ojos está intacta y todavía estoy un poco sonrosada debido a los besos de Eric. Bajo la mirada y muevo los dedos de los pies. Cuidado, Bill, porque estoy lista. Ahora sé por qué compré estos tacones de aguja. Resulta que son mis zapatos «jódete».

Llego al bareto y Bill ya está cómodamente instalado en un reservado de cuero rojo, haciendo el crucigrama del *New York Times*. Cada día te lo ponen un poco más difícil, y hoy es sábado, y él todavía hace el dichoso crucigrama con tinta. Acostumbrábamos a trabajar en el crucigrama del domingo juntos, y me consuela un poco caer en la cuenta de que ahora mi marido me echará de menos cada fin de semana. Ashlee nunca podrá dar con la palabra de cinco letras del puerto sueco que queda enfrente de Copenhague: Malmö.

—¡Hallie! —exclama Bill alegremente—. Ven, siéntate. Ya te he pedido un café con leche desnatada y dos Splendas.

—Ahora sólo tomo una —digo, altivamente, mientras me acomodo en el asiento que hay frente a él.

—Estás estupenda —dice Bill, mirándome con interés—. Pero ¿esa blusa no es demasiado transparente para el trabajo?

—Es la que me puse anoche —respondo provocativamente.

Bill no parece saber cómo debe interpretar mi observación.

—Al menos no tienes la ropa arrugada —dice finalmente, lo que me deja muy claro que todavía no está preparado para imaginar que puedo haber pasado la noche con otro hombre. Extiende la mano para pasarme los dedos por la cara—. De hecho, no tienes ni una sola arruga. En ningún sitio.

Me complace el cumplido —y el éxito de la línea de productos antiarrugas Victoria Principal que solicité a domicilio y que ahora utilizo todos los días—, pero me aparto de su contacto.

—Lo siento, amigo. Has perdido los derechos de toqueteo.

—¿Por qué? ¿Es que veintiún años no cuentan para nada?

—Eso es justo lo que me pregunto yo —digo, con un filo cortante en la voz.

—No entremos en eso —dice Bill, sacudiendo la cabeza—. Sólo quería verte. No he venido aquí buscando pelea.

¿Por qué íbamos a pelear Bill y yo? El hecho de que se esté acostando con otra mujer no debería suscitar ninguna clase de animosidad entre nosotros. Además, ahora ya ni siquiera vivimos juntos. No puedo quejarme de que haya puesto el termostato demasiado bajo o de que haya gastado el último rollo de Charmin Ultra y luego se haya olvidado de apuntarlo en la lista de la compra. De hecho, acabo de comprar un paquetazo de 48 sólo para mí. Nunca más tendré que volver a preocuparme por el papel higiénico.

Sin darse por enterado, Bill se pone a charlar afablemente, como si ésta fuera una mañana de sábado cualquiera: me habla de la gran película que vio anoche, y de lo mucho que ha conseguido mejorar su servicio en el tenis. Bostezo sin complejos. Por mí como si ahora puede vencer a André Agassi y Steffi Graf —y su pequeñín— al mismo tiempo. Si Ashlee es la que está acariciando el cuerpo de Bill, también puede ser la que acaricie su dichoso ego.

El camarero me trae mis huevos a la continental, que he pedido para enviarle a Bill el mensaje de que no me conoce tan bien como cree. Ya no como tortitas. Pero los huevos no están lo bastante hechos, y me dedico a empujarlos con el tenedor.

—Bueno, Bill, ¿por qué querías que nos viéramos? —pregunto, bebiendo un sorbo de café con leche aguado.

—No quiero perder el contacto contigo. —Y como si tal cosa, añade—: Ah, por cierto, creo que dijiste que habías conseguido entradas para ver jugar a los Knicks. Ya no falta mucho para el primer partido, así que pensé que podríamos hacer planes.

Lo miro con asombro.

—Conseguí esas entradas para ti y para mí. Para nosotros.

—Bueno, «nosotros» está bien —dice jovialmente—. Podemos ir juntos. Supongo que a Ashlee no le importará. A ella ni siquiera le gusta el béisbol.

Trago un bocado de esos huevos repugnantes y casi me dan arcadas.

—«Nosotros» no está bien —digo.

—¿Por qué no?

Sacudo la cabeza. Bill acaba de poner patas arriba todo mi universo y ahora se comporta como si no hubiese hecho nada más dañino que desplazar el sillón de la sala de estar unos cuantos centímetros hacia la izquierda. ¿Será posible que no entienda que su decisión de estar con Ashlee tiene repercusiones? Perder unos asientos de primera para ver los partidos de los Knicks es la menor de ellas.

—Conseguí esas entradas como parte de mi plan para la-vida-después-de-que-los-chicos-se-hubieran-ido. Tú hiciste un plan distinto.

Bill se pasa por los labios una servilleta de papel para quitarse un poco de sirope de arce perdido.

—Hallie, intenta ser razonable. Todavía podemos hacer cosas juntos. Somos una familia, y no cambia nada porque los chicos estén ahora en la universidad.

Inesperadamente, me apoyo en el respaldo y empiezo a reír. Heme aquí en un bareto grasiento de la Novena Avenida, explicándole al neandertal que tenía por pareja por qué no va a ver en directo cómo alguien anota un triple durante esta liga. Sólo puedo rezar para que Ashlee no tenga televisión por cable, y así Bill tampoco pueda ver los partidos por televisión.

—Por desgracia, querido, tú cambiaste nuestra familia. Pero hay una cosa que no ha cambiado. Todavía puedes terminarte mi desayuno. —Me levanto del asiento y empujo mi plato de huevos hacia él.

—Gracias —dice Bill, cogiendo el tenedor para clavarlo en los huevos mientras me obsequia con lo que debe de considerar una sonrisa carismática—. ¿Vas a pensar al menos en esas entradas para ver a los Knicks?

—Lo haré. —Sonrío generosamente porque eso es lo que suelo hacer. Intento hacer que todo funcione. Intento mostrarme agradable. Pero hoy no—: Voy a pensar en las entradas para ver a los Knicks, y tú vas a pensar en esto —le digo con dulzura.

En un enérgico movimiento, paso la mano por la mesa y envío huevos, café y medio vaso de zumo de naranja directamente al regazo de Bill. Una buena cantidad de ketchup aterriza justo en la pechera de su camisa deportiva blanca. La culpa es suya: ¿a quién se le ocurre echar ketchup en los huevos?

—¡AGHH! ¿Qué haces? —grita Bill, levantándose de un salto y golpeándose la rodilla contra la mesa. Espero que haya sido la mala.

Echo atrás la cabeza con satisfacción y voy hacia la puerta. Las páginas web tienen razón al decir que la venganza es dulce. Y en este caso, también bastante sucia.

Cuando llego al trabajo, dedico diez minutos a examinar los papeles, y luego me tumbo exhausta en el sofá. Aunque estoy muy cansada, no puedo dormir y miro por la ventana hacia el depósito de agua de la terraza de enfrente. No es exactamente la vista de catorce millones de dólares que se aprecia desde el edificio Time Warner (torre sur), pero mi propiedad inmobiliaria en este bufete es de matrícula de honor. Si me pongo en el sitio adecuado, estiro el cuello en la dirección apropiada y hace un día particularmente despejado, hasta puedo vislumbrar el Edificio Chrysler.

En las últimas veinticuatro horas han ocurrido muchas cosas, pero por alguna razón hay una frase que se me repite una y otra vez en la mente. No paro de oír las palabras de Eric: «Me enteré de lo de tu hermana pequeña.» Aunque le llevaba seis años, yo adoraba a Amy, y ella me idolatraba a mí. Le leía cuentos para que se durmiera, la llevaba a la escuela para que pudiera presumir de hermana mayor, y la ayudé a aprender a hacer divisiones largas. (¿Por qué a los de cuarto curso no les dejan usar calculadoras?) Cuando estudiaba en mi habitación durante las tardes soleadas, veía a través de la ventana a mi vivaracha hermana pequeña dando volteretas en el patio trasero. Cuando me fui a la universidad, Amy me visitaba a menudo. Reíamos juntas en mi habitación de la residencia de estudiantes, y le presenté a todos mis amigos.

Cosa que nunca hubiese debido hacer.

Mi dulce hermana Amy. Encantadora, divertida, confiada Amy. Todavía puedo ver su carita de felicidad de ese último día. Nunca se le pasó por la cabeza que yo no pudiera protegerla. Nunca imaginé que no volvería a reír con mi hermana.

Me remuevo en el sofá, intentando encontrar una postura cómoda para conciliar el sueño, pero no paro de pensar en Amy. No puedo dejar que el comentario de Eric me haga revivir aquella horrenda noche. Inquieta, voy a mi escritorio para empezar a vérmelas con las pilas de papeles y mensajes que se han ido acumulando durante mi ausencia. Unas horas más tarde, tengo la vista borrosa de tanto repasar informes legales, y, agotada, finalmente me tumbo y echo una larga cabezada.

Cuando despierto, mi despacho está oscuro y tardo unos instantes en darme cuenta de que es sábado noche y no tengo nada que hacer. Podría, eso sí, estar volando hacia las Bermudas con Eric en su avión privado; así que supongo que esto lo he elegido yo. Percibo que me gruñe el estómago y descubro que tengo hambre. Echarle los huevos encima a Bill esta mañana fue muy satisfactorio, pero no me llenó demasiado el estómago. Me miro el reloj, son más de las ocho. Salgo al escritorio de mi ayudante y paso las páginas de la libreta en las que ella ha recopilado diligentemente todos los menús de comida para llevar: mexicana, china, italiana, hindú, tailandesa, camboyana, libanesa y canadiense. ¿Cocina canadiense? No estoy de humor para comer bacón o alce.

Cierro la libreta. De todas formas, en realidad no quiero estar sentada aquí sola en un edificio de oficinas vacío una noche de sábado. Podría ir a casa a ver si ya he recibido mis nuevos deuvedés de Netflix, o podría ser valiente y cenar sola en un buen restaurante de Manhattan. ¿Y por qué no?

Salgo del trabajo y recorro las escasas manzanas que me separan de la Brasserie, donde llevo años sin poner los pies. Una pequeña multitud de gente elegante espera en la entrada, creo que no desentonaré. El *maître* va conduciendo a su mesa a los grupos que había ya antes, y, cuando llega mi turno, la joven recepcionista de piel ligeramente brillante me sonríe de forma histérica.

—Apártese de la entrada mientras espera a que llegue el resto de su grupo, por favor —dice dulcemente.

—Yo soy el resto de mi grupo —digo, tratando de que mi voz suene lo más jovial posible.

Pero ella no lo pilla y me mira con los ojos muy abiertos. Como es guapa, lleva minifalda y tendrá veintitrés años, estoy segura de que no se le puede ocurrir que alguien pueda querer salir a cenar sin compañía.

Un hombre agresivo detrás de mí me empuja ligeramente y le dice a la joven señorita, levantando la voz:

—Perdona, guapa. Ya estamos todos. Somos cuatro. ¿Puedes sentarnos?

—Ciertamente, señor —dice ella, con más cortesía de la que se merece el tipo, mientras se lo pasa al *maître*.

Y a continuación vuelve a mirarme, a su «cliente problema»:

—¿Sólo una persona? ¿Viene usted sola? —pregunta con incredulidad.

—Umm, ajá —mascullo yo, intentando no llamar la atención.

—¿Va a estar sola? —pregunta ella. Habla tan alto que estoy

segura de que todo el mundo puede oírla, y el tono de su voz sugiere que dada mi patética situación, la primera señora elegante que pase por la calle seguramente querrá adoptarme.

Pienso que quizá debería explicarle que tengo una familia y un marido, que he estado casada durante un millón de años, y que hace unas horas estaba pelando la pava con mi ex novio. Pero en lugar de eso, sacudo la cabeza y suspiro profundamente.

—Vienes a este mundo sola y mueres sola —digo solemnemente.

La recepcionista parece perpleja. Clientes que querían hacerse con una mesa han venido aquí con un montón de argumentos persuasivos, pero el mío supone toda una novedad. ¿Quién ha elevado más a la categoría de acertijo metafísico el conseguir que te sirvan un bistec con patatas fritas?

Para mi asombro, el pomposo dictamen surte efecto y un instante después estoy siendo escoltada a mi mesa. Descendemos al comedor por una gran escalera iluminada teatralmente que parece haber sido concebida pensando en las entradas espectaculares. Una pared con pantallas de vídeo repite cada llegada, y la clientela del restaurante sabe levantar de vez en cuando la vista para ver quién está llegando. Mi aparición realmente dará algo de qué hablar a todo el mundo. Celebridades, políticos y actores pasan por allí continuamente, pero yo soy esa gran rareza: Una Mujer Sola.

Y durante el resto de la comida, nadie me permitirá olvidarlo.

—¿Espera usted a alguien? —me pregunta el camarero que sirve en esa mesa, mientras me llena la copa de agua.

—Sí —digo—. A Godot.

El camarero titubea.

—¿Y cuándo va a llegar el señor Godot?

—Ah, ésa es la gran pregunta teórica de Beckett. ¿Acaso no estamos todos esperando a Godot?

El camarero se encoge de hombros. Lo único que está esperando él es una buena propina, y le preocupa un poco que no vaya a obtenerla de mí.

Estoy hambrienta y repaso el menú rápidamente.

—Tomaré una ensalada mixta y la tira de cordero —le digo al camarero.

—La tira de cordero se prepara para dos personas —dice él, señalando la letra pequeña.

Eso explica el precio ridículamente caro que te cobran por ella, pero la quiero de todas formas, así que me limito a asentir con la cabeza y cierro el menú. El camarero contempla dubitativamente el segundo servicio que hay puesto en la mesa, pero decide dejarlo donde está. Mientras se aleja con paso presuroso, caigo en la cuenta de que no tengo nada que leer y nada que hacer salvo mirar a todas esas parejas llenas de animación que hay a mi alrededor. Llamo al camarero y le pido que me traiga una copa de Shiraz.

—Una elección excelente —dice él, y yo sonrío, disfrutando de su aprobación.

Me como un bastoncillo de pan y observo con curiosidad la escena que se desarrolla en el restaurante. Una multitud de solteros bien vestidos recorre el bar, en busca de la pareja perfecta. La pareja de treintañeros que tengo a la izquierda está claramente en una primera cita. Él flirtea a fondo e intenta impresionarla, pero ella parece aburrirse y juega con el pie de su copa de martini. Tarde o temprano, él se dará cuenta de que ella no está nada pendiente de lo que le dice. Sacudo la cabeza y pienso en lo espantoso que me resultaría volver a salir con desconocidos. Ya he jugado a ese juego antes, y cuando me casé con Bill creí haber ganado. Lo que menos me podía imaginar era que mi matrimonio iba a terminar así.

Si alguien me hubiera dicho que veinte años después acabaría cenando sola en la Brasserie una noche de sábado, ¿habría elegido de todas maneras a Bill, ese idiota que juega sucio, sólo piensa en sí mismo, exige entradas para ver jugar a los Knicks y acaba de dejarme por Ashlee con dos es? ¿Con quién me habría casado, si no?

Bebo un sorbo de mi Shiraz. No es que quiera alardear, pero ciertamente he tenido otras opciones, y no me estoy refiriendo únicamente a Eric. Deambulo con paso tambaleante a través de los recuerdos de mis grandes romances y me invade una curiosa sensación de bienestar. Me pregunto dónde estarán todos esos hombres ahora. ¿Podría alguno de ellos estar sentado solo en algún restaurante, también?

El camarero vuelve, los músculos tensos bajo el peso de su bandeja, y baja la tira de costillas de cordero más enorme que he visto nunca. Mira el asiento todavía vacío que hay frente a mí.

—Puede servirnos a los dos —digo displicentemente.

El camarero no puede decidir si estoy loca o tengo fuera del local a un novio que apura su tercer cigarrillo mientras maldice las reglas de no-fumar-en-interiores del alcalde Bloomberg. Aun así, llena pulcramente ambos platos y se va.

Ataco el sabroso cordero y, cuando lo he liquidado, todavía tengo hambre. Cambio alegremente mi plato por el plato lleno que hay frente a mí, y sigo comiendo. A veces, esperar a Godot tiene sus ventajas.

Tanto como tener un plan: bajo la influencia de una buena cena y de una mala escena de bar, creo que he urdido uno. Siento un escalofrío de excitación. Si Eric me encontró, ¿por qué no puedo encontrar yo a todos mis otros antiguos novios? No sería salir con ellos, exactamente, sino sólo buscar a personas que hace tiempo me importaron..., y que podrían volver a importarme. Busco en mi agenda y encuentro un bolígrafo, pero no papel, así que saco la servilletita de cóctel ligeramente mojada de debajo de la copa de vino. Escribo el nombre de Eric, añado dos nombres más, y dibujo corazones alrededor de ellos. Luego, mordiendo el extremo del bolígrafo, escribo a regañadientes un cuarto nombre.

¿Qué habrá sido de todos esos antiguos novios? ¿Todos los hombres con los que no me casé? Puede que haya llegado el momento de averiguarlo.

5

Si hay algo que me convenza de la sensatez de mi plan, es mi noche del miércoles en la ópera.

Apenas bajamos del taxi frente al Lincoln Center, Bellini empieza a alisarse el vestido y a subirse los lados de su sujetador sin tirantes.

—Por el amor de Dios, deja de comportarte como una niña de trece años en su primer *bar mitzvah* —le digo.

Bellini, que creció en Cincinnati, no tiene ni la menor idea de qué le estoy hablando. Probablemente tampoco ha visto nunca una escultura hecha con hígado.

—Estás aquí para servirme de apoyo moral —me recuerda.

—Igual que el sujetador —le digo yo—. Supongo que ambos te estamos fallando.

Bellini pone los ojos en blanco. Cuando hace tiempo me pidió que la acompañara al gran suceso, me explicó que yo sería la amiga casada cuya presencia le haría más fácil conocer a hombres. Ese alguien con quien hablar durante los entreactos para no sentirse incómoda en la noche de «Encuentro en el Met», donde ir a la ópera para escuchar a Mozart pasa a ocupar un segundo plano con respecto a encontrar a tu futura pareja.

Ni se nos pasó por la imaginación que cuando llegara esa noche, yo tampoco tendría un hombre.

—Recuerda, no tienes por qué mantenerte al margen si no quieres —dice Bellini—. Estás fabulosa. Puedes unirte a la cacería. De hecho, deberías hacerlo.

—Ni hablar —digo, por duodécima vez.

—Pero estuviste estupenda con Eric —me recuerda ella—. Te estás recuperando, y estoy muy orgullosa de ti.

Bellini tiene razón. Me encuentro mejor. Pero estoy fuera de mi terreno. Cuando entramos en el vestíbulo, me doy cuenta de que el mundo de las citas neoyorquinas es todavía más terrible de lo que pensaba. Para empezar, hay montones de mujeres bien vestidas con el toque perfecto de brillo en los labios... y muy pocos hombres. ¿Será que los varones de Manhattan optan por pasar de la ópera para quedarse sentados en casa, beber cerveza y ver la tercera repetición de la Serie Mundial de Póquer?

—¿Lista? —pregunta Bellini, dándome un apretón en el brazo como si estuviera a punto de sonar el pistoletazo de salida.

—Nunca estaré lista para esto. Pero me muero de ganas por verte en acción.

Bellini pasea la mirada por el gentío, localiza a un hombre atractivo de pie junto al bar, y con su despreocupación de Ohio, va hacia allí como si tal cosa y apoya los codos en la reluciente madera de la barra.

—¿Vienes a menudo por aquí? —pregunta animosamente.

Su objetivo la inspecciona con la mirada y Bellini obviamente supera el primer examen, porque decide que se merece una respuesta.

—No en los últimos veintiséis meses. Podríamos decir que ésta es mi fiesta de salir a tomar el aire.

Viste un tres piezas de corte muy elegante y cuando apoya un pie en el riel de la barra, se le sube un poco la pernera y veo que lleva una cadenita en el tobillo. Desde que Martha Stewart lució una, la cadenita en el tobillo se ha vuelto tan reconocible como un reloj Panther de Cartier. Con la diferencia de que esta chuchería probablemente procede de Sing Sing. Dada la banda de seguimiento que luce, tengo claro que este hombre se encuentra bajo arresto domiciliario. No sé si ha venido a la ópera para escuchar música o para impresionar a su agente de la condicional.

—Bueno, veo que esta noche disponías de unas horas para salir a tomar el aire —digo, incorporándome a la conversación—. ¿Nada de ópera en veintiséis meses porque estabas demasiado ocupado haciendo placas de matrícula?

Bellini me da con el codo. Supongo que no le gusta que me muestre tan grosera con su posible cita de Nochevieja. Pero por otra parte, necesito advertirla, porque aunque mi amiga es toda una experta en accesorios, puede que todavía no haya tenido ocasión de tropezarse con ninguna de estas baratijas cuando se encarga de hacer las compras para Bendel.

—Bueno, ¿por qué acabaste entre rejas? ¿Tráfico de información privilegiada o venta fraudulenta de acciones, quizá? —le pregunto al hombre.

—Nada que esté tan visto. No soy uno de esos tarados de Enron. Yo robo obras de arte —dice él altivamente.

Aparentemente existe honor entre los ladrones, o al menos un cierto orgullo en el orden de picoteo. Y este tipo piensa que robar obras de arte ocupa uno de los primeros lugares en la lista. Hay que ver la de cosas que estoy aprendiendo. Mi marido me deja, y mi mundo empieza a expandirse. ¿Quién se hubiese imaginado que el divorcio te ampliaba tanto los horizontes mentales?

—Bueno, ¿y qué robas? —pregunto, como si ahora eso formara parte de mi conversación habitual, meramente uno de esos temas que-ayudan-a-conocerse.

—Sólo me acusaron de complicidad —dice él, entre tímido y coqueto—, pero dicen que robo Monets.

—¡Como en *El caso Thomas Crown*! —se regocija Bellini—. Fabuloso. ¡Qué vida más emocionante!

Le lanzo a Bellini una mirada de qué-estás-haciendo.

—Esa película me pareció horrible —digo.

—Pero Pierce Brosnan estaba tan sexy en la nueva versión —dice Bellini. Y luego, poniendo el dedo en la mejilla de su preso (y espero que no futura pareja), dice con todo el descaro del mundo—: Os parecéis mucho, por cierto.

—Ya me lo han dicho antes —dice él.

Oh, Dios, ¿cómo hemos llegado a estos extremos? Si unas entradas de trescientos dólares para la ópera te proporcionan a un ex convicto, imagínate a quién puedes llegar a conocer durante la Noche de las Damas en el bar de O'Malley.

Paso el brazo alrededor del de Bellini e intento apartarla físicamente del señor No-Es-El-Hombre-Que-Te-Conviene.

—Vamos a estudiar el libreto —digo.

—Ya lo estudié anoche —dice ella, resistiéndose a mis esfuerzos por llevármela.

Pero su admiración por una película de serie B y un ladrón de obras de arte posiblemente de serie A no se ve recompensada. Su hombre se termina la copa y la deja en la barra con un golpe seco.

—Miren, señoras, ha sido un placer conocerlas, pero ahora las dejo. Estoy viendo que hay muchas mujeres por aquí y ya va siendo hora de que conozca a otra gente.

Le da una palmadita en la espalda a Bellini, se aleja con andares contoneantes y lo vemos encaminarse hacia una rubia pechugona que está de pie al fondo del vestíbulo. Está claro que el sujetador sin tirantes de Bellini no ha bastado, y me digo que debería haber escogido un modelo que llevara un poquito de relleno en las copas.

Bellini parpadea unas cuantas veces y lo sigue con la mirada, visiblemente abatida.

—Con lo mono que era —dice.

—Es un ex convicto —le recuerdo.

—Nadie es perfecto —dice ella con un suspiro—. Parecía un hombre muy cultivado.

—Desde luego. Escucha música y roba obras de arte.

Afortunadamente, las luces del vestíbulo se atenúan e indican el comienzo de la obra.

—Anda, vayamos a escuchar un poco de Mozart —digo apaciguadoramente.

—Mozart. Odio a Mozart. No me gustan las óperas —se queja Bellini—. Venga, larguémonos de aquí. Hoy es miércoles. Hay copas gratis en el bar de O'Malley.

Pero no llegaremos a poner los pies allí, porque mientras estamos bajando por Broadway nos detiene un letrero de neón que parpadea sobre la entrada de un establecimiento.

¡LA TIERRA DEL SOL DE MEDIANOCHE!
BRONCEADOS SIN SOL LAS 24 HORAS

—Caramba. En Ohio lo único que no cierra en toda la noche es el servicio de urgencias de los hospitales —dice Bellini mientras contempla el letrero. Luego me mira y se ríe—. Supongo que en Nueva York no estar lo bastante guapa es como para acudir a urgencias. Probablemente puedes hacer que una manicura vaya a tu casa en menos tiempo que una ambulancia.

Sonrío y comienzo a alejarme, pero Bellini se apresura:

—Espera un momento —dice—. Mira: esta noche tienen un especial de treinta y nueve pavos. Probémoslo. Es diez dólares menos de lo que pago normalmente.

¿De lo que paga normalmente? Bellini me agarra del brazo y me lleva adentro, y entonces reparo en que su mano brilla con un intenso moreno sobre mi pálida piel. Habida cuenta de que estamos en octubre y hace una semana que no para de llover, de pronto me resulta obvio que mi querida Bellini no es ninguna virgen en esto del bronceado sin sol.

Me quedo en un segundo término mientras Bellini habla con la chica del mostrador.

—Pueden cogernos inmediatamente —dice muy emocionada cuando regresa, como si conseguir un bronceado sin sol a las nueve de la noche fuese tan difícil como hacerse con una foto de Mary-Kate Olsen comiendo.

—Vale —digo con un suspiro—. Pero ¿en qué me estoy metiendo?

—En el tratamiento completo de rociado-bronceado. No hay nada que dé tanto lustre a una chica como una buena sesión de pies a cabeza. Sólo se tarda quince minutos y el efecto te dura una semana entera. Bueno, puede que cinco días. O tres. —Hace una pausa—. Dos seguro.

—Estupendo. Porque si hay una cosa que de verdad quiero

en la vida es estar fabulosa esta noche cuando me vaya a la cama sola —le digo, mientras nos dirigimos hacia el fondo del establecimiento. Después de la noche de los solteros en la Ópera Metropolitana, debería recelar un poco de las ideas de Bellini, pero qué diablos: tal vez la piel se me ponga anaranjada, pero de todas maneras ningún hombre volverá a verme desnuda.

Bellini desaparece tras una puerta y me señala mi cabina.

—Prepárate. Tu especialista estará aquí en cuestión de nada.

Todavía tengo mis dudas, pero entro en un cuarto con paredes de baldosas blancas y con una luz suspendida en el centro del techo. De la puerta cuelgan, en un gancho, una bata muy delgada y lo que parece ser un tanga de papel. Observo éste a la luz y lo hago girar lentamente en mi mano, intentando entender para qué servirá ese elástico circular, no más grande que una gomita para sujetar papeles, con un diminuto triángulo de papel blanco delante y una tirilla todavía más delgada en la parte de atrás. O quizás haya que ponérselo al revés. Nunca he llevado ropa interior de tipo tanga, y ahora me explico por qué. Me lo ponga como me lo ponga, sé que me sentiré rara.

Me quito el vestido e invierto todo el tiempo que puedo en dejarlo bien colgado. Luego me encaro con esa cosa que parece un tanga. Entro en ella con mucho cuidado, tiro del elástico para subírmela y veo que, sin saber muy bien cómo, me las he arreglado para colocar el triángulo modestamente protector sobre mi muslo izquierdo. Muy útil. Siempre he sido un poquito vergonzosa con respecto a mi celulitis, pero tengo el presentimiento de que no es eso lo que se supone que ha de cubrir.

Consigo quitarme la dichosa prenda, y estoy intentando deshacer el enredo que he organizado con las tirillas cuando la especialista llama a la puerta e irrumpe en el cuarto como si tal cosa, sin darme tiempo a decir «Entre». Habrá aprendido el oficio con mi ginecólogo; él tampoco espera nunca a que le den permiso para entrar.

La especialista me ofrece una gran sonrisa. Alta y majestuosa, tiene la piel magníficamente oscura. O es de Jamaica, o es un anuncio ambulante para el establecimiento.

—Soy Denise. ¿Lista para empezar? —pregunta. Coge alegremente las bragas, las dispone en la posición adecuada, y me las tiende. Una vez que me las he puesto, Denise las contempla con mirada crítica y luego extiende la mano para efectuar un pequeño ajuste—. No querrá que la línea del bronceado sea desigual —dice, como si el retazo blanco en forma de tanga fuera a ser examinado por un panel de expertos para decidir si saldrá en televisión a la hora de máxima audiencia.

Luego estira el brazo fuera de la cabina e introduce un pesado recipiente metálico al que va unida una cánula para rociar. Espero que no esté lleno de los mismos pesticidas que usa el Doctor Césped para liquidar las plagas del jardín. Pero está claro que deben de haberlo llenado con alguna potente sustancia química, porque acto seguido Denise se pone una mascarilla y se la ciñe alrededor de la boca y la nariz. Bueno, al menos ahora una de nosotras está protegida. Al parecer, mi especialista ni siquiera se atreve a oler lo que se dispone a esparcir por encima de todo mi cuerpo y mi cara. La buena noticia es que no me saldrá cáncer de piel por haber abusado del sol. La mala es que podría crecerme un tercer ojo.

—Bueno, ¿qué color tenía pensado? —pregunta Denise mientras coge la cánula.

—Algo como el suyo —digo, admirando la impecable tersura de su cutis.

—Me parece que el marrón chocolate sería demasiado oscuro para usted —dice ella con mucho tacto—. Yo le recomendaría un beis intenso.

Curioso, es justo el color que me sugirió el pintor cuando decidí pintar mi sala de estar. ¿Por qué no piensa nadie en el chartreuse cuando me mira?

Denise me dicta unas cuantas instrucciones y, casi sin darme cuenta, me encuentro de pie ante ella llevando únicamente unas bragas de papel que se me han subido por el trasero. Con las piernas bien separadas y los brazos rígidamente extendidos a la altura de los hombros, me siento como una criminal a la espera de ser cacheada a conciencia. Cuesta imaginar que me esté sometiendo a esto, y eso que ni siquiera hay un policía apuntándome a la cabeza con una pistola. Lo siento, agente, mi único crimen es que soy demasiado pálida.

Y, obviamente, vamos a ocuparnos ahora mismo de ese imperdonable delito. Denise viene hacia mí con la cánula en ristre y una fina niebla me envuelve las piernas. Me hace cosquillas, e intento no reír. Estar guapa es una cosa muy seria. Denise me rocía concienzudamente la mitad inferior del cuerpo, con la precisión de una *artiste*, una Miguel Ángel de la época moderna creando el *David*. Y así parece ser como ella se ve a sí misma, también.

—¿Quiere que le haga un poco de escultura corporal? —me pregunta—. Puedo rebajarle esos muslos y quizás estrechar un poco las caderas.

La imagino sacándose un escoplo del bolsillo de atrás.

—Adelante, pele por donde quiera —digo.

Denise se ríe.

—No, es una mera cuestión de sombreado. Hago que ciertas áreas queden más oscuras que las otras, y así creo una ilusión óptica.

—¿Puede hacer algo con mi nariz?

—Tiene usted una nariz preciosa —dice ella—. Pero le trabajaré un poco los muslos.

Luego frunce los labios y se concentra en la única parte de mi cuerpo en la que nadie ha querido fijarse antes. Cuando ha terminado me dice que ha llegado el momento de broncearme la cara, así que ahora debería cerrar los ojos y contener la respiración.

Intento seguir las instrucciones y me aprieto la nariz con los dedos, como si fuera a saltar del trampolín.

—Me parece que no debería hacer eso —me aconseja Denise—, a no ser que esté buscando el efecto de estampado.

Aparto la mano y ella dirige su cánula hacia mí con la máxima abertura. Rápidamente, son coloreados mi cara, mi cuello, mis orejas, mis brazos, mi torso, mi espalda, mi trasero y mis pies; probablemente con más finura de la que ejerció Ted Turner sobre todas aquellas películas antiguas en blanco y negro. ¿Tendrá Woody Allen tanto que objetar a mi bronceado como lo tuvo al ver *Lo que el viento se llevó* en colores primarios?

Denise guarda su equipo y me dice adiós con la mano.

—Ahora estese muy quieta durante quince minutos —añade después, y desaparece.

Me quedo sin moverme del sitio durante un par de minutos, lo que para mí es todo un récord, y luego voy al espejo de cuerpo entero. Sí, soy yo; sólo que más morena y con el cutis igualado. De hecho, la verdad es que se me ve bastante sexy. Por una vez en mi vida tengo lo que llaman un brillo de salud en la piel, aunque seguramente lo primero que me diría un médico es que lo que acaban de hacerme no tiene nada de sano.

Doy vueltas por el cuarto durante diez minutos y luego me visto y salgo al vestíbulo, donde Bellini y yo intercambiamos chillidos de deleite. Me siento tan bien que ni siquiera me importa ir con ella a tomar una copa, aunque insisto en que subamos un poco de nivel sustituyendo el bar de O'Malley por el hotel Saint Regis.

En el elegante bar del hotel, nos instalamos en un par de taburetes altos y cruzo y descruzo mis relucientes piernas color miel, admirando el modo en que brillan. Espero no estar desgastando mi bronceado a la altura de las rodillas. En un suspiro me tomo dos martinis y le devuelvo la sonrisa al hombre que me sonríe. Estoy tan contenta que me creo que voy a ir a ese rociado bronceador cada semana.

Después de medianoche me encuentro bastante cansada, pero Bellini todavía no está lista para irse. Le digo que necesito ir al lavabo de señoras, y allí me enjabono las manos rápidamente y me echo un poco de agua fría en la cara. Entonces entra Bellini y da un grito.

—No te habrás lavado, ¿verdad? —pregunta alarmada—. Tienes que esperar veinticuatro horas para que se asiente el color.

Vuelvo a mirarme en el espejo y veo que mi rostro bronceado está ahora surcado por franjas blancas. Desvío los ojos hacia el lavamanos y, horrorizada, contemplo cómo el magnífico bronceado que me acaban de rociar en los brazos y en las manos se pierde rápidamente desagüe abajo.

—¿Y ahora qué hago? —pregunto, extendiendo los brazos hacia Bellini y revelando el dorso de mis manos, que parece brillar con un intenso resplandor blanco.

—Bronceado Instantáneo Max Factor —dice ella firmemente.

—Si podía broncearme con un tubo comprado en cualquier perfumería, ¿por qué hemos hecho esto? —suspiro mientras contemplo mi cutis moteado—. Menudo desastre.

—Procura ver el lado bueno —dice Bellini, la misma mujer que veía potencial de marido en un ex convicto—. Al menos no te ha quemado el sol.

A la mañana siguiente, en el bufete, echo una miradita tras otra al espejo de mi polvera, intentando decidir si parezco más un mapache o Michael Jackson cuando empezaba. Finalmente, dirijo la atención hacia algo todavía más desagradable: una carpeta llena de fotos que me han dejado encima del escritorio. Las examino rápidamente. Mujer desnuda. Hombre desnudo y mujer desnuda. Hombre desnudo y mujer desnuda copulando.

—Puaj —mascullo—. Esto no es lo que necesitaba ver antes de tomarme mi primera taza de café.

El hombretón que tengo frente al escritorio cruza los brazos delante del pecho, pero el traje demasiado apretado le tira de sus robustos brazos y al final opta por apoyar las palmas de las manos en el escritorio. Joe Diddly tal vez sea el detective privado más famoso de la Costa Este, pero las evidencias sugieren que lleva demasiadas horas vigilando Dunkin' Donuts.

—Un buen trabajo —dice triunfalmente—. Lo pillé, ¿no?

—Desde luego —asiento yo—. Pero desgraciadamente el tipo al que has pillado es un cliente nuestro.

Joe extiende la mano hacia una de las Kodachrome ampliadas en formato veinte por treinta que muestran a nuestro cliente, Charles Tyler, siendo cabalgado por una joven pelirroja que trabaja para él en el departamento de publicidad de Alladin Films; la misma colega con quien dijo que ni siquiera había llegado a tomar un frapuccino. Puede que no sea así, pero es evidente que algo decididamente espumoso está saliendo a la luz.

—Me dijiste que siguiera a la pelirroja, Melina Marks —dice Joe mientras mete la mano en su maletín para sacar una caja de donuts blancos. (Pues estaba equivocada. Come Krispy Kremes.) Empuja la caja hacia mí y, después de pensar cuál elijo, extiendo la mano hacia uno de chocolate con azúcar glaseado.

—Queríamos un poco de información sobre su vida personal, pero no esto —digo, mordiéndolo delicadamente—. Déjame explicártelo: el señor Tyler ha sido demandado por discriminación sexual por una empleada suya llamada Beth Lewis. La colega de Beth, la pelirroja Melina, consiguió el ascenso que Beth creía merecer. Ésta afirma que si Melina se hizo con el puesto fue sólo porque se estaba tirando a su jefe, el señor Tyler.

Joe bosteza.

—Esto no es un caso, es una pelea de gatas. A mí me suena a que Beth se ha cabreado porque Tyler se está acostando con la otra, en vez de con ella. Quizá sólo quería catar a ese tipo. ¿Crees que es bueno en la cama?

Obedientemente, cojo las fotos para poder responder a la pregunta de Joe. Una de ellas muestra una contorsión particularmente gimnástica en que la pelirroja ha puesto sus hermosas piernas alrededor del cuello del señor Tyler. A mí me da la impresión de que quien tiene verdadero talento para la cama es ella, pero entonces caigo en la cuenta de que eso no viene al caso.

—Si lo que asegura Beth es cierto, entonces nuestro cliente tiene un grave problema —digo.

—¿Por qué? —pregunta Joe—. Si existiera una ley que prohibiese acostarse con la gente del trabajo, ¿crees que alguien iría a trabajar?

—Existe —digo en mi mejor legalés—. El Tribunal Supremo de California acaba de dictar una norma según la cual si un colega que se está acostando con el jefe es objeto de tratamiento preferencial, puede ser demandado.

—Que le den morcilla al tratamiento preferencial. De todos modos, nosotros vivimos en Nueva York —dice él, lamiéndose el chocolate de un dedo.

Me río y concluyo que, en vez de educar a Joe, debería intentar conseguir que nuestro jurado lo formaran él y once hermanos suyos.

Da unos golpecitos en el fajo de fotos.

—Bueno, querías que siguiera a Melina y te consiguiera un

poco de información sobre su pasado. Ya lo he hecho. Siento que no sea la que esperabas.

—Decididamente no es lo que esperábamos. El señor Tyler le juró a mi jefe Arthur que era inocente.

Joe hace una pausa y me mira con curiosidad: está claro que acaba de pasar una nueva idea por su cabeza.

—Así que tú y tu jefe Arthur... —dice, mientras menea el dedo—. ¿Nunca habéis hecho travesuras?

Me río.

—Sólo en la fiesta que dio cuando su hijo cumplió tres años —le digo.

Joe se encoge de hombros, y luego se incorpora para estirar el corpachón. Él ya ha hecho su trabajo, y yo no voy a suministrarle ningún jugoso cotilleo, así que tira a la papelera su ahora vacía caja de donuts.

—Por cierto, que tu marido se haya ido de casa ha tenido que ser un buen palo para ti. ¿Quieres que lo siga? No te cobraré nada. Sólo tienes que decirlo.

Tuerzo el gesto.

—Gracias, pero ya sé qué está haciendo. No necesito verlo en blanco y negro.

—¿Y en color tampoco? —bromea él.

Le lanzo una mirada asesina, preguntándome si no será una velada referencia a mi bronceado a franjas. Pero decido que tal vez esté demasiado susceptible.

—¿Cómo has sabido lo de mi marido?

—Soy un detective. Lo sé todo.

Se levanta y pasea por el despacho, y luego me mira de arriba abajo con aprecio.

—Dentro de nada volverás a salir con hombres —dice—. En cuanto conozcas a un tipo nuevo, házmelo saber y me informaré de su pasado.

—Gracias, pero de momento todavía no hay tipos nuevos en el horizonte —digo, y luego titubeo—. Sin embargo, ¿qué me dirías de uno antiguo? Supongamos que quiero dar con alguien a quien hace veinte años que no veo. ¿Crees que podrías echarme una mano en eso?

—No hace falta que recurras a mí para eso —dice Joe mientras intenta abotonarse la chaqueta alrededor de la amplia sección central de su cuerpo—. En la red hay una docena de buscadores que pueden encontrar a cualquiera, esté donde esté, en un segundo.

—Ya lo he intentado, pero el caso es que se llama Barry Stern. Teclea ese nombre y te saldrán un millón de personas. No sé si el Barry Stern al que quiero localizar es el neurocirujano de Bel Air, el cirujano plástico de Boca, o el que vende suministros de fontanería en Brooklyn.

Joe regresa para volver a sentarse y se saca del bolsillo de la chaqueta un bloc de espiral con las esquinas dobladas. Un bonito toque personal, al viejo estilo detectivesco. Y habida cuenta de que sus ideas sexuales también siguen la moda retro, no esperaba que tuviese una agenda electrónica.

Le pongo al corriente rápidamente de mi idea de contactar con todos mis antiguos novios. Le hablo de Eric, y luego le explico que quiero ponerme en contacto con Barry Stern, al que conocí un verano en un albergue juvenil mientras recorría Europa con la mochila a cuestas. Al día siguiente dejamos el albergue y viajamos juntos durante cuatro semanas, con nuestros pases estudiantiles del Interrail haciéndonos sentir como si el mundo fuese de nuestra propiedad. En el parque Gaudí de Barcelona, paseamos durante horas admirando los impresionantes mosaicos serpentinos, y en Florencia tomé mi primer *gelato* en el café Vivoli, junto a Piazza Santa Croce. No se parecía en nada a los cucuruchos del Dairy Queen con los que me habían criado. A Barry le encantaba el arte, y me llevó de museo en museo. En los Uffizi, nos detuvimos ante *El nacimiento de Venus* de Botticelli, y el melenudo y brillante Barry me deleitó con la historia de cómo el artista había renegado de su magnífica obra maestra años más tarde, lamentándose amargamente de haber pintado algo tan secular.

—Cuando era adolescente, tenía un póster de ella colgado en mi dormitorio —dijo Barry, mientras miraba a la diosa desnuda de la rubísima melena ondulante. Asentí con aprobación. Por lo menos un chico en Estados Unidos no se había ido a dormir todas las noches bajo una foto de Farrah Fawcett.

—Es hermosa —dije con admiración.

—Lo es. Pero no tanto como tú.

Entonces me besó, un beso largo, tierno y apasionado, y supe que Venus, la diosa del amor, había hecho su trabajo.

Mientras concluyo mi reminiscencia romántica, Joe toma unas cuantas notas. Como profesional que es, no muestra ninguna reacción. Del mismo modo que un buen psicoterapeuta —o una vendedora de Versace después de haberte oído decir que gastas la talla juvenil— él escucha, pero no levanta la ceja.

—¿Volviste a verlo alguna vez después de aquello? —me pregunta.

—No, él siguió viajando. Se fue a la India y yo tuve que regresar a Nueva York para empezar a estudiar Derecho. Mantuvimos correspondencia durante un tiempo y de pronto las cartas cesaron. Yo seguí escribiéndole, pero ya no volví a tener noticias de él. Nunca he sabido por qué.

—¿Todavía tienes las cartas? —pregunta Joe.

—No lo sé. Probablemente andarán por el desván. —Tuerzo el gesto mientras pienso en todas las cajas que debería haber sacado de allí hace años.

—Si encuentras algo que pueda ser de utilidad, llámame —dice él. Se guarda el bloc en el bolsillo interior de la chaqueta, lo que significa que no podrá volver a abrochársela. Después se inclina sobre mi escritorio para cerrar la carpeta de fotos del caso Tyler. Deja la mano puesta encima, y le da golpecitos con un dedo admonitorio—. Guárdalas en un lugar seguro. No sea que las vea quien no debiera.

—Claro —digo yo.

—Y siento haberte traído información no deseada acerca de tu cliente. Cuando empiezas a excavar, a veces encuentras cosas distintas a las que estabas buscando.

No subo al desván hasta la noche siguiente, y, nada más entrar, me doy en la cabeza con una viga. Me paso la mano por la frente y paseo la mirada por las cajas cubiertas de polvo y repletas de libros de bolsillo amarilleados por el paso del tiempo, las lámparas rotas a las que nunca les cambiaré el cable, y las bolsas llenas de ropa que contienen lo que en otros tiempos fueron mis vestidos favoritos: una serie de tallas que representan años de oscilación entre atracones de pizza y dietas rápidas.

Me agacho y doy unos cuantos pasos con mucho cuidado hacia el Salón de la Fama del Calzado; dos docenas de diminutas Keds azul y rojo alineadas en una vieja estantería, todos los zapatos que llevaron Adam y Emily hasta los cinco años. Junto a ellos hay cajas que contienen hasta el último pedazo de papel que los chicos pintaron con las manos o sobre el que llegaron a aplicar un rotulador, que guardo para donar a sus futuras bibliotecas presidenciales. Pero nunca me desprenderé de la tarjeta que hizo Adam un Día de la Madre con un sol púrpura, una flor verde, y las palabras «Qero a mi mami». Ahora saca matrícula en todas las asignaturas en Dartmouth, pero sigue siendo un desastre a la hora de deletrear.

Me pongo en cuclillas junto al enorme baúl de mimbre que desempeñó las funciones de mesita de centro en mi primer apartamento. Lo abro con un poco de miedo, sabedora de que a lo largo de los años lo he utilizado como receptáculo para todo lo que no se me ocurría en qué otro sitio guardar. Aparto a un lado la mezcladora manual que estoy casi segura de que ya no funciona, y la caja de pendientes cuyas parejas llevan mucho tiempo perdidas. Siempre pensé que los luciría como pins. Y fíjate en esto: he guardado la receta del famoso pastel de limón de la madre de Bill. La próxima vez que la vea, por fin podré decirle la verdad. Le sale reseco e incomible, igual que su pavo del día de Acción de Gracias.

Hurgo dentro del baúl y de pronto algo afilado me corta.

—¡Mierda! —digo, apartando la mano que me escuece. Me envuelvo el pulgar cortado con el borde de la camiseta y lo aprieto bien fuerte hasta que deja de sangrar. Miro dentro del baúl para localizar el objeto culpable y enseguida doy con él: la botellita de perfume de vivos colores y hecha en cristal soplado a mano, primer regalo de Bill. Hace años rompí el tapón sin querer y se le quedó un reborde cortante, pero no fui capaz de tirarla a la basura. Maldito Bill. Incluso cuando no está cerca, continúa haciéndome daño.

Saco la botellita con toda clase de precauciones y rebusco con más cuidado en el interior del baúl. Bingo. Allí, cerca del fondo, hay un pequeño fajo de delgados papeles azules, mantenidos juntos por una goma elástica forzada al máximo que amenaza con partirse en cualquier momento. Ver los largo tiempo olvidados aerogramas que antes usábamos como cartas transatlánticas basta para hacerme sentir una punzada de nostalgia. Desdoblo uno con mucho cuidado. El papel se ha vuelto prácticamente translúcido y la letra de Barry es minúscula: gracias a ella podía comprimir todas las historias que quería contarme en una hoja plegable prepagada. A continuación, bajo las escaleras corriendo en busca de mis gafas de leer, y vuelvo a subir corriendo. En la tenue luz del desván, me siento con las piernas cruzadas al estilo indio en el suelo de madera lleno de astillas, aunque no sabría decir por qué no he llevado las cartas abajo para leerlas en un cómodo sillón. Parece como si nada fuera capaz de salir de este desván.

En la primera misiva, Barry está en el aeropuerto de Heathrow, esperando su vuelo a la India. Dice que me echa de menos apasionadamente y que siempre seré su Venus. Siguiente carta: ha pasado casi una semana en Agra y me describe el Taj Mahal: «... la simetría perfecta, la etérea luminiscencia, la mera magnitud de las dimensiones. Fue edificado como un monumento al amor, y es lo mínimo que yo edificaría para ti». Uf, eso es precioso. Yo podría ser la octava Maravilla del Mundo.

Pero en las cartas tres y cuatro, mi tirón ya no es tan monumental. Ahora los aerogramas de Barry están llenos de historias sobre procesiones de plegaria, santuarios tallados en la roca, y un templo esculpido en la ladera de una montaña. Ha hecho una peregrinación al Ganges para limpiarse el alma en las aguas sagradas, y se quedó un poco decepcionado porque algunos de los otros peregrinos, reunidos con él en el río con el agua hasta las rodillas, habían ido allí a hacer la colada. Barry también me dice que está buscando a un gran gurú. No menciona si es el que inspiró a los Beatles o alguien menos conocido, que te acepte como acólito aunque no dispongas de la Visa Platino.

En la quinta carta, Barry ya ha planeado su viaje. Me dice que irá en *rickshaw* hasta las afueras de la ciudad y entonces, en una carreta tirada por cabras, se adentrará todo lo que pueda en las colinas. Después de eso, planea seguir adelante todo el tiempo que sea necesario para llegar al santuario montañoso del gurú.

Y el rastro de cartas termina ahí.

Me quito las gafas, con los ojos empañados de pensar en Barry, apenas un año o dos mayor que mi Adam ahora, tan lleno de esperanzas, tan idealista. En aquella época, tanto Barry como yo pensábamos que éramos sabios y adultos, increíblemente conocedores de la vida. Poco podíamos imaginar que todavía nos quedaba tanto por aprender.

Hace todos esos años, se me rompió el corazón cuando Barry dejó de escribir. Al principio, sólo podía pensar en lo dolida que me sentía, pero luego empecé a preocuparme por él. ¿Le había ocurrido algo horrible a Barry en las misteriosas colinas de la India? ¿Se le había acabado el agua durante su viaje? ¿Había sido secuestrado por alguna tribu de merodeadores? ¿Podía haberse caído de la carreta tirada por cabras?

Pensaba en ello a menudo, pero nunca supe por qué había dejado de escribirme.

Diez días después, Joe Diddly tiene la respuesta.

6

Nadie ha descolgado el teléfono en este lugar durante las tres semanas que llevo intentándolo, pero Joe Diddly me ha jurado que ésa es la dirección actual de Barry Stern. Como Arthur me necesitaba en San Francisco para tomar una declaración, pensé que, ya puesta, bien podía conducir los ciento diez kilómetros extra hasta el antiguo monasterio carmelita. Después de mi escénico recorrido a través de las colinas, detengo el coche y veo un letrero: «Centro de Retiro Espíritu Celestial.» Debe de ser aquí. O es eso, o es que he muerto y san Pedro ha dado el visto bueno a que pase.

Cuando salgo del coche bajo el intenso sol, me aliso la falda del traje chaqueta azul marino que todavía llevo de mi mañana en el tribunal. Ahora pienso que debería haberme cambiado de ropa en los servicios del 7-Eleven, donde hice un alto para recoger el almuerzo, una caja de Pringles, una bolsa de Doritos y un perrito caliente grasiento con todos los complementos añadidos. También me digo que no debería haberme comido los aros de cebolla.

Ya he llamado a Arthur para decirle que la declaración del caso Tyler no ha resultado demasiado alentadora. El nuevo jefe de Beth Lewis en la Costa Oeste, adonde se trasladó después de dejar su empleo en Alladin Films, dice que es una empleada perfecta. Beth se ha mantenido tranquila e inamovible en su afirmación de que el señor Tyler no tenía ninguna otra razón que no fuera de naturaleza personal para ascender a la otra empleada.

Ahora no puedo hacer nada para solucionar ese problema, así que dejo de pensar en él y sigo una hilera de árboles ligeramente esmirriados que flanquea un camino cubierto de hierba. Yo no lo llamaría césped: los retazos marrones superan en número a los verdes, y los hierbajos dominan sobre todo lo demás. No obstante, algunas bonitas flores silvestres puntúan el paisaje y vislumbro un estanque cristalino a lo lejos.

Al volverme en otra dirección, diviso a tres personas y me apresuro a ir hacia ellas.

—Disculpen —digo—. ¿Podrían decirme dónde está la recepción?

Las dos mujeres se echan atrás con aspereza y luego se apresuran a escabullirse. ¿Tan horrible es mi aliento a cebolla? El hombre tampoco me responde, pero al menos se para y vuelve la cabeza hacia la izquierda.

—Estoy buscando la recepción —repito.

Él vuelve la cabeza dos veces hacia la izquierda. O tiene un caso leve de síndrome de Tourette o está intentando decirme algo. Probablemente lo segundo, porque me hace una seña de que lo siga, cosa que hago. Llegamos a una gran casa de piedra y entramos en una habitación acogedora y llena de luz. Dos docenas de personas están dispersas por ella, todas descalzas y con holgados pantalones. Algunas forman pequeños grupos, cogidas de la mano, y todo el mundo está sentado con las piernas cruzadas al estilo indio sobre finas esterillas de tatami. Al menos creo que es así como las llaman. O quizás estoy confundida y el tatami es ese sashimi que me gusta.

Por unos momentos, no me muevo del sitio, atónita y sin saber qué hacer. Entonces un hombre busca mi mirada con la suya y vuelve los ojos hacia una esterilla vacía. Cuando ve que yo continúo sin moverme, levanta la mano ligeramente y me dirige un pequeño gesto indicándome que me siente.

Claro, esto es el Centro de Retiro Espíritu Celestial. Me parece que puedo decir sin mucho temor a equivocarme que me he metido en una sesión de meditación. Me descalzo y me acomodo sobre una esterilla, alegrándome de que la falda que llevo sea plisada, pero pensando que no debía haberme puesto panty. En efecto, ojalá no se me hubiera ocurrido ponérmelos.

La mujer que tengo al lado mantiene los dedos juntos formando una tienda en posición de plegaria. Sus ojos están cerrados y tiene en la cara una expresión llena de paz. El hombre sentado a mi izquierda tiene las manos puestas encima de las rodillas y se mira los dedos de los pies sin parpadear. Reparo en que mis dos vecinos tienen los hombros perfectamente erguidos y las espaldas rectas. No sé en qué mejorará tu alma con la meditación, pero a todas luces parece que mejora mucho la postura.

La habitación está en silencio y no se mueve nadie. Decido cerrar los ojos y concentrarme en un recuerdo que me sea grato. Veamos. El día de mi boda. No, vamos a borrarlo de la lista de recuerdos gratos. ¿Quizá la tarde de abril de aquel paseo a lo largo del Sena, en París? No, el hombre al que iba cogida de la mano era Bill. ¿Algo bueno que me ocurriera con los chicos? Me viene a la mente una imagen de Emily y Adam en el zoo cuando eran críos. Adam da saltitos para imitar a los orangutanes y Emily imita esas caras tan graciosas que ponen. Intento no reír en voz alta. Entonces me acuerdo de cómo Emily entretuvo a los monos dando volteretas, y se me escapa la risa. Es una risita de nada, pero rebota como un disparo en toda la habitación sumida en el silencio. Levanto la vista, humillada, pero para mi sorpresa, nadie ha pestañeado siquiera. Literalmente. Menuda concentración. Si encontrases una manera de utilizar toda la energía concentrada dentro de esta habitación, probablemente podrías iluminar San Francisco durante una semana.

Me da que no debería estar pensando en monos, disparos o la crisis energética en California. Además, se me ha dormido el pie y una corriente de alfilerazos me sube por la pierna. Y eso no es nada comparado con el hormigueo que siento un instante después.

Suena un gong y el clima emocional se intensifica súbitamente a mi alrededor. Un instante después hay un pequeño revuelo en la habitación cuando mis compañeros de retiro se ponen a canturrear al unísono. El canturreo se intensifica rápidamente hasta convertirse en un cántico: *om om om*. El rumor suena como una campanita que avisara de algo, o quizá como si estuvieran probando el Sistema de Transmisión de Emergencia.

El cántico anuncia la llegada de un hombre vestido con unos pantalones muy holgados y un caftán blanco, que entra por una puerta lateral. Hete aquí al maharishi Rav Jon Yoma, el reverenciado líder del retiro espiritual.

Anteriormente conocido como Barry Stern.

Sin darme cuenta, sonrío y lo saludo con la mano, pero, afortunadamente, él no se entera. Recuerdo que me eché a reír cuando Joe Diddly me contó que el joven intelectual, encantador y amante del arte que conocí en tiempos se había convertido en «un líder espiritual y profesor de iluminación, en cuyas enseñanzas confluyen las filosofías de los primeros maestros chan, los budistas zen y el swami Chinduh». (¿Por qué no incluir las filosofías de la Querida Abby y el reverendo Al Sharpton para estar seguro de que no te dejas nada?) Pero no cabe duda de que Barry tiene que estar haciendo algo bien. Mi karma ha mejorado nada más entrar él.

La audiencia de Barry —también conocida como «los acólitos del maharishi Rav Jon Yoma»— lo mira con ojos extasiados. El canto ha continuado y no hace sino aumentar de volumen. Yo también lo miro fijamente. No es que quiera ser dura con él, pero Barry no lleva el paso de los años tan bien como Eric. Estoy segura de que su alma es pura, pero su cuerpo está bastante entrado en carnes. Incluso debajo del caftán, puedo ver que tiene una buena tripa. Supongo que sus retiros espirituales no incluyen el ayuno.

Barry levanta las manos y el canto cesa.

—Ahora vamos a dar comienzo a nuestra habitual sesión de *satsang* —dice en un tono de voz tan bajo que apenas está por encima del susurro—. Como ya sabéis, romperé el silencio transformador del espíritu de este retiro de fin de semana sólo en esta única sesión de diez minutos.

Un retiro silencioso explicaría el comportamiento del tipo de la cabeza espasmódica, y el de las mujeres que huyeron de mí. Pero ¿sólo diez minutos para hablar en todo el fin de semana? No parece mucho tiempo.

—Aceptaré preguntas sobre la indagación de la verdad, la búsqueda de la iluminación, y el encuentro del yo —dice el maharishi. Eso parece mucho para que vaya a caber en sólo diez minutos, y luego añade—: También podemos explorar las alegrías de ser uno.

Pienso que no me importaría explorar las alegrías de ser dos, habida cuenta de que mis últimas experiencias me han revelado que el ser uno deja bastante que desear. Pero la mujer que tengo al lado asiente vigorosamente.

—Maharishi, estoy buscando la consciencia cósmica. ¿Puedes iluminarnos contándonos cómo la encontraste?

—Ummmmmm —dice Barry. No estoy segura de si está pensando o cantando—. Mi viaje empezó en la cima de una montaña y de pronto sentí que flotaba en el espacio infinito. Todas las líneas divisorias desaparecieron de golpe y cuando las puertas de la percepción se abrieron ante mí, no había muros para mantenerme encerrado.

Que yo sepa, nunca hay muros en las cimas de las montañas, al menos hasta que llegan los promotores inmobiliarios.

Pero la habitación está fascinada, y Barry continúa.

—Vi que la vida es Una, que todas las personas que hay en el universo, vistas y no vistas, conocidas y desconocidas, experimentadas y no experimentadas, conscientes y no conscientes, gloriosas y no gloriosas...

Sí, sí, todos nosotros. Guapas y no guapas. Inteligentes y no inteligentes. Miembros del Club de Tenis de Chaddick, no miembros del Club de Tenis de Chaddick. Venga, pasemos a otra cosa.

—... que todos y todo cuanto existe y ha existido alguna vez es realmente Amor. Y en su forma más verdadera, procura una intensidad jubilosa, trascendente y casi abrumadoramente placentera para el cuerpo humano.

¿Estoy leyendo algo en esto? Me suena como si estuviera diciendo que la meta de la iluminación es tener mejores orgasmos. Si el pastor de la escuela dominical a la que asistí de pequeña hubiese dado sermones como éste, quizás habría pasado más tiempo en la iglesia.

Un hombre sentado en el centro de la habitación debe de

creer que está asistiendo a una rueda de prensa presidencial, porque levanta un dedo y dice:

—¿Puedo preguntar una cosa, Rav?

Me miro el reloj nerviosamente. Estas personas estarán intentando ponerse en contacto con su paz interior, pero yo llevo semanas intentando ponerme en contacto con Barry. Está claro que el voto de silencio tiene que incluir el teléfono. Hemos invertido seis minutos sólo en esta única pregunta. Sólo cuatro minutos más y volveremos a las charadas.

La pregunta parece durar una eternidad, y la respuesta del maharishi Rav Jon Yoma es todavía más larga. Ahora la tensión en la habitación se ha vuelto palpable. Con el tiempo a punto de agotarse, ni todos los *om* del mundo pueden impedir que la ansiedad vaya creciendo a medida que la gente se esfuerza por intentar colar sus preguntas.

—¿Existe alguna manera de alcanzar el Autodescubrimiento rápidamente? —pregunta otra persona.

—¿Podrías resumirnos cuáles son las tres herramientas para saltar a un sendero espiritual? —pregunta un hombre. Está claro que es un ejecutivo de alto nivel en busca de respuestas a la existencia en una presentación de la última consola Nintendo.

Antes de que Barry pueda responder, otro tipo con pinta de ejecutivo dispara:

—¿Tienes algún programa para la gente que sólo dispone de los fines de semana para trascender su ego?

Quedan quince segundos. Preocupada por mi propio ego, me levanto osadamente y farfullo la única pregunta que tengo en la cabeza.

—¿Te acuerdas de mí, Barry?

Tres docenas de personas se vuelven hacia mí y se me quedan mirando. Algunas de ellas murmuran «Barry» con cara de perplejidad, repitiéndolo una y otra vez. No las culpo. Probablemente han pagado un montón de dinero para escuchar la sabiduría del maharishi Rav Jon Yoma. La sabiduría de Barry no suena ni la mitad de valiosa.

Barry mira en mi dirección, pero no veo ni siquiera un destello de reconocimiento en sus ojos. Debería sentirme insultada, pero en lugar de eso me siento cabreada. Venga ya, tío. Eric me dijo que no he cambiado nada.

El canto vuelve a empezar y el maharishi se encara con el grupo, hace una reverencia y aprovecha que todos están entretenidos cantando para deslizarse solemnemente fuera de la habitación. Me apresuro a seguirlo, pero cuando llego fuera, él parece haberse esfumado. ¿Vendría acompañado el cambio de Barry a Rav por una capa mágica como la de Harry Potter?

Me encamino hacia mi coche para irme, pero entonces me paro. He recorrido todos estos kilómetros para hablar con Barry, y aunque ya he visto que hablar no parece ser un deporte muy popular por aquí, no estoy dispuesta a darme por vencida tan fácilmente. Y ya que me encuentro aquí, supongo que podría tratar de hacerme con un poco de iluminación.

Me gustaría ir a descansar a mi habitación, pero caigo en la cuenta de que no tengo una habitación. Vuelvo al área principal y veo que todo el mundo ha salido fuera. Encuentro a mi amigo de la cabeza espasmódica y le dirijo una serie de movimientos exagerados para sugerirle que necesito inscribirme en el retiro espiritual. Cuando veo que él no lo pilla, inclino la cabeza hacia el lado y cierro los ojos, con la esperanza de que así entenderá que no me iría mal tener un sitio donde dormir. Pero lee mal el mensaje. Pone el brazo alrededor de mi cintura, me acaricia el hombro y señala su habitación. Ésta podría ser mi única ocasión de experimentar el polvo silencioso, pero la dejo pasar. Sacudo la cabeza vigorosamente para decirle que no.

Durante el resto de la tarde, recorro el lugar como hacen todos los demás; ya que estoy aquí, supongo que podría probar suerte con esto de la búsqueda espiritual: «*Om, om, om* —mascullo para mis adentros. Dios, es aburridísimo—. Roma, toma, doma, cama. —Eso ya está un poco mejor—. Barry, Barry, Barry.» Quizá podré conjurarlo.

Y que me aspen si un hombre no aparece súbitamente ante mí. No es Barry, pero al fin y al cabo yo sólo soy una novicia. ¿Y qué mujer no se sentiría orgullosa de poder hacer comparecer a un hombre, cualquier hombre, con sólo pedirlo? Éste —alto, calvo, de anchos hombros y vestido todo de blanco— cruza los brazos delante del pecho en un sorprendente parecido con Don Limpio. Acto seguido levanta la mano y me indica que lo acompañe. Don Limpio echa a andar rápidamente delante de mí y yo lo sigo cuatro pasos por detrás. Pasamos junto al estanque para enfilar un estrecho sendero forestal en el que no tardo en divisar al fondo una casita.

Y Barry está de pie ante ella.

Don Limpio entra y cierra la puerta, pero Barry se queda donde está. Cuando me detengo ante él, no sé muy bien qué se supone que he de hacer. Si sólo fuese Barry, le daría un abrazo. Pero ¿se puede tocar al maharishi Rav Jon Yoma? Quizás haya que besarle el anillo. No, eso es con el otro. Barry toma la iniciativa y me pone las manos sobre la cabeza. ¿Estoy siendo bendecida, o es que me va a dar un beso?

Barry da un paso atrás y extiende lentamente los brazos en un gesto de bienvenida. Cuando lo vi esta tarde en la sala de meditación, medio pensé que su numerito de allí sólo era eso, otra parte del espectáculo. Pero incluso tan de cerca exuda un aura de calma y serenidad. Y algo en sus profundos ojos grises me dice que al final me ha reconocido.

—¿Podemos hablar? —pregunto, en un tono muy bajo. Puede que hablar no cuente si mantenemos la voz por debajo de cierto nivel de decibelios.

Él se lleva la mano al pecho y sacude la cabeza, pero luego me señala y asiente casi imperceptiblemente. Así que yo puedo hablar, pero él no. Eso es lo que ocurre en un montón de matrimonios.

Barry se sienta en una roca y yo me apretujo a su lado sobre la dura e incómoda percha. Pero él parece estar a sus anchas. Sabía que su consciencia está en otro plano. No me había dado cuenta de que su trasero también lo estaba.

—Bueno, ¿cuándo te convertiste en un maharishi? —pregunto alegremente. Oh, estupendo, parezco idiota. Llevo toda una tarde sin hablar, y ya he perdido todas mis habilidades conversacionales.

Barry sonríe beatíficamente. Está claro que tendré que esforzarme un poco más para conseguir una respuesta.

—¿Hace cinco años? —pregunto, insistiendo en una pregunta que realmente no me interesa en lo más mínimo—. ¿Diez? ¿Cuando estuviste en la India justo después de que te conociera?

Él no hace ningún ademán de responder, pero no me daré por vencida.

—Te diré lo que vamos a hacer. Da una patada en el suelo cuando aciertes con la respuesta correcta. —Y le hago una demostración, dando un par de patadas en el suelo.

Barry no puede evitar reír. Ahora me tomo como un reto personal lo de conseguir que diga algo, cualquier cosa. Intento recordar lo que hizo Adam cuando tenía nueve años para lograr que aquel guardia del Palacio de Buckingham de expresión pétrea se diera por vencido al final y gruñera: «Largo, niño.» Si la reina se hubiera enterado de que aquel guardia había hablado, probablemente lo hubieran decapitado. ¿Qué es lo peor que le puede pasar a Barry? ¿Que lo echen a patadas del Nirvana?

Pero no necesito llegar a esforzarme tanto como pensaba. El destino se encarga de hacerlo todo por mí. Don Limpio entreabre la puerta unos centímetros y saca la mano con un teléfono móvil en ella.

—Pssst, maharishi. Tenéis que responder a esta llamada.

Me pregunto qué emergencia-de-vida-y-muerte lo ha inducido a romper su voto de silencio.

—Es vuestra agente en L.A. —murmura Don Limpio nerviosamente. Me digo que tendría que haberlo sabido. Hollywood pesa más que la santidad—. Vuestras plegarias han sido escuchadas. Está interesada en hablar sobre un programa de entrevistas para ese nuevo canal por cable, la Consciencia Cósmica Natural.

No estoy segura de que la CCN sea tan importante como la CNN, pero doy gracias a Dios porque ahora dispongamos de la televisión digital por cable y ya no estemos obligados a conformarnos con sólo cinco mil canales entre los que elegir.

Barry desaparece dentro de la casita para responder a la llamada. Espero fuera alrededor de cinco minutos hasta que ha acabado de hablar, y entonces él abre la puerta y me invita a entrar en la casita. Estoy impaciente por ver cómo vive un maharishi. Esperaba que el interior fuese austero y ascético, paredes blancas y quizás un par de sillas de respaldo duro. Pero Barry parece haber dedicado muchas horas a escoger el mobiliario, y no precisamente en Ikea. Dos sofás Ultrasuede tapizados en verde y llenos de mullidos cojines se observan el uno al otro a través de una mesita de centro de cristal. La zona alfombrada en colores coordinados es decididamente suntuosa, y hay un cómodo sillón de cuero situado junto a un elaborado centro de entretenimiento Bose.

—¿Puedo ofrecerte un poco de leche de soja? —pregunta Barry.

No es exactamente lo que esperaba que me dijera después de veinte años sin vernos, pero supongo que siempre es un primer paso.

—Claro —digo.

—¿Chocolate o vainilla? —pregunta él.

No sabía que la leche de soja viniera en distintos sabores.

—¿Fresa? —solicito, sólo para averiguar hasta dónde puedo tirar de la cuerda.

Él va a la cocina y regresa con dos vasos en una bandeja de bambú. Me da uno, y naturalmente el contenido es rosa. Barry es un maharishi; se supone que ha de responder a las plegarias de la gente. Pero mientras bebo un sorbo del asqueroso brebaje, me acuerdo del viejo refrán: ten mucho cuidado con lo que deseas porque podrías conseguirlo.

—Bueno, Hallie, ¿qué te ha hecho emprender este viaje espiritual? —pregunta mi maharishi mientras nos sentamos en el sofá.

No sé de cuánto tiempo disponemos para hablar, y he aprendido de la última sesión que más vale que sea directa.

—Quería encontrarte —digo—. Incluso después de todos estos años. Guardo muy gratos recuerdos de nuestro tiempo juntos.

—Yo también —dice él, poniendo las manos sobre las mías.

Trago saliva.

—No se me ocurría qué podía haberte sucedido cuando dejé de recibir noticias tuyas desde la India. Pensé que quizás habías conocido a alguien más. O que habías muerto.

—La persona a la que conociste murió en la India —dice él sin inmutarse—. Y fue entonces cuando renací. Fui a hablar con el gran maestro Advaita Ramana Maharaj y él me enseñó lo que significa ser libre.

—Pero ¿por qué tenías que quedar libre de mí? —le pregunto, y me vuelven de golpe las inseguridades que tenía a los veinte años.

Barry me mira a los ojos y entrelaza sus dedos de piel muy lisa y suave con los míos.

—Porque me encontró a mí —dice Don Limpio, acercándose y pasando un brazo alrededor de la cintura de Barry en un claro gesto de marcaje territorial—. Encontramos la luz juntos.

Ah… ahora soy yo quien está viendo la luz.

Don Limpio le acaricia cariñosamente el brazo a Barry. Esto va a hacer que me resulte un poco más difícil hablar de nuestro gran romance. Hasta el Papa da audiencias privadas.

Pero Barry no se inmuta.

—Te quise, Hallie, pero de otra manera. Quizá te habrás preguntado por qué nunca hicimos el amor.

—La verdad es que no me lo había preguntado —admito—. Pensaba que sólo se trataba de una muestra de caballerosidad por tu parte. O que querías que nuestra noche de bodas fuera realmente especial.

De hecho, me sentí más bien aliviada cuando Barry no se me insinuó mientras viajábamos juntos. Nos arrimábamos mucho el uno al otro, lo que era muy agradable, y recién salida de mi intensa relación con Eric, eso era todo lo que yo quería.

—¿Has llegado a tener una noche de bodas? —pregunta Barry con mucho tacto.

—Una realmente buena —digo alegremente—. En el Nevis Four Seasons sirven un desayuno excelente. —Y que yo recuerde, nuestra luna de miel fue el único momento de nuestro matrimonio en que Bill siempre estaba dispuesto a llamar al servicio de habitaciones.

—¿Elegiste un buen marido? —pregunta Barry.

¿Lo hice? Vete tú a saber. Me doy cuenta de que eso es parte del porqué estoy aquí y de lo que estoy intentando llegar a entender. Últimamente, he estado pensando que cometí un grave error al casarme con Bill. Pero mirando a Barry —y a Don Limpio, que ahora le mordisquea la oreja cariñosamente—, veo que nuestra relación nunca habría funcionado. No creo que yo estuviera destinada a una vida de leche de soja y silencio. Por no mencionar el otro problema obvio.

—Durante mucho tiempo, he pensado que mi marido era un tipo bastante decente —digo, sin faltar a la verdad—. Pero por desgracia, se ha ido de casa.

—La gente se mueve, la gente cambia —dice el maharishi, prácticamente cantando—. Lo que ocurre en el presente es temporal. Nunca dejes que un incidente del momento te haga lamentar las alegrías del pasado.

Que ahora Bill esté en la calle Noventa y tres me parece más bien un delito grave que un incidente menor, pero entiendo lo que quiere decir Barry. El final de algo no significa que careciera de valor mientras duró. Mi matrimonio ha terminado, pero durante mucho tiempo me hizo feliz. No puedo lamentar veinte buenos años, dos hijos estupendos, y una hipoteca que ya casi está terminada de pagar.

Pero sí puedo lamentar que Don Limpio esté señalando el reloj y sea evidente que el silencio espiritual está a punto de caer de nuevo sobre nosotros. Un brillo ultraterreno regresa a las facciones de Barry. Puede que yo aún esté en la casita, pero me da el pálpito de que él vuelve a estar en la cima de la montaña.

—¿Te veré en el *satsang*? —pregunta Barry en voz baja mientras me acompaña hacia la puerta.

—No, he de regresar a casa. Gracias, de todas maneras. Creo que ya tengo lo que buscaba.

Le pongo la mano en el hombro y le doy un besito en la mejilla. Y qué demonios. Le doy uno a Don Limpio, también.

7

Se supone que nunca hay que tomarse confianzas con los clientes, pero hay algo en Charles Tyler que me invita a traerle una tila. Durante los últimos quince minutos no ha parado de cambiar de postura en el asiento, de morderse un lado del labio, y de dar golpecitos con la puntera de sus caros zapatos Church en mi reluciente escritorio. Como deje señales en la madera, añadiré a su factura lo que me cobren por volver a barnizarlo. Cuanto más hablamos, más nervioso parece ponerse el señor Tyler. Como no estoy autorizada a despachar tranquilizantes, meto la mano en el primer cajón de mi escritorio para alcanzar lo mejor que existe después de ellos.

—¿Unos ositos Gummi? —pregunto, ofreciéndole una bolsa a medio comer de esas golosinas tan blanditas. Solía llevarlos conmigo para dárselos a los chicos cuando eran pequeños, y me enganché. Juro que son tan adictivos como la nicotina. Quizá debería presentar una demanda colectiva contra el fabricante.

—Gracias —dice el señor Tyler, extendiendo la mano para coger uno. Entonces cambia de parecer y vuelve a pegar la espalda al respaldo—. En realidad, no. —Una breve pausa y se inclina hacia delante y coge un puñado de Gummies—. Bueno, sí, gracias.

En vez de metérselos en la boca —lo que lo habría obligado a dejar de morderse el labio—, los pone encima de mi escritorio. Y un instante después empieza a clasificarlos según el color. Parece que este lote contiene una cantidad insólita de los de color verde. Me resisto a coger el único rojo.

—Bueno, señor Tyler —digo, intentando recuperar la compostura profesional—: me temo que no hemos hecho demasiados progresos. Volvamos a la primera casilla. Usted le dijo a Arthur que la demandante, Beth Lewis, no estaba en lo cierto al afirmar que usted le había dado el ascenso a Melina Marks —señalo a la mujer desnuda en las fotos— a causa de su relación personal con ella. Le dijo que usted era inocente.

—Soy inocente.

Suspiro. Como siempre dicen los abogados, si cada vez que un cliente culpable que dijera que estaba limpio de toda culpa consiguiera veinticinco centavos, podría comprarme un Maserati nuevo. Y dar clases para aprender a manejar el cambio de marchas.

—Pero las fotos sugieren que usted mantiene una relación de naturaleza claramente personal con Melina Marks —digo, sabiendo que me quedo corta. De hecho, las fotos sugieren que él y Melina tienen un brillante futuro en el Canal Playboy; lo que quizá sea una buena noticia, habida cuenta de que como no se me ocurra ningún argumento convincente para justificar su defensa, está claro que él no va tener ningún futuro en Alladin Films.

—Mi relación con Melina Marks carece de relevancia.

Lo miro con incredulidad.

—Pero es que este caso va precisamente de su relación con Melina Marks. —Bajo la vista hacia la reluciente evidencia—. Y me apresuro a llegar a la conclusión de que realmente usted tiene algo más que una relación profesional con ella.

Él lanza una rápida mirada de soslayo a las fotos incriminatorias.

—Quizá sí.

—Pero usted no le transmitió a Arthur esa información tan importante.

—Él nunca me la pidió. Sólo me preguntó si yo era inocente, y soy inocente.

Muy propio de Arthur. Mi jefe es demasiado educado para sacar a relucir la palabra «sexo» en una demanda de discriminación por motivos de género. Pero yo no soy tan educada.

—Permítame ser franca. La demandante lo acusa de estar manteniendo relaciones sexuales con esta mujer. Y usted está manteniendo relaciones sexuales con esta mujer. —Alzo la mirada hacia él con expresión esperanzada—. A menos que haya otra explicación para estas fotos.

A modo de respuesta, él usa nerviosamente su pulgar para triturar indeleblemente el osito Gummi rojo sobre mi impoluto escritorio de caoba. Añadir ese concepto extra en la factura por haberlo tenido que volver a barnizar está empezando a parecer bastante razonable.

—Me preocupa que se haya puesto a husmear en mi vida personal —dice, finalmente.

Completamente frustrada, cojo un clip y lo arrojo al suelo.

—Señor Tyler, ayúdeme a salir de este atolladero. Todas las cosas de las que lo acusa Beth Lewis en su demanda parecen ser ciertas.

—En absoluto. Melina Marks fue ascendida por razones perfectamente legítimas. Entregué a Arthur todos los documentos que prueban que está haciendo una publicidad asombrosa para algunos de nuestros mayores clientes. Por ejemplo, Melina se ha ocupado de Reese Whiterspoon, mientras que Beth nunca consiguió superar el nivel de Tilda Swinton.

—¿Tilda quién? —pregunto.

—A eso me refería. Si Beth fuese mejor publicista, podría ser que usted supiera de quién le estaba hablando. Melina, sin embargo, es una empleada excepcional.

—Una empleada excepcional que está manteniendo relaciones sexuales con su jefe. ¿Qué cree usted que parece eso?

Yo sé exactamente lo que parece, lunar incluido.

El señor Tyler se levanta.

—Por favor, tiene usted que sacarme de este lío. —Me mira con desesperación, y decido no ser tan dura con él.

—¿Puede contarme algo que nos permita organizar mejor su defensa? —le pregunto—. ¿Cualquier cosa, por pequeña que sea?

Él titubea y extiende la mano hacia la moqueta para recoger el clip que he arrojado. Tira nerviosamente de él, rompiéndolo en trocitos que luego planta como banderas en los restos del osito.

—La verdad es que no puedo decir nada más al respecto.

Tengo la sospecha de que si el señor Tyler quisiera, podría hacer que todo el problema se esfumara de golpe. Pero lo único que quiere hacer en este momento es irse. Agarra su maletín con mano temblorosa y sale de mi despacho sin mirar atrás una sola vez.

Después de haber despachado dos reuniones más, empiezo a abrirme paso laboriosamente a través de cincuenta nuevos correos electrónicos. ¿Puede el príncipe nigeriano depuesto que se ofrece a depositar diez millones de dólares en mi cuenta corriente (para lo que sólo hace falta que yo le remita mi número de cuenta) ser realmente quien dice ser? ¿Merece la pena un fin de semana gratis en un nuevo centro turístico en Altoona que me trague una presentación de dos horas sobre cómo puedes adquirir un apartamento en régimen de multipropiedad? Me alegro de ser una abogada tan importante, ya que de otro modo nunca recibiría semejantes cantidades de correo basura. Estoy abriendo un correo electrónico que realmente necesita ser contestado cuando llama Bellini.

—Estoy a la vuelta de la esquina de tu trabajo. Nos vemos en Starbucks —dice.

—Creía que tenías una cita para almorzar —digo—. Con un tipo nuevo.

No hace mucho, Bellini se inscribió en un servicio de citas para almorzar acompañada como mínimo dos veces a la semana. Pero el pasteleo de momento no ha llevado a nada significativo. Mi amiga ha ido a tres citas de mediodía y sólo los restaurantes han obtenido críticas entusiastas. Ni siquiera ha habido un poco de sexo *après* el bocadillo.

—El tipo con quien se les había ocurrido emparejarme no me gustó nada —dice Bellini con suficiencia—. Me largué tan deprisa que ni siquiera llegué a comer.

Caray. Me cuesta imaginar cómo sería aquel tipo si Bellini, la santa patrona de «ese hombre tiene potencial», no pudo aguantarlo el suficiente tiempo para dar cuenta de una ensalada de atún.

Cinco minutos después localizo a Bellini en Starbucks, sentada a una mesita redonda con una bolsa blanca manchada de grasa ante ella, procedente del establecimiento de pizzas del otro lado de la calle. Está muy ocupada en sacar los champiñones de una porción y metérselos en la boca.

—No sabía que vendieran pizza en Starbucks —digo.

—Y no la venden. Pero nadie come el almuerzo que sirven aquí. Siete dólares por la ensalada más pequeña que hayas visto nunca.

Miro en derredor y, naturalmente, todo el mundo parece estar metiendo mano en su propia bolsa personal. No cabe duda de que este Starbucks está haciendo una buena clientela... para el tendero coreano de enfrente. Pero tampoco hace falta que me preocupe por que la declaración de ingresos trimestral de Starbucks vaya a salir negativa, porque veo una larga cola de hombres de negocios esperando a que les sirvan sus cappuccinos para llevar a cuatro dólares el vaso. Y a juzgar por la cantidad de gente sentada a las mesas que teclea furiosamente en sus portátiles, puede que Starbucks haya empezado a alquilar parte del espacio para instalar oficinas.

—Bueno, ¿qué pega tenía tu cita a ciegas? ¿Era jorobado? ¿Bizco? ¿Tenía dos pies izquierdos? —pregunto a Bellini, repasando la lista de discapacidades para las citas—. ¿Bebe merlot en lugar de pinot?

—A su espalda no le pasaba nada, tenía unos ojos muy bonitos, y no llegué a bailar con él —masculla Bellini. Luego alza la mirada hacia mí—. Pero ya que necesitas saberlo, ni siquiera pidió vino; pidió agua mineral con gas. Sin limón.

Espero.

—¿Y? —pregunto.

—Y nada —dice ella—. Ése es el problema. Era un muermo de tío.

Ah, ahora comprendo. Probablemente llevaba traje, tiene un empleo fijo, y se porta muy bien con su madre. Está claro que no es el hombre apropiado para Bellini.

—No sé si lo que te pasa es que tienes el listón demasiado alto o demasiado bajo —digo.

Bellini se ríe.

—Me da igual que el hombre en cuestión sea un modelo de gama alta o de gama baja. Pero no soporto la mediocridad. —Se limpia los dedos en una servilleta—. Bueno, ¿y tú qué? ¿Cómo fue tu fin de semana?

—Silencioso —le digo.

La pongo al corriente de lo que se cuece en el Centro de Retiro Espiritual Celestial, y le cuento todos los detalles de mi encuentro con el maharishi Rav Jon Yoma. De hecho, he empezado a pensar en él de esa manera porque está claro que «Barry» desapareció hace mucho.

—Así que justo después de haber salido contigo, el tipo se volvió gay —dice Bellini, resumiendo mi historia—. Buen trabajo, Hallie.

—No creo que eso fuera exactamente lo que ocurrió —digo en mi defensa.

—Deberías sentirte orgullosa —dice Bellini—. Que un tío te dé puerta es lo más fácil del mundo. Lo que de verdad cuesta es conseguir que le dé puerta a todo el género femenino.

—Es que yo tengo mucho talento. Cuatro semanas conmigo y la vida de un hombre queda cambiada para siempre —digo.

Extiendo la mano y le doy un bocado a la pizza de Bellini.

—La verdad es que ver a Barry ha estado muy bien. Siempre me gustaron su mente tan abierta y sus inmensas ganas de explorar el mundo: he vuelto a sentir un ansia de aventuras parecida a la de hace veinte años. Barry es el tipo de hombre que te hace conocer nuevas experiencias: Gaudí y Botticelli cuando éramos jóvenes, silencio y *satsang* ahora. Pero me parece que una parte de mí siempre supo que no era el hombre con el que me casaría.

—La lección, para mí, consiste en confiar en mis instintos cuando se trate de tíos —dice Bellini.

—Tu lección es aprender a confiar en los míos —le digo, cuando me acuerdo de la noche en que tuve que apartarla de aquel ladrón de obras de arte, en la ópera.

De hecho, está claro que mis instintos supieron dar en el blanco con Barry. No me esperaba que terminara convirtiéndose en un maharishi, pero dado su espíritu etéreo y errante, sabía que tampoco podría ser nunca el tipo de marido sólido en quien aprendes a confiar. No era la clase de hombre hacia el que das la vuelta en la cama cuando son las tantas de la madrugada para preguntarle si cree que esos puntitos rojos que le acaban de salir al crío son obra del Magic Marker o un caso de varicela. Y, en última instancia, yo necesitaba un marido que entendiera que tener una familia es la mejor de las aventuras.

Bellini extiende la mano hacia una uva y la pela antes de comérsela. Para que luego hablen del consumo sostenible.

—Así que la lista de tus antiguos novios ahora incluye un multimillonario y un gurú. Supongo que no soy la única a la que le gustan los extremos. ¿Quién es el siguiente en tu lista de objetivos que eliminar?

Pienso en los otros dos nombres que apunté en la servilleta. A uno de ellos no lo puedo llamar. Pase lo que pase, a ése nunca lo podré llamar. Pero aún queda el otro, y pensar en él me hace sonreír: Kevin, el primer chico al que besé.

—Oh, hay alguien —digo vagamente—. Un tío al que no he visto desde el instituto. Pero estaba coladísima por él.

En ese preciso momento, uno de los chicos que atienden en la barra llega con una bandeja de muestras.

—¿Les gustaría probar nuestro nuevo Frapuccino de Té Verde con Moca y Moras Silvestres? —pregunta, ofreciéndonos una taza de plástico—. ¿O quizás un bollo de jengibre con semillas de limón bajo en calorías?

Me gusta este sitio. Lo único que tienes que hacer es sentarte aquí y ellos te dan comida gratis. No tengo sed, pero acepto su bollería obsequio de la casa.

—Mmmm, qué rico —le digo—. ¿Lo ha hecho usted mismo? Él sonríe.

—Sí, con mis propias manos.

—Unas manos muy bonitas, por cierto —dice Bellini con un aleteo de pestañas.

Él deja la bandeja y acerca una silla.

113

—¿Les importa que me siente? —pregunta.

Me levanto de golpe. Más vale que me largue de aquí, aunque tengo que admirar a Bellini. La cita a ciegas no le ha funcionado, pero el concepto de cita-para-almorzar no andaba al final tan desencaminado. Que me cuelguen si no ha conocido a alguien gracias a un bollo.

Como Adam ha tenido la sensatez de hacer que este año su cumpleaños cayera en domingo, puedo pasar el día entero con él. Bueno, hasta las cinco de la tarde, en todo caso. Porque esta noche tiene que ir a algún sitio. Mi hijo escurrió el bulto cuando le pedí que me contara los detalles, pero estoy segura de que ha quedado con esa chica de la que me ha estado hablando.

He cogido el coche temprano, y mientras cruzamos el campo de Darmouth, intento determinar cuál de las adorables amigas que lo saludan diciendo «¡Hola, Adam!» podría ser Mandy, su enamoramiento actual. Hace frío en New Hampshire, y aunque no paro de tirar de mi chaqueta de punto extra grande para que me quede más apretada, todas esas universitarias de sangre caliente parecen ir por ahí con las piernas y el estómago al aire. Para entrar en esta universidad de la Ivy League, obviamente necesitas haber sacado sobresaliente en todo y ser invulnerable a la carne de gallina.

Hasta el momento el día ha sido perfecto. Hemos pasado un buen rato en el dormitorio de Adam, almorzado y abierto sus regalos de cumpleaños. Le ha gustado mucho la nueva cámara digital que le he comprado, pero se ha echado a reír en cuanto ha visto el reloj del Ejército Suizo. Supongo que lo dejará en el cajón junto con el Timex y el falso Rolex, por no mencionar el Seiko, el Skagen y el Swatch de años anteriores. Tarde o temprano tendré que aceptar que el nuevo reloj de sol es un móvil. El tiempo corre, pero sin Bulova.

Adam me lleva al edificio de Física y vamos al laboratorio en el que está llevando a cabo un proyecto de investigación con un profesor al que todo el mundo tiene en gran estima. Me cuenta que su trabajo consiste en buscar neutrinos.

—Podríais encontrarlos en el pasillo del desayuno del supermercado —digo.

—¿Eso es un chiste, mamá? —pregunta él, levantando una ceja.

—Claro, cariño. —Aunque la verdad es que ahora mismo yo podría estar hablando con un neutrino y no notaría la diferencia.

Adam me sonríe un poquito y se embarca en una detallada explicación de los neutrinos, unas partículas fantasmales que pueden atravesar el metal con tanta facilidad como nosotros caminamos a través del aire. Aparentemente, son muy distintas de los Cheerios después de todo.

—Estoy tan orgullosa de ti —le digo, mientras volvemos a salir fuera. Y realmente lo estoy. Es estupendo cuando tus hijos son jóvenes y las únicas cosas que saben son las que les has enseñado. Pero es todavía mejor cuando crecen y son ellos los que pueden enseñarte cosas a ti.

Adam me pasa el brazo por los hombros, y me complace ver que mi hijo ya adulto no se avergüenza de que lo vean con su madre. Cruzamos un patio cubierto de hierba donde los estudiantes están disfrutando del sol. Hay mantas esparcidas por todas partes, y algunos de los estudiantes estirados encima de ellas están leyendo y otros están estudiando. Entonces me fijo en una joven pareja sentada cerca, que se está mirando a los ojos. Las manos del chico van suavemente por los brazos de su novia, la besa con cariño, y ella se derrite contra él. Por un instante, me imagino lo deliciosamente embelesada que debe de sentirse. Suspiro tal vez un poco alto.

—¿Qué pasa, mamá? —pregunta Adam.

—Oh, nada —digo, manteniendo un tono jovial—. Es todo este amor joven en el campus.

Adam da un puntapié a una piedra que pasa rozando a la pareja que se besa.

—El amor joven no es tan maravilloso como cuentan —dice.

—¿Algún problema con Mandy? —pregunto, atreviéndome a ir adonde las madres nunca deberían aventurarse.

—Bueno, en realidad no hay ningún problema. Rompí con ella hace dos días.

—Oh, no. ¿Qué pasó?

—Nada.

—¿Nada? ¿Rompiste con ella por nada? —pregunto, intentando mantener a raya mi voz.

—Sí —dice Adam—. ¿Podemos hablar de otra cosa?

—No, no podemos —digo petulantemente—. Esto es importante.

—¿Qué es tan importante? Mandy era mi novia y ahora no es mi novia. Fin de la historia.

—¡Adam! ¡Cómo puedes ser tan insensible! Estoy segura de que a Mandy tuvo que dolerle muchísimo que rompieras con ella. Te eduqué para que te comportaras mejor que eso. —Respiro hondo antes de continuar con mi filípica—. La pobre Mandy se merecía un trato mejor por tu parte. —Ni siquiera he llegado a conocer a esa chica, y ya me estoy poniendo del lado de ella contra mi hijo. La fraternidad femenina es una fuerza muy poderosa, y todo eso que se suele decir. ¿O es sólo que en mi calidad de mujer desdeñada recientemente, ando un poquito sensible?

—Mamá, cálmate. ¿No te parece que te estás dejando llevar por el T.T.T.?

—No me estoy dejando llevar por el T.T.T. —digo de mal humor. Porque ¿cómo puedo dejarme llevar por algo que ni siquiera sé lo que es?

—Caray, estás haciendo igual que Mandy. Te lo tomas todo a la tremenda —dice Adam, definiendo sus términos. Mira: simplemente con escuchar un poco averiguas lo que quieres saber.

Caminamos en silencio durante un minuto. Me dan tentaciones de decirle a mi hijo que no debería usar a Bill como modelo de cómo llevar una relación. Pero decido tomarme las cosas con un poco más de calma.

—Lo único que me pasa es que no soporto pensar que hayas podido pisotear de esa manera los sentimientos de otra persona —digo, con mi mantra familiar. Llevo una eternidad repitiendo las Tres Reglas de Mamá para Salir con Alguien. Una: Las emociones cuentan. Dos: Siempre hay que tomar en consideración los sentimientos de la otra persona. Y tres: Cuando llega el momento de pasar a lo físico, asegúrate de que ella quiere seguir adelante tanto como tú. Hubo un poco de confusión con esa última regla cuando Adam tenía cinco años y no quiso jugar al softball con una niña llamada Lizzy porque le preocupaba que ella no tuviera tantas ganas de jugar como él. Quizá le empecé a explicar lo de los pájaros y las abejas demasiado pronto. Por otra parte, mi hijo quizá sea el único genio de la física nuclear que sale con chicas.

—¿Por qué tienes que dar por sentado que fui yo quien efectuó el pisoteo? —pregunta él, irritado.

—Porque los hombres pueden ser un poco displicentes con esas cosas —respondo. Y entonces me doy cuenta de la cara de pena que está poniendo él.

—Vale, ya que quieres saberlo, habíamos ido a una fiesta y en un momento dado sorprendí a Mandy besando a otro chico en el cuarto de baño. —Adam sacude la cabeza—. Engañar a alguien que te quiere está muy mal. Yo nunca lo haría, y no voy a permitir que nadie me lo haga a mí.

Le aprieto la mano. Así que Adam no es Bill, después de todo. Aunque en realidad está usando a su padre como modelo en la vida. Como modelo de lo que no se debe hacer. Y yo acabo de cometer un grave error.

—Lo siento, cariño. No debería haberme precipitado a sacar conclusiones. Perdóname. Debería haber sabido que mi hijo nunca se porta mal.

Él sonríe levemente.

—Claro que no. Me criaron como es debido. Y tú me hiciste leer *La mística de la feminidad* cuando tenía catorce años.

—Que, según recuerdo, escondías dentro de tu *Sports Illustrated*. —Le doy un abracito—. Romper con alguien duele, cariño, como quiera que se produzca la ruptura. Créeme. Lo sé. Si necesitas hablar de ello, puedo quedarme todo el tiempo que quieras esta noche.

—Gracias, mamá. No pasa nada. —Se saca el móvil del bolsillo para mirar la hora—. Deberías empezar a pensar en irte —añade, con una sombra de ansiedad en la voz.

¿Por qué de pronto parece estar tan interesado en que me vaya? Ahora que sé que ya no está saliendo con Mandy, me pregunto qué tiene planeado hacer esta noche. Quiero decir que, bueno, al fin y al cabo hoy es su cumpleaños. Adam siempre insistía en que quería pasar el cumpleaños con la familia.

«Familia.» Debería haber pensado en eso. De pronto, estoy segura de por qué a mi hijo le preocupa tanto la posibilidad de que yo me quede por aquí. Mamá para la comida de cumpleaños, papá para la cena. Todo el mundo obtiene su pequeña porción de Adam, y nunca puede haber acercamiento entre dos polos opuestos.

Pero mi momento de claridad llega demasiado tarde. Porque los polos opuestos están a punto de chocar en una colisión frontal. A unos cien metros de distancia, vislumbro a Bill. Él también nos ha visto, y ahora cruza el campo con paso decidido.

—¡Cumpleaños feliz! ¡Cumpleaños feliz! —canturrea mientras se acerca.

—Oh, mierda —masculla Adam.

Pobre chico, de pronto todo le ha empezado a ir mal. Mandy lo engañó con otro. Sus padres están a punto de encararse el uno con el otro. Y su padre siempre ha desafinado. Y entonces la cosa empeora aún más, porque unos chicos que estaban jugando al balonmano cerca de allí interrumpen su partido y deciden unirse a las festividades.

—Eh, Adam, ¿quién se lo iba a imaginar? —grita uno que tiene toda la pinta de ser defensa. Y también él empieza a cantar «Cumpleaños feliz» con sus ruidosos compañeros de equipo uniéndose rápidamente al coro—. ¿Son tus padres? —pregunta el defensa mientras viene hacia nosotros, pasándose el balón de una mano a otra.

—Lo eran —musita Adam.

—¿Qué pasa, te estás divorciando de ellos? —pregunta el defensa.

—No, eso ya se encargan de hacerlo ellos mismos —dice Adam.

—Caray, tío —dice el jugador de balonmano, levantando los brazos como si intentara bloquear un pase, o, en este caso, cualquier tipo de información—. Menudo palo, ¿verdad? Bueno, tengo que irme. Feliz cumpleaños. ¿Quieres venir a emborracharte después?

Se va antes de que mi querido Adam pueda decirle que sólo cumple veinte años y ni se le ocurriría mojarse los labios con un sorbo de Bud Lite. Igual que a su mamá, estoy segura de que hasta la sidra le parece una bebida demasiado fuerte.

Mientras tanto, Bill ha aprovechado la ocasión de poner un brazo alrededor de Adam y el otro alrededor de mí.

—Eh, esto es genial. No sabía que íbamos a estar todos juntos.

—Yo tampoco —dice Adam.

—Vaya sorpresa, Hallie —dice Bill jovialmente. Parece muy contento. Quizá debería hacerle saber ahora mismo que no hace falta que ponga tanto empeño en aparentar alegría. No me he traído las entradas de los Knicks.

—Bueno —dice Adam—, ya que todos estamos aquí, ¿qué queréis hacer?

Yo quiero estrangular a Bill. Quiero hacer que Adam empiece a llevar un reloj. Quiero poner rumbo a las colinas, o al menos a la carretera.

—Me parece que me voy a ir marchando —digo—. No quiero pillar retenciones.

—En New Hampshire nunca hay tráfico. Ni siquiera es la temporada de caza del ciervo —dice Bill, que no parece ver ningún motivo de incomodidad en el hecho de que todos estemos juntos.

Yo me siento incomodísima. Pero irme en este momento quizá sería aún peor. Además, ésta podría ser una buena ocasión para que Adam viera lo maduros que son sus padres.

Mis dos hombres me miran expectantes.

—Hallie, quédate un poco más y ven a dar una vuelta con nosotros —dice Bill—. Será como en los viejos tiempos. ¿Cuándo fue la última vez que celebramos juntos el cumpleaños de Adam?

—El año pasado —digo secamente.

Bill da una carcajada y golpea en el brazo a Adam.

—¿Qué te ha parecido eso? ¿Verdad que tu madre tiene mucho sentido del humor?

—Es estupenda —dice Adam, dándole un puntapié a otra piedra—. Ojalá lo supieras.

—Ya lo sé —dice Bill. Se vuelve hacia mí, y esta vez le toca recibir a mi brazo—. Sigues siendo magnífica, Hallie.

Le devuelvo el golpe, más fuerte de lo que pretendía. Y luego le vuelvo a dar.

—Eso es muy sano, mamá —dice Adam, que está asistiendo a clases de psicología—. Descargar la agresión acumulada ayuda mucho.

—No tengo ninguna agresión acumulada —digo, al tiempo que le atizo otro puñetazo a Bill, por una pura cuestión de énfasis. Eh, parece que empiezo a dominar el gancho de izquierda—. ¿Por qué iba a tener yo ninguna necesidad de agredir a un sucio, asqueroso, vil, detestable, repugnante, aborrecible, horrendo... —no me puedo callar, y los adjetivos siguen llegando como si me hubiera tragado un diccionario de sinónimos— mentiroso?

Adam se aclara la garganta.

—Es mi padre.

Cierro los ojos por un instante para centrarme un poco. Bill ha venido a celebrar el cumpleaños de Adam. Yo he venido por la misma razón. Tener a sus padres peleándose delante de él es precisamente lo que Adam está intentando evitar. No le voy a hacer eso.

—Es tu padre —digo en voz baja—. Y es un gran padre. Lo siento, Adam. —Con ésta, ya van dos disculpas a mi hijo en lo que llevamos de día.

Adam asiente con la cabeza.

—No pasa nada.

—¿Qué te parece si vamos todos a tomar un helado antes de que me vaya? —pregunto, pensando en que seguramente seré capaz de mostrarme agradable durante lo que tarde en liquidar un cucurucho mediano de Rocky Road.

—¡Estupendo! —dice Adam, animándose un poco.

—¡Estupendo! —corea Bill, poniendo cara de alivio.

Vamos al pueblo, donde una multitud de estudiantes hace cola en la heladería. En Hanover, los diez grados que hace hoy son prácticamente un día de playa. Me las arreglo para mantener una animada conversación, y tanto Bill como Adam parecen agradecerlo. En cuestión de nada, todos estamos contando historias y empiezo a relajarme y a pasarlo un poquito bien.

Cuando por fin llegamos al mostrador, decido jugármelo el todo por el todo y pido una copa grande con nata batida. Puedo mantener este buen humor el tiempo suficiente para dar cuenta de dos bolas de helado.

O eso pienso.

Nos sentamos y Adam nos cuenta que su profesor del proyecto de investigación quizá decida incluir su nombre en un artículo que está a punto de publicar. Bill y yo no podemos evitar mirarnos. Ambos estamos muy orgullosos de nuestro hijo. Ahora nuestro matrimonio ha acabado como ha acabado, pero al menos supimos educar a los chicos.

Bill tiene ganas de broma, y está preguntando si no sería buena idea invertir en los neutrinos cuando veo a alguien que me resulta familiar en la cola de la heladería. ¿A quién puedo conocer yo en Hanover? No la sitúo, pero por alguna razón ella también me está mirando con curiosidad. Bill está de espaldas a ella, pero cuando la mujer aparta la mirada de mí para dirigirla hacia Bill y Adam, un destello de comprensión le pasa por los ojos. Intenta ir hacia la puerta lo más disimuladamente posible, pero una nueva multitud de estudiantes en busca de helado acaba de entrar en el establecimiento, y se encuentra atrapada.

Yo también lo estoy. Nunca la había visto vestida antes, pero sé exactamente quién es.

—Ashlee —farfullo.

Bill me mira, disgustado.

—Ahora no es el momento de hablar de eso —dice.

—Entonces no deberías haberla traído aquí —gruño yo.

—No lo he hecho —dice Bill. Extiende las manos con las palmas vueltas hacia arriba, en un movimiento que nos abarca tanto a Adam como a mí—. Sólo nuestro pequeño trío familiar. ¿Ves a alguien más aquí?

—Pues el caso es que sí —digo, y señalo con un dedo acusador a la mujer joven plantada junto a la puerta, que ahora ha encorvado los hombros e intenta volatilizarse. Pero un par de tipos que han entrado detrás de ella le dan un empujoncito hacia delante.

—Ahora vas tú —dice uno de ellos.

Ashlee parece haber perdido todo el aplomo que exhibió en el gimnasio. Se la notaba mucho más segura de sí misma cuando la vi desnuda.

Adam se da la vuelta, también, y luego mira a Bill.

—Papá, ¿has traído a Ashlee a mi cumpleaños?

—No, no la he traído. Yo nunca haría eso —dice él con indignación.

—Entonces menuda coincidencia —dice Adam maliciosamente.

—Obviamente, han cerrado todos los Häagen-Dazs entre el Upper West Side de Manhattan y Hanover, New Hampshire —digo. Y luego sacudo la cabeza—. Justo el día en que a Ashlee le ha dado el antojo de zamparse un especial de dulce de leche con nueces.

—¿Un antojo? —pregunta Adam—. ¿Está embarazada?

—Oh, Dios. Espero que no —dice Bill, y de pronto le entra tal ataque de tos que prácticamente escupe su cucurucho.

Ahora que mi marido se encuentra al borde de la histeria, me siento mucho más calmada. Paso la cuchara por el borde de mi copa y me llevo un poquito de nata a los labios.

Ashlee, que ha oído la mayor parte de la conversación, viene hacia nuestra mesa con paso vacilante.

—Se me ocurrió entrar a pedir un cucurucho pequeño de helado de vainilla sin azúcar —dice, dejando claro que no ha hecho nada malo, ni siquiera a su dieta.

Adam no mira a Ashlee, sino que se vuelve hacia su padre.

—¿Así que ibas a traer a cenar a tu nueva novia? —pregunta enfadado.

—Claro que no —responde Bill firmemente—. Ashlee ha venido conmigo en el coche, pero se suponía que esta tarde ella iba a ir a la librería. Le dije que incluso podía ir al cine.

Cuánta generosidad. Me pregunto si le sugirió que pidiera el descuento de estudiante cuando sacase la entrada.

—Estoy segura de que tu padre no pretendía que conocieras

a Ashlee —digo, como si estuviera decidida a ser exquisitamente comprensiva.

Bill me dirige una sonrisa de gratitud, contento de que haya salido en su defensa. Le sonrío y luego pongo la mano encima de la de Adam y concluyo mi explicación.

—Se ha traído a su amiga para poder acostarse con ella. No queremos que el pobre tenga que pasar toda la noche abandonado en una habitación de hotel sin ninguna compañía, ¿verdad? Tienes que entenderlo, Adam. Tu padre es un hombre de mediana edad que se cree que puede tener lo que quiera.

En estos momentos lo único que quiere Bill es que Ashlee desaparezca. Y tiene una solución rápida. Mete la mano en el bolsillo, saca la cartera y le da un billete de veinte dólares.

—¿Por qué no vas calle abajo y me compras uno de esos suéteres de la universidad? Me gusta el gris con las letras en verde. Talla grande, no extra grande. —Me mira con orgullo, asegurándose de que me he enterado de que ahora está más delgado.

Ashlee parece un poco sorprendida por su petición.

—Ah, cómprate una sudadera también para ti. Compra lo que quieras.

Saca otro billete de veinte e intenta dárselo, como si una chica pudiera embarcarse en una orgía de compras con cuarenta dólares. Bueno, estamos en New Hampshire; quizá sí que podría.

Pero Ashlee no hace ademán de coger los billetes y, de hecho, parece ofendida.

—Tengo mi propio dinero, Bill —dice, enfadada—. No tienes que comprarme.

—Yo cogeré los cuarenta pavos —dice Adam.

Bill titubea y luego le da el dinero. Adam lo necesita porque la universidad le sale por un ojo de la cara. En realidad, la matrícula es lo de menos. Los verdaderos gastos son las pizzas con pimientos traídas a altas horas de la noche, las cajas de Bull Run y las interminables partidas de Tejas Puede Con Todos.

—Me parece que voy a salir a dar una vuelta por ahí —le dice Ashlee a Bill, con un poco de frialdad. Y luego, mirándonos a Adam y a mí, añade, con cara de no saber muy bien qué decir—: Encantada de haberos conocido.

Me abstengo de señalar que todavía no nos la han presentado oficialmente.

Gira sobre el talón, pero inmediatamente se encuentra cara a cara con los amigos de balonmano de Adam, que acaban de verlo y acuden en tropel a la mesa.

—Vaya, vaya, Adam, ¿ésta es tu hermana? —pregunta uno de ellos.

—No nos habías dicho que tu hermana estaba como un tren —mete la cuchara otro.

—Tengo una hermana que está como un tren —dice Adam, que al parecer ya les ha hablado de Emily—. Pero da la casualidad de que ésta... —Mira a la rival de su madre por primera vez—. Es alguien que estaba a punto de irse.

—Eh, si te vas, ven con nosotros —dice el primer amigo, poniendo una robusta mano sobre el hombro de Ashlee. Ella alza la mirada hacia el apuesto y joven atleta, quien lleva una camiseta para jugar al rugby que acentúa la musculatura de su torso.

—¿Adónde vais? —pregunta después.

—De vuelta al campus para lanzar el *frisbee*.

—Se me dan bastante bien los deportes —dice Ashlee, contenta de tener algo más que hacer que ir a comprar los suéteres de Bill.

El grupo se consolida en cuestión de nada y se dirige rápidamente hacia la puerta. Unos minutos después, yo también estoy lista para decir adiós. Mi helado se ha derretido en la copa y me parece que se me han acabado las cosas que decir. Además, es justo que Bill y Adam tengan al final su largamente planeado tiempo de padre-hijo-juntos a solas.

Le doy un gran abrazo a Adam.

—Feliz cumpleaños, cariño. Te quiero. Eres el mejor veinteañero del mundo. No podría pedir un hijo más perfecto.

Mi hijo me devuelve el abrazo y, antes de salir de la heladería, le ofrezco una sonrisita a Bill y me inclino sobre él para susurrarle algo al oído.

—Que lo pases bien —le digo—. Y procura no pensar en que tu novia acaba de salir con el equipo de balonmano al completo.

8

Todavía recuerdo su número de teléfono. No he contactado con Kevin Talbert desde el último curso del instituto, y en aquella época mis amigas siempre me decían que debía esperar a que fuese él quien me llamara. No les hice caso entonces y todavía prefiero hacer la llamada yo a que me llamen, así que echo mano del teléfono sin pensármelo dos veces y tecleo el número. ¿Cómo es posible que todavía tenga esas diez cifras firmemente alojadas en el córtex, pero no pueda acordarme nunca de los cuatro dígitos de mi tarjeta del Colegio de Abogados?

Después del primer timbrazo, hago girar distraídamente el cordón (nota: siempre deberías tener una línea de tierra por si surge una tormenta con mucho aparato eléctrico) y vuelvo a pensar en las pocas probabilidades de que Kevin no se haya movido del sitio desde que salimos del instituto. Aunque puede que su madre no se haya movido del sitio.

La madre de Kevin. No se me había ocurrido pensar en eso.

Me apresuro a colgar el teléfono antes de que contesten. No siempre se me aprecia, pero generalmente no soy una persona que inspire odio... excepto en el caso de Jeanette Talbert. Desde el momento en que la conocí cuando tenía dieciséis años, Jeanette lo ha detestado absolutamente todo acerca de mí. Me acusó de ir presumiendo por ahí cuando me eligieron para dirigir el periódico del instituto y nunca me perdonó que sacara matrícula en latín el mismo trimestre en que Kevin suspendió las clases de educación viaria. Se quejaba de la ropa que me ponía, y odiaba activamente mi flequillo; aunque Dios sabe que hubiese aborrecido todavía más la frente llena de granitos que tenía yo por aquel entonces.

No, la más leve posibilidad de que tenga que hablar con Jeanette la enjuiciadora me asusta más que enfrentarme a la Nazi de la Sopa. ¿Y por qué he de llamar a Kevin, en todo caso? También tengo a mano el número de teléfono de 1-800-DUERMA (táchese la última letra, que ellos aseguran corresponde a ahorrarse un montón de dinero), y no por eso me veréis llamarlos.

Pero puede que ellos hayan decidido llamarme después de todo, porque entonces suena el teléfono.

—Hola —digo esperanzadamente. Ahora que Bill se ha ido, me doy cuenta de que en el fondo me haría gracia tener una cama nueva después de todo.

—¿Quién eres y por qué me estás molestando? —pregunta una voz muy hosca.

El hecho de que sea esta persona la que acaba de llamarme —y no viceversa— no merece ser mencionado, porque reconozco inmediatamente el gruñido al otro extremo de la línea: es la temible Jeanette Talbert. Por el tono de su voz, de pronto se me ocurre pensar que Jeanette no sólo me odiaba a mí. Ella odia a todo el mundo. Ojalá lo hubiera sabido cuando era más joven.

No respondo lo bastante deprisa, porque el gruñido de Jeanette continúa sonando a través de la línea.

—Deja de fingir que eres inocente. ¿Qué te crees, que no sé cómo funcionan estos trastos? Te he pillado, te tengo cogida. Sé que me has llamado. Pulsé asterisco 69.

Por un instante me deja sin habla el hecho de que Jeanette haya llegado a decir sesenta-y-nueve en voz alta, dado que ésta es la misma mujer que me llamó zorra cuando me pilló besando inocentemente a Kevin. De todas las posibilidades para un número que permite devolver la llamada, ¿cómo se le ocurrió a la compañía telefónica optar por esta combinación tan picante? ¿Será que la AT&T tiene a algún gracioso oficial de Hollywood infiltrado entre sus ejecutivos? Seguro que los chicos de trece años se pasan el día tronchándose de risa mientras pulsan *69. Pero ¿a qué número recurre Pat Robertson cuando quiere averiguar quién es la persona que le ha llamado? Oh, claro: él es un telepredicador que tiene línea directa con el cielo, así que le basta con preguntárselo a Dios.

—Jeanette, ¿eres tú? —pregunto, con toda la dulzura que puedo reunir—. Soy yo, Hallie Lawrence.

—¿Hallie Lawrence, la zorra? —pregunta ella. Sigue sin pasársele una. Bueno, al menos todavía no chochea.

—No, Hallie Lawrence, la que hizo la alocución en el instituto. Tu hijo Kevin y yo éramos muy amigos.

—Sé quién eres —ladra ella—. ¿Todavía llevas ese flequillo tan horrible?

—No, ya no lo necesito. —Si me aparecieran problemas en la frente, ahora no se me ocurriría tontear con el flequillo. Lo que haría sería recurrir directamente al *lifting*.

—¿Entonces qué quieres? —pregunta ella.

El número de Kevin. Pero eso es tal vez demasiado burdo.

—De pronto me puse a pensar en ti y en tu familia y me pregunté cómo estaríais. Siempre me acuerdo de esas cenas tan maravillosas que teníamos. —En especial de aquella ensalada de pollo coloreada con salmonella, aunque nunca podré probar que Jennifer lo hiciera a propósito. Claro que, bien mirado, la cosa también tuvo su lado bueno, porque después de veintiséis horas de vomitar a mansalva, descubrí que había perdido un kilo.

Obviamente, hasta ahora nadie le había hablado bien a Jeanette de sus platos, porque de pronto se le dulcifica la voz.

—Fue una buena época, ¿verdad? —dice sentimentalmente.

—Sí, fueron los mejores días de nuestras vidas —digo yo, poniéndome igual de acaramelada.

—Ven a cenar —dice Jeanette inesperadamente—. Podría descongelar algo. Tengo un poco de ensalada de patatas casera que hice la semana pasada.

Oh, qué bien. Salmonella y moho en una sola y nutritiva comida.

—Me encantaría, pero el caso es que acabo de empezar una

nueva dieta. No puedo comer nada que empiece con «p» —digo, pensando en mis pies para salvar mi estómago.

—¿No comes patatas? —pregunta Jeanette.

—Nunca.

—¿Y pasta primavera?

—Doblemente mala.

—¿Crema de puerros? —pregunta ella.

Enseguida veo que es una pregunta con trampa.

—Nanay. No puedes poner una «p» ni siquiera en la última palabra.

—Dieta estricta —dice ella, impresionada.

—Intento seguirla. Por cierto, seguro que Kevin aún devora tu ensalada de patatas —sugiero, en un torpe viraje para encaminar la conversación en el sentido que yo quería empezarla.

—Lo haría, pero desde que se fue a vivir a Virgen Gorda no está en casa muy a menudo. Aunque es feliz allí. ¿Qué más puede pedir una madre? —pregunta, arreglándoselas para evocar el orgullo y el autosacrificio en la misma frase.

—¡Virgen Gorda! —exclamo. Me parece recordar que es una de las islas Vírgenes Británicas. O puede que pertenezca a las islas Vírgenes Americanas. Si todas son Vírgenes, no debe de ser fácil obtener el permiso de residencia—. ¿Y qué está haciendo allí? —pregunto, viéndolo casado con una isleña que, fantaseo, seguramente se llama María. Ya puedo ver el anuncio de la boda en el periódico local: «Kevin Talbert se casa con María de Virgen Gorda.» Es fácil imaginar quiénes serán sus hijos.

—Kevin es fotógrafo submarino. De mucho éxito. Pero demasiado independiente. Ojalá sentase la cabeza de una vez y se casara.

Adoro a esta mujer. Ni siquiera he tenido que sonsacarle información: ya lo sé todo.

—Pues yo me he separado de mi marido —digo, una vez que ha quedado abierta la autopista de la información. Además, me parece que estoy empezando a caerle bien a Jeanette, porque me ha invitado a cenar.

O tal vez no.

—Quítate esa idea de la cabeza —dice ella, que de golpe se

vuelve a poner hosca—. No eres lo bastante buena para mi Kevin.

—Pero si no me has visto desde el instituto —digo, defendiendo un caso que ni siquiera estoy segura de querer ganar.

—Kevin vive en el océano —dice ella desdeñosamente—. Me da igual que hayas renunciado a la letra «p» en tu dieta. O incluso a la «q», la «r» y la «s». No te imagino en bikini.

—Pues el caso es que me queda muy bien —digo, de modo poco convincente.

—Quizá si llevas algo de ropa encima del bikini —dice Jeanette antes de colgar el teléfono, decidida a proteger al vagabundo playero de su hijo de la posible abogada grumosa.

Yo solía ver a menudo a mi grupo de madres de Chaddick cuando los chicos iban al instituto, pero ahora debemos buscar ocasiones especiales para reunirnos. Ante la comida del día siguiente en casa de mi amiga Steff, me pongo los habituales pantalones negros que me hacen más delgada (para no parecer la abogada con grumos en que pensaba Jeanette) y añado un jersey que me acabo de comprar. Estoy particularmente orgullosa de que fuese una auténtica ganga, y estoy impaciente por compartir mi gran soplo de cliente-conectada: los suéteres J. Crew están hechos del mismo casimir que los carísimos Loro Piana. Aunque no estoy segura de si a las cabras las alimentan con la misma manteca batida a mano.

—Hallie: me encanta ese suetercito que llevas —dice Darlie, la cotilla que largó todo lo de Ashlee en nuestra fiesta del Nido Vacío.

—Gracias —digo, aunque todavía me parece oír su tono condescendiente. Cada grupo necesita disponer de un miembro particularmente abominable para que los demás puedan aliarse en su contra, y Darlie es nuestro ejemplar de la especie. Pasa los dedos por una sarta de caras perlas de los mares del Sur, seguramente recién regaladas por su cuarto marido, Carl, el rey de las importaciones-exportaciones. Pagas un cierto precio por estar casada con un hombre mucho mayor que tú, pero él se encarga de pagar todo lo demás.

Darlie mira a las otras mujeres sentadas a la mesa y reproduce con satisfacción su venenoso cumplido:

—Me encanta tu suéter. Me encanta tu suéter. Me encanta vuestro suéter —dice en rápida sucesión.

Caigo en la cuenta de que todas llevamos suéteres Crew casi idénticos. Supongo que mi soplo de clienta-conectada no es lo que se dice un notición exclusivo. Cada vez que creo estar en el ajo, resulta que todos los demás también lo están. Olvídense de los sabuesos de la prensa que descubrieron el Watergate, mis noticiones de última hora no saldrían ni en el acta de reuniones de la comunidad de vecinos.

—Sí, todas tenemos buen gusto. Sabemos distinguir lo correcto —dice Jennifer mientras contempla el revelador escote de Darlie.

—Menudo rollo —dice Darlie, reprimiendo un bostezo—. Pero supongo que, a vuestra edad, lo correcto es lo único a lo que se puede aspirar.

Me entran ganas de señalar que nuestra edad es su edad. Pese a todas sus infusiones regulares de colágeno, Hylaform, Restylane, Juvederm y demás inyectables contra el envejecimiento, Darlie no puede modificar su certificado de nacimiento. Aunque, después de conocerla como la conozco, estoy segura de que también habrá intentado alterar eso quirúrgicamente.

—Por Steff —dice Amanda Michaels-Locke, cambiando de tema por el método de ponerse en pie y alzar su copa de champán en un brindis—. Felicidades por tu inmenso éxito.

—Gracias —dice Steff modestamente. Y, en este caso, debe ser modesta. Nos ha invitado a su casa para celebrar el montaje de su nuevo negocio, aunque quizá sea un poco pronto para dar una fiesta. De momento, Steff sólo cuenta con la idea: un kit doméstico para que las adolescentes puedan perforarse las orejas sin tener que salir de casa.

—¿Cómo diste con ese brillante concepto? —pregunta Jennifer.

Steff sonríe y se inclina hacia delante para dirigirse a las aquí reunidas.

—Vi una sección de *Good Morning America* donde decían

que, si quieres ser empresaria, debes encontrar una necesidad y satisfacerla. Las mejores ideas están ante tus narices. O ante tus oídos. —Se ríe.

—Pues yo pienso que es una gran idea —dice Amanda generosamente—. Ahora que Devon ha llegado a Cornell, es algo todavía mucho más necesario. ¿Lo tienes muy avanzado?

Steff parece preocupada por un instante.

—Estoy buscando a alguien que construya el artilugio, aunque supongo que primero necesito encontrar a alguien que se encargue de diseñarlo. Y también hay unos cuantos detalles más en los que pensar. Mi marido, Richard, no para de hablar de presupuestos, de precio de la unidad, y de beneficios. —Sacude la cabeza—. ¿Es que no puede ver el potencial? El mundo está lleno de jovencitas a las que les encantaría poder perforarse las orejas sin tener que salir de casa. Ya sabéis lo independientes que son a esa edad. ¿Os lo imagináis? Podría ser un bombazo que dejaría pequeña a la Barbie.

Todas asentimos sabiamente, aunque sería más probable que las prepubescentes perforasen las orejas de su Barbie que las suyas.

—Una cosa más. Me alegro de que Richard y yo estemos trabajando juntos en esto, porque siempre es importante tener un proyecto que puedas compartir. Ayuda a mantener unido el matrimonio. —Me mira intencionadamente, dando a entender que si Bill y yo hubiéramos unido nuestros recursos e inventado un kit para hacer tatuajes en el trasero, quizás aún viviéramos bajo el mismo techo. Pero luego suspira—: Aunque me gustaría que Richard dejara de encontrarle pegas. Aparte de eso, está obsesionado con que necesitamos tener algún seguro que nos cubra. Cree que alguien podría querer demandarnos.

—¿Qué delito hay en una oreja perforada? —pregunta Darlie, tocándose el tornillo rematado por un diamante de cuatro quilates que cuelga de su lóbulo tan pesadamente que parece que va a desgarrarlo en cualquier momento. Me da que ese gesto quizá podría explicar al menos uno de los posibles problemas.

Todo el mundo se vuelve hacia mí, la abogada, en busca de una opinión profesional.

—Nadie va a demandar a nuestra Steff —digo. Y estoy muy segura de que tengo razón porque no puede haber un pleito mientras no haya un negocio en marcha.

—Pues yo creo que Steff es genial —dice Rosalie, la anfitriona de nuestra última fiesta, la de las invitaciones metidas en nidos hechos a mano. Ahora se entretiene haciendo ganchillo y ya tiene un montón de tapetitos—. Dentro de unos años, no tendré ningún niño en casa, y ni siquiera estoy cualificada para encontrar un empleo. La última vez que trabajé en una oficina, no existía el correo electrónico y todavía tenía que lamer mis sobres para cerrarlos.

—Quizá podrías hacer negocio con tus manualidades —dice Steff, alentadoramente.

—O tener uno o dos críos más —dice Amanda alegremente—. Lo mejor que he hecho en la vida fue traer al mundo esa segunda tanda de gemelos.

—Sí, pero tú eres un prodigio de la naturaleza —dice Darlie desdeñosamente—. El día en que Michael y Michaela empezaron el instituto, te sacaste de la chistera a Louis y Louisa.

—Sin tener que recurrir a la fecundación in vitro —dice Jennifer, llena de admiración—. Sólo con sexo al viejo estilo. ¿Quién hace eso hoy en día?

—Y sin madre de alquiler —se queja Darlie—. Nunca volveré a tener un bebé sin una madre de alquiler. Tengo el nombre de la mujer que Joan Lunden usó en dos ocasiones, sólo por si acaso a Carl se le ocurren ideas raras. —Se acaricia el brazalete de diamantes de tres vueltas que lleva, como para dejarnos claro que si a Carl se le ocurrieran esa clase de ideas, le saldrían carísimas.

—Todas hemos llegado a esa edad en la que nos preguntamos qué importa realmente y qué habrá a continuación —dice Steff filosóficamente. Muy cierto. Aunque me gustaría saber qué sinapsis de su cerebro la ha llevado, partiendo de su preocupación por el significado de la vida, a idear una manera de perforarse las orejas sin salir de casa.

—Siempre hay algo a continuación —dice Amanda con optimismo—. Lo único que tienes que hacer es descubrirlo. No quedarte atascada. Vivir nuevas aventuras, probar cosas nuevas.

—Sé exactamente a qué te refieres —dice Darlie, asintiendo ávidamente—. Recuerdo que yo solía decir que nunca me iba a poner una prenda de lencería que no fuese de La Perla. Y el caso es que acabo de descubrir esa maravillosa tiendecita en la Place Vendôme de París que se encarga de hacérmelo todo.

—Y a lo mejor dentro de diez años, cuando andes por la cincuentena, descubrirás alguna fabulosa lencería italiana —sugiere Amanda.

—Yo nunca seré una cincuentona —dice Darlie, que ya está trabajando en cómo rehuir una década entera.

—La verdad es que yo no me imagino con cuarenta años, ni siquiera con treinta —gimo.

—Hace un siglo, la esperanza de vida para una mujer estaba situada en los cuarenta y siete años —dice Jennifer amablemente—, lo que situaba su mediana edad en los veintitrés, supongo.

Darlie se pasa los dedos por su pelo con reflejos.

—Yo leí en una revista que la edad perfecta es treinta y seis. A Hollywood pueden gustarle las jóvenes aspirantes a estrellas, pero el artículo decía que la madurez le confiere un cierto aplomo a tu belleza. Y por suerte para mí, tengo exactamente esa edad.

Todas intentamos no reír tontamente.

—Marilyn Monroe tenía treinta y seis años cuando murió. Igual que la princesa Diana —dice Jennifer.

—Bueno, yo no he dicho que fuese perfecta —se defiende Darlie—. Podría tener treinta y cinco si lo prefieres.

Amanda se ríe.

—El caso es que ahora da igual la edad que tengas. Somos una generación de mujeres sin límites. Basta con que te mantengas receptiva.

—Yo siempre procuro mantenerme receptiva a todo. Sobre todo cuando el monitor del club de tenis se pone a flirtear conmigo —dice Darlie, que siempre está dispuesta a aportar su propia perspectiva a las cosas.

Hay un breve silencio en la mesa.

Rosalie se ríe.

—¿Es guapo?

—Mucho —dice Darlie.

—¿Te apetece jugar un partido de dobles el martes? —pregunta Rosalie, posiblemente planeándose un futuro en el que figuren las agujas de hacer punto.

Steff, preocupada por que se enfríe la comida o por el hecho de que Rosalie pueda jugar un partido de dobles de lo que sea con Darlie como pareja, toca la copa con el cuchillo.

—Doy gracias por tener unas amigas tan maravillosas con las que celebrar este momento —dice—. Hora de comer. Venga, vayamos al bufé.

Cogemos nuestros platos en forma de hoja de la elegante mesa que nos ha preparado Steff, y vamos hacia su magnífico surtido de comida.

—He encargado una comida muy especial en ese sitio que acaban de abrir: Comestibles Orgánicos —nos dice Steff orgullosamente—. Todo lo que estáis viendo es la mar de sano. En lugar de recurrir al fertilizante industrial, cultivan sus verduras con estiércol puro al ciento por ciento.

¿Y se supone que eso es apetitoso? Porque, puestos a comer sano, casi prefiero seguir con las barritas de Snickers y las píldoras de vitaminas Una-Al-Día.

—¿Qué es esta cosa? —pregunta Jennifer, cogiendo lo que parece una flor.

—Ahora viene lo mejor. Todo lo que estáis viendo en el bufé de hoy ha sido hecho con capuchina fresca. Venga, a comer —dice Steff, mientras nos llena los platos con montones de pétalos anaranjados y amarillos. Los miro de soslayo, intentando decidir si debería comérmelos o llevármelos guardados en el bolso para utilizarlos como mantillo en el patio trasero.

Le doy un mordisquito de nada a un brote que tiene pinta de saber muy amargo, y luego lo escupo subrepticiamente en mi servilleta. Amanda tiene razón. Somos muy afortunadas al poder probarlo todo. Pero pienso que tal vez haya cosas que no merezca la pena probar.

Se supone que el momento en que los billetes de avión te salen más baratos es la medianoche del martes, lo que probablemente está muy bien siempre que no tengas un trabajo al que acudir temprano la mañana siguiente. Llevo dos horas sentada delante del ordenador, saltando de Expedia a Travelocity, y de ahí a Orbitz y a Vueladenoche.com (¿sus vuelos despegan cuando ya ha oscurecido, o simplemente salen pitando con tu dinero a buen recaudo en el bolsillo?). Podría dejar de buscar ahora mismo, pero aunque lo hiciese sólo dispondría de cinco horas entre las sábanas. Si me quedo dormida encima de mi escritorio por la mañana, Arthur me despedirá del bufete, y tendré que sobrevivir a no sé cuántos meses de desempleo con los veintidós dólares que me habré ahorrado en esta partida de encuentre-la-tarifa-más-baja. Está claro que no sería muy buen negocio.

Voy a la cocina con cara de sueño para servirme un vaso de agua. Abro el congelador para coger un cubito de hielo y encuentro algo mejor: unas galletas con trocitos de chocolate que horneé para los chicos y luego metí en el congelador por aquello de que no me tentaran. Pero ahora me veo tentada por ellas, así que extiendo la mano hacia una y la mastico ávidamente. Las galletas saben mucho mejor así, y estoy segura de que el proceso de congelación mata sus calorías. Además, todos sabemos que lo que se come de pie no cuenta.

Estimulada por el chute de azúcar que me acabo de atizar, vuelvo al ordenador, resuelta a comprar el billete de avión en Expedia, dejar de preocuparme por unos míseros dólares, e ir a acostarme. Pero cuando hago clic en «Adquisición» veo que el precio del billete ha subido diez pavos en los últimos diez minutos. ¡Ni hablar de tirar el dinero! ¡No lo compro! ¡Me niego! Paso rápidamente a Travelocity, donde el billete ha subido doce dólares. Está claro que aquí el tiempo es oro. Cuando entro en Vueladenoche.com el billete ha bajado tres dólares, pero no me parece que valga la pena arriesgarse. Como una enloquecida agente de cambio y bolsa, me obstino en cerrar la mejor clase de trato posible.

En algún rincón de mi cerebro sé que la auténtica razón de mi pánico no es el dinero, sino el hecho de que estoy planeando una escapada para el día de Acción de Gracias y sólo voy a comprar un billete. Pero he decidido que quiero hacerlo y lo voy a hacer. Hago clic en «Aceptar cláusulas y condiciones» y efectúo la compra. Ya está. Hecho.

Me repantigo en el asiento y martilleo el teclado del ordenador con los dedos. La idea de salir de la ciudad y dejar a Bill con los chicos durante esta festividad, dado que yo dispondré de ellos en Navidad y en las vacaciones de invierno, ha sido mía. Probablemente me sentiré fatal por no estar sentada a una feliz mesa familiar el día de Acción de Gracias, pero al menos no tendré que estar sola en casa, comiendo un menú de dieta descongelado mientras veo el desfile de Macy's.

Agotada, apago el ordenador y subo a tumbarme en la cama, donde me quedo despierta sin dejar de darle vueltas a la cabeza. ¿En qué estaba pensando? Hay un montón de sitios para ir de vacaciones en el mundo. Podría haber decidido pasar el fin de semana esquiando en Aspen, tirando al plato en los Adirondacks, o pescando en el hielo por Alaska.

Pero lo que he hecho ha sido elegir Virgen Gorda. Todas las páginas web que he consultado insisten en que no hay lugar más hermoso. Con todo, he de admitir que lo que me atrajo no fueron las playas soleadas y el agua azul, sino algo igualmente irresistible: pensar que vería a mi gran amor del instituto, Kevin. ¿Tendré valor para buscarlo cuando esté allí? Y si lo hago, ¿qué pensará él?

Mi lista de cosas por las que preocuparme crece con cada segundo que pasa, pero concentrarme en las grandes ansiedades tampoco me llevará a ninguna parte, así que hago lo que hacen todas las mujeres, y empiezo a obsesionarme con mi cuerpo. Mis encuentros con Eric y Ravi tampoco han salido tan mal después de todo, pero no tuve que ir a verlos en bikini, o ni siquiera en un modelito Anne Cole con sujetador incorporado.

Me pongo boca arriba y miro a lo alto. Pero el techo, con todos esos bultitos que le ha dejado el último aguacero, sólo me recuerda los bultitos que marcan la piel de mis muslos. Mañana localizaré al pintor para pedirle que venga a rascar el techo y le dé una nueva capa de pintura. Pero ¿a quién puedo encontrar para que efectúe reparaciones en mí?

A la mañana siguiente, llamo a Bellini desde el trabajo para hablarle de mi viaje y, ya puesta, del techo de mi dormitorio. Ella enseguida sabe lo que hay que hacer.

—Si vas a ir a una playa, irás sin celulitis —dice.

—Estupendo. Sabía que tú conocerías la forma de librarse de ella —digo a mi amiga de piernas suaves como la seda. Los únicos hoyuelos que tiene Bellini están en su cara.

—No seas boba. Si supiera cómo eliminar la celulitis, vendería el secreto y me compraría una casa en Virgen Gorda. O, ahora que lo pienso, podría comprar Virgen Gorda.

—¿Me estás diciendo que mis piernas no tienen remedio?

—Todo tiene remedio. Bebe mucha agua y llámame por la mañana.

—Ahora es por la mañana. ¿Y por qué tengo que beber mucha agua? —pregunto, quizá con demasiada inexperiencia en todo este asunto de estar guapa.

—El agua siempre va bien —dice Bellini—, y necesito un poco de tiempo para consultar mis archivos. Ya te llamaré.

Veinte minutos después, Bellini se ha convertido en el Jonas Salk de los muslos regordetes. Mi amiga cree que existe una cura, y no va a descansar hasta que dé con ella.

—He encontrado montones de posibles soluciones, así que pongamos manos a la obra —dice eficientemente—. Número uno: ¿tienes algo en contra de las agujas?

—Muchísimo. Nunca dejo que se me acerquen. Ni siquiera coso.

—Bueno, eso descarta la acupuntura, que probablemente funciona mejor con las migrañas, de todas formas. Pero algunas personas juran que la respuesta está en la mesoterapia. Es una solución de enzimas y detergente, inyectada directamente en la grasa para derretirla haciendo que desaparezca.

—Ni siquiera he conseguido encontrar un detergente que haga desaparecer las manchas de ketchup —digo.

Bellini suspira y puedo oírla tachar dos cosas de la lista que debe de haber garrapateado.

—Vale, ¿qué opinas del calor?

—Sí, para las duchas; no, para la salsa —digo.

—Podríamos pensar en el sistema termal. Es un nuevo tratamiento que te envía frecuencias de radio a través de la piel. Claro que a veces quema un poco.

—Creo que podría aguantar que me quemara un poco —digo valientemente—. Pero ¿una frecuencia de radio? Los 40 Principales ya me ponen de los nervios.

Oigo otro ruidito de tachadura.

—Existe otra cosa —dice Bellini en un tono dubitativo—. No estoy segura de si es real o sólo se trata de una leyenda urbana. He oído hablar de una mujer en un gimnasio del centro. Si quieres quedar conmigo mañana, creo que vale la pena intentarlo. La llaman la Exorcista de la Celulitis.

Bajo al SoHo desde mi bufete en el centro, lo que para mí es como hacer un periplo exótico a París. A diferencia de la estéril alineación de rascacielos en la que trabajo, esta sección de Nueva York puede alardear de encantadoras boutiques, cafés al aire libre, y mujeres con ropa carísima que acarrean bolsas de compras con los logotipos de las mejores marcas. Hace unos años, las galerías de arte eran el gran atractivo de la zona, pero los alquileres subieron demasiado y la mayoría de ellas no tardaron en ser sustituidas por los establecimientos de prestigiosos diseñadores. Ahora, las clientas elegantes que vienen a abastecerse por aquí ya no necesitan fingir que están tan interesadas en Chagall como en Chanel. A menos que recorran veinte manzanas tambaleándose sobre sus tacones de aguja para visitar la última meca del arte, se les ahorra el mal trago de tener que pensar en comentarios inteligentes sobre las esculturas de palabras hechas con neones firmadas por Jenny Holzer.

Vuelvo a mirar la dirección que me dio Bellini y me encamino al gimnasio de la celulitis, que parece estar al lado del carísimo emporio de comida Dean & DeLuca. Muy conveniente. De esa manera siempre puedes zamparte un último plato de ese camembert extra cremoso importado que cuesta treinta dólares y luego correr a que te extraigan la grasa en cuanto la sientas aterrizar sobre tus caderas.

Entro y me encuentro con un ambiente bastante moderno para lo que te esperas de una exorcista. No me imagino a Linda Blair esparciendo vómitos verdes en esta elegante sala de espera decorada en suaves tonos rosados. Pero a menos que esté muy equivocada, la mujer esbelta y elegante que veo sentada en un sofá en un rincón es otra Linda: Evangelista, para ser exactos. Está hojeando un ejemplar de *Vogue*, tal vez con la esperanza de encontrar una foto suya y enterarse de si por fin ha vuelto al estrellato.

Bellini aún no ha llegado, así que me siento frente a Linda, que lleva unos vaqueros muy ceñidos y un suéter de cuello de cisne con botas de piel de tacón alto. Elegantísima, y lista para hacer frente a los paparazzi. Llevo tantos años viendo fotos de Linda en las revistas y las vallas publicitarias que por un instante tengo la sensación de que somos amigas.

—Bueno, ¿quién te pagó diez mil dólares para que te levantaras de la cama esta mañana? —bromeo, parafraseando su famosa réplica a la pregunta de cuánto dinero habría que apoquinar para atraerla al estudio de un fotógrafo.

Ella levanta la vista de su *Vogue* y me lanza una mirada gélida. Contacto ocular al estilo supermodelo. Casi puedo vernos haciéndonos la mar de amigas y alquilando una casa en Nantucket el verano que viene.

—Perdona —digo, decidiendo que voy a intentar empezar con mejor pie—. No pretendía poner el dedo en la llaga. Haces un solo comentario estúpido en la vida y luego es lo único de lo que todos se acuerdan, ¿verdad?

Bellini entra en ese preciso instante, me saluda alegremente con la mano, y se sienta a mi lado.

Saltándose el hola, se inclina hacia mí y en un susurro melodramático que habría podido despertar al fantasma de Hamlet, dice:

—Pssst. Me parece que ésa de ahí es Christy Turlington.

—Es Linda Evangelista —le digo yo con aire de suficiencia.

—Tienes razón. Caray, me pregunto quién le habrá pagado diez mil dólares para que se haya levantado de la cama esta mañana —dice Bellini.

Linda arroja su Vogue sobre la mesa y va hacia la puerta hecha una furia. Al parecer no hay suficiente dinero en el mundo para mantenerla en la misma habitación que nosotras. Un instante después pienso que nuestros comentarios tienen que haberla afectado muchísimo más de lo que creíamos, porque, mirando a través de la ventana, la veo entrar en Dean & DeLuca.

—¡Linda, no lo hagas! —grito, abriendo un poco la puerta de cristal—. ¡Todavía eres hermosa! ¡Fuma! ¡Date a la bebida! ¡Pero no le des al queso, por favor! ¡Prométeme que te mantendrás alejada del extra-graso!

Bellini viene corriendo. Por un momento pienso que va a apartarme de la ventana, pero en lugar de eso se asoma, también.

—Linda, vuelve aquí. ¿De verdad tienes celulitis? ¿Cómo va a poder tener celulitis una mujer que está tan flaca?

Luego nos apartamos de la puerta y reímos tontamente.

—Con ese cuerpo, no puede tener celulitis —digo—. Tiene que haber entrado a leer la revista.

—No necesariamente —dice Bellini—. Todas somos hermanas bajo la piel.

—¿Estás insinuando que todas somos hermanas grumosas? —le pregunto.

—No por mucho tiempo —promete Bellini.

Me han dado hora a las seis. La ayudante aparece y me acompaña a la sala de tratamiento, e insisto en que Bellini venga conmigo y se quede a mi lado. Igual que haría una treceañera en una cita doble, no pienso pasar por esto sola. La ayudante me entrega un maillot blanco elástico y me pide que me cambie. La Exorcista de la Celulitis llegará enseguida.

Una vez que se ha ido, sostengo el tejido elástico en mi mano. Podría ser un reto tan grande como el del tanga en el salón de bronceado. No he llevado leotardos desde que en la celebración del Día del Árbol, en segundo curso, me tocó hacer de roble danzarín. Aquel día tropecé con una de mis propias ramas y decidí renunciar para siempre a una prometedora carrera en el ballet. Desde entonces, la forma de los leotardos —y la mía— ha cambiado considerablemente.

—¿Cómo se supone que he de meterme dentro de esto? —pregunto, subiéndome el maillot hasta las rodillas, incapaz de poder elevarlo ni un centímetro más—. ¿Y qué es, en todo caso?

—Un sistema de presión basado en el principio del guante corporal —dice Bellini, leyendo de la hoja que ha dejado la ayudante—. Facilita la expulsión de las impurezas de tus células y estimula el drenaje linfático.

—¿Cómo, cortándome la circulación?

—Recurriendo a todos los medios necesarios. Además, lo desarrollaron en la NASA.

—¿Cuándo me dan el vaso de Tang? —pregunto.

—Aquí todas bebemos Kool-Aid —dice Bellini con una sonrisita taimada.

Tuerzo el gesto y tiro más fuerte. Pues claro que estaré más delgada cuando todo esto haya terminado, porque no me quedará nada de aire en el cuerpo. Consigo extender la ceñida prenda sobre mis muslos y mis caderas, y me retuerzo para introducir los brazos en las escurridizas mangas. Finalmente consigo acabar de ponérmela. Más embutida que la mejor salchicha Jimmy Dean, me subo a la camilla recubierta de cuero y contemplo el ominoso equipo que se alza sobre mí. Está claro que si por mí fuera saldría pitando, pero no me puedo mover. Probablemente ése sea el verdadero propósito del traje.

—¿Qué es esa cosa? —pregunto, señalando la amenazadora maquinaria con todas esas aterradoras cánulas de succión adheridas a ella—. Parece una vieja aspiradora Hoover.

—No es una Hoover, ni siquiera una Oreck —ladra una voz crispada.

—¿Una Antipolvo, quizá? —pregunto mansamente, volviéndome hacia la figura vestida de negro que acaba de entrar. Apenas mide metro cincuenta, pero parece llenar toda la habitación con su masa de pelo rojo rizado y su ondulante capa negra. Está claro que la Exorcista de la Celulitis ha llegado.

Acciona unos cuantos interruptores, y un instante después, cuando la máquina cobra vida con una especie de tos, viene hacia mí empuñando una gruesa manguera que palpita amenazadoramente.

—Ejem, ¿sería usted tan amable de explicarme qué va a hacer, antes de empezar? —le pregunto, dando ejemplo de consumidora educada. Pero si de verdad fuese una consumidora educada, probablemente no estaría aquí para empezar.

—Silencio. Tienen que dejar de pensar y limitarse a creer —dice ella.

—Creemos —dice Bellini, como intentando mantener a Campanilla (y a mis esperanzas) con vida—. ¿Cómo podríamos no hacerlo? Usted es la Exorcista de la Celulitis, ¿verdad?

Ella gira en redondo, claramente irritada.

—¿La Exorcista? Nadie me llama eso a la cara. Tengo unas credenciales muy serias. Credenciales médicas.

—¿Qué es usted? —pregunta Bellini, un poco preocupada por saber en qué me ha metido.

—Veterinaria.

Vale, tengo un poco de autoestima. Eso no quiere decir que la Exorcista piense que soy una cerda.

—El que yo sea veterinaria no es tan extraño como piensa —dice ella mientras me pone la cánula sobre la parte de arriba del muslo—. Este procedimiento es conocido como endermología, y empezó siendo un masaje tisular para los caballos que habían sufrido alguna lesión. Entonces una estimada colega se percató de que tenía un asombroso efecto colateral. Ninguno de los caballos así tratados mostraba el menor vestigio de celulitis.

Me estrujo los sesos, intentando acordarme de si he visto celulitis en los caballos que corren el derbi de Kentucky. Diría que no.

De pronto, siento que algo tira de mi piel y me agarro al borde de la mesa para no ser succionada por la máquina, ya que no quiero seguir el destino que estoy segura va a sufrir mi cuenta corriente.

La Exorcista me pasa la aspiradora por encima como si yo fuese un sofá deformado por el uso, mientras me explica que las ruedecitas motorizadas están levantando, estirando y rotando para incrementar la producción de colágeno y alisar la piel. Y lo mejor de todo, también nos estamos librando del tejido conjuntivo endurecido, aunque tengo que confesar que yo ya me había acostumbrado a todo ese viejo tejido conjuntivo endurecido.

¿No será lo único que me mantiene entera y de una sola pieza?

—Siento cómo el problema abandona su piel —salmodia la Exorcista.

De pronto me la imagino haciendo oscilar un crucifijo sobre mis muslos llenos de hoyuelos. ¿Y por qué no? Está claro que la celulitis es obra del diablo.

—¿Siente cómo se disgregan la grasa subcutánea y las toxinas? —me pregunta con voz grandilocuente.

De hecho, lo que siento disgregarse es el contrato social del siglo XXI. Soy una mujer atractiva e inteligente que se licenció en Derecho en una de las mejores universidades del país y me precio de tener bastante sentido del humor, y ahora me encuentro tumbada aquí con una Exorcista, una aspiradora y una tenue esperanza de salir a la calle con los muslos un poco más delgados. Sí, o la civilización tal como la conocemos está a punto de llegar a su fin o será que ha progresado más allá de nuestras más locas fantasías.

Cuando la Exorcista apaga finalmente su máquina zumbante, me palmea la parte de atrás de los muslos.

—Ha sido un buen comienzo —dice en un tono que no admite réplica—. Haremos esto dos veces a la semana. Catorce sesiones más. Estoy segura de que verá algo de mejora.

¿Dos veces a la semana durante siete semanas más? Ese compromiso es más largo que el que hizo George Bush para ser un conservador compasivo.

—No dispongo de tanto tiempo. Salgo para el Caribe dentro de nada —le digo a la Exorcista.

Veo cómo se le iluminan los ojos.

—No es raro que las clientas me lleven con ellas durante sus vacaciones —se apresura a decir.

Pienso en eso por un instante. Mi propia exorcista personal disponible a cualquier hora del día o de la noche para disgregar mi grasa subcutánea, eso por no hablar de mi cuenta corriente.

—Gracias —digo, mientras consigo bajar de la camilla y sostenerme sobre los pies—. Voy a volar en solitario.

9

Más o menos por decimoséptima vez, Emily me llama desde la residencia estudiantil para preguntarme si de verdad estaré bien el día de Acción de Gracias sin nadie que me haga compañía. Estoy decidida a poner al mal tiempo buena cara, así que me apresuro a desmentir sus preocupaciones.

—Sólo es una festividad en la que se sirve un ave muerta —digo alegremente—. Además, nunca me han gustado los arándanos. La salsa siempre tiene grumos, el pastel de nueces le sienta fatal al estómago, y nunca he entendido por qué hay que comer boniatos embadurnados con malvavisco.

—A ti te encanta el malvavisco —dice Emily, que me conoce demasiado bien.

—Sólo cuando puedo acompañarlo con un buen cuenco de Rice Krispies —digo—. Además, ya verás cómo lo pasas muy bien con papá.

—¿Estás segura de que no se le ocurrirá traerse a esa mujer? —me pregunta Emily.

—No, iréis a casa de la abuela Rickie, como siempre. Papá nunca iría a la casa de su madre con Ashlee.

—No digas su nombre en voz alta, por favor —dice Emily—. Me dan ganas de vomitar sólo de oírlo.

El teléfono de la otra línea empieza a sonar.

—Espera un momento —digo, cuando veo parpadear el número de Adam en el identificador de llamadas—. Tengo a tu hermano en la línea dos.

En vez de poner a Emily en espera, sostengo el teléfono con la mano izquierda y cojo otro inalámbrico con la derecha. Con un teléfono suspendido a cada lado de mi cabeza, estoy rodeada por mis niños.

—Hola, Adam —digo.

—Hola, mamá. Oye, sólo quería saber cómo va todo. ¿Seguro que estarás bien el día de Acción de Gracias?

—Sí, seguro que sí —digo.

—¿Cómo está Adam? —pregunta Emily, desde el teléfono de la izquierda.

—Tu hermana quiere saber cómo estás —digo, girando la cabeza hacia la derecha mientras hago de, bueno, teléfono.

—Dile que muy bien.

—Dice que está muy bien.

—Pero que estoy preocupado por ti —grita Adam, intentando conseguir que le preste un poco de atención.

—Dice que está preocupado —le comunico obedientemente a Emily.

—Yo también —dice Emily, tan alto que estoy segura de que Adam la ha oído sin necesidad de que yo haga de intermediaria materna.

—¿Por qué estáis preocupados? —pregunto, sosteniendo los dos teléfonos lo más cerca posible de mi boca para poder hablar con mis dos hijos a la vez.

—Porque eres nuestra madre.

—Porque hay más suicidios durante los días de fiesta que en ningún otro momento del año —añade Adam amablemente.

—No me voy a suicidar —digo.

—¿Qué es eso de que te vas a suicidar? —grita Emily—. Lo sabía. Estás deprimida.

—Pues claro que está deprimida —dice Adam—. ¿Cómo podría no estarlo? Recuerda que no nos tendrá a su lado para que le hagamos compañía.

—Estar solo el día de Acción de Gracias perjudica la salud —dice Emily.

—Lo único en la vida que probablemente no perjudica la salud es perderse una de esas cenas del día de Acción de Gracias en las que te hinchas a comer calorías e hidratos de carbono —insisto yo—. Y tengo planeada una escapada preciosa. Claro que os echaré de menos, pero estaré bien. ¿Qué puede ocurrir de malo en una playa?

—Podrías olvidarte de coger el protector solar y morir de cáncer de piel —dice Emily, a la que todo esto parece haber afectado mucho más de lo que me imaginaba—. O peor aún, sólo te pones mala y entonces yo tengo que dejar la universidad para cuidar de ti.

—No, yo cuidaría de ella —dice Adam heroicamente.

—La hija soy yo. Me toca cuidarla.

—Pero si ni siquiera fuiste capaz de aguantar *La fuerza del cariño* —se mofa Adam—. Saliste corriendo en cuanto Shirley MacLaine empezó a gritar pidiendo morfina.

—No salí corriendo. Tenía que ir al lavabo —replica Emily.

El momento con el que sueñan todas las madres. Mis niños se están peleando para decidir cuál de los dos se sentará en mi lecho y me dará las píldoras de cianuro.

Con todo, el griterío estereofónico está empezando a darme dolor de cabeza. Dejo con mucho cuidado los dos teléfonos encima del escritorio, vueltos el uno hacia el otro, y me voy. Que los chicos libren esta batalla ellos solos. Yo tengo que hacer el equipaje.

Pero no consigo hacer que me quepa todo.

—Tendrá que facturar esa bolsa de viaje. Es demasiado grande para que la pueda llevar con usted —me dice la auxiliar de vuelo en la puerta de embarque, cuando intento subir al avión en el aeropuerto Kennedy. Es el miércoles anterior al fin de semana de Acción de Gracias y, como era de esperar, la terminal está sumida en el caos.

—Pero si es equipaje de mano —le digo, tirando de la etiqueta de cuero que la identifica como bolsa de viaje Tumi—. Mire lo que pone aquí: «Llévesela-con-usted.»

—Sólo cuando va vacía. Ahora está demasiado llena. —Clava el dedo en uno de los bultos que tensan la bolsa de viaje y sacude la cabeza—. A ver si lo adivino. Necesitaba seis pares de zapatos para pasar tres días fuera de casa.

—Cinco —murmuro a la defensiva—. Aunque si quiere que le diga la verdad, probablemente no necesitaba las chinelas de color rosa dado que tenía unas de color beis. Pero sinceramente, ¿usted qué calzado llevaría con el Marc Jacobs blanco?

—Nada que fuese de color beis —dice ella arrugando la nariz.

—Exactamente. Pero necesitaba esas chinelas para llevarlas con una falda color caqui.

—Claro.

Detrás de nosotras, la gente que está haciendo cola para subir al avión empieza a ponerse un poco nerviosa. Pero eso no acelera en lo más mínimo el curso de nuestra plácida conversación.

—¿Le importaría abrir su bolsa de viaje? —me pregunta la auxiliar de vuelo.

—¿Más controles de seguridad?

—No, es sólo que me muero de ganas de ver el nuevo modelito de Marc Jacobs. Creo que Lindsay Lohan lo llevaba cuando fue al estreno de una película la semana pasada.

Subo la bolsa de viaje a la mesa y empiezo a abrir la cremallera.

—Perdone, señorita —dice el siguiente en la cola, obviamente impaciente por subir al avión—. Si eso ayuda a acelerar los trámites, tengo unas cuantas prendas de ropa interior Calvin Klein que podría enseñarle.

La auxiliar de vuelo lo contempla con expresión dubitativa, probablemente porque el pasajero en cuestión ni siquiera lleva una maleta.

—Bueno, embarque —me dice—. Llévese su equipaje de mano. Luego ya se lo guardaré en el armario de primera clase.

—Gracias —digo, aliviada—. Y échele una mirada al vestido cuando guste. De hecho, quédeselo si quiere.

Tres horas después, corriendo entre terminales por el aeropuerto de San Juan para coger mi vuelo de conexión, empiezo a pensar en que ojalá hubiese facturado esa bolsa de viaje abarrotada. O al menos, que la auxiliar de vuelo hubiera confiscado el vestido y unos cuantos pares de zapatos, y así ahora yo no tendría que cargar con tanto peso. Llego a la puerta de embarque sudorosa y sin aliento cuando sólo faltan tres minutos para que subamos al avión. Como estaba previsto, justo entonces anuncian que nuestro vuelo va a sufrir dos horas de retraso.

Me arrastro a mí misma y a mi bolsa de viaje hasta la zona de restaurantes del aeropuerto donde, en un abrir y cerrar de ojos, Cinnabon golea al Rey de la Ensalada en lo que a mí se refiere. Con mi golosina en la mano, me siento a una mesita de plástico, sola. A mi alrededor los niños corretean y gritan, los bebés aúllan, maridos y mujeres discuten quién tiene las tarjetas de embarque. El estrépito es insoportable. Pero de pronto incluso todas esas tumultuosas escenas familiares me parecen muy atractivas. Adam y Emily tenían razón al decir que duele estar sola el día de Acción de Gracias.

Me miro el reloj. Sólo falta una hora y cincuenta minutos para que abran la puerta de embarque de mi vuelo. ¿Qué hacer para que pase el tiempo, mientras tanto? Podría comprar unos cuantos Cinnabons más, pero eso probablemente garantice una llamada personal de Anne Cole para pedirme que no vuelva a aparecer nunca más en público luciendo uno de sus trajes de baño. No, me conformaré con leer el ejemplar de la revista *People* que he comprado y veré qué celebridades han decidido separarse esta semana. Miro la contraportada, en la que hay un anuncio de Citibank que previene contra el robo de identidades. Muy apropiado, porque estoy segura de que alguien me ha robado la identidad. ¿Qué otra cosa puede haberle ocurrido a la feliz abogada-madre-mujer-esposa que siempre tenía una familia a su alrededor cuando llegaban las fiestas? ¿Dónde se habrá metido?

Oh, anímate, chica. Está aquí mismo. Deja de revolcarte en la autocompasión y recobra la compostura. Meto la mano en mi bolso de cuero para coger un bolígrafo. No necesito un pavo para que me recuerde que debo dar gracias. En el espacio en blanco alrededor del anuncio, escribo cuidadosamente: «Diez razones por las que estoy agradecida.» Luego, sólo por si las moscas, tacho «diez» y escribo «cinco». Tampoco es momento de añadir presiones extra a las que ya me han caído encima.

1. Adam.
2. Emily.

Hago una pausa y mordisqueo el extremo del bolígrafo. ¿Eso es hacer trampa? Sí, decididamente. Doy la vuelta a la revista y vuelvo a empezar.

Cinco razones por las que estoy agradecida.
1. Adam y Emily.
2. Un trabajo que me gusta y que me llena.
3. Buenas amigas.
4. Un pelo rizado que no se encrespa demasiado con la humedad.

Vale, ahora a por la número cinco. Sé que hay una quinta. Si me pongo a pensar en ello probablemente se me ocurrirán cincuenta, pero sólo he de encontrar una más. Tampoco es tan difícil.

5. Me gusta ser quien soy.

Estudio mi lista y sonrío. Después de todo lo que me ha ocurrido recientemente, la verdad es que tampoco lo estoy haciendo tan mal. Siempre he sabido que tenía bastante aguante, pero creo que he conseguido sorprenderme a mí misma. No son las circunstancias de tu vida las que hacen que te sientas feliz o no, sino la forma en que les haces frente.

Tiro ese Cinnabon del que no he llegado a comer gran cosa y me limpio las manos pringosas. Cuando me doy la vuelta, mi cara recibe el impacto de una patata frita arrojada por un niño de siete años.

—Muy inventivo —le digo, limpiándome un poquito de ketchup de la cara—. No todos los niños son capaces de improvisar una honda con cuatro pajitas.

Sus padres parecen horrorizados, pero les dirijo una gran sonrisa, porque estoy determinada a acentuar lo positivo en todo. Al menos hasta que llegue el momento en que tendré que ponerme ese traje de baño.

Las fotos que había en la página web no mentían. Las playas de arena blanca de Virgen Gorda son las más espléndidas que he visto nunca, con calas escondidas y enormes formaciones de roca incluidas. El agua centellea y mi espaciosa casita de estuco rosa está encantadoramente edificada sobre pilotes, proporcionándome una vista impresionante de las embarcaciones que puntúan la bahía. Pura perfección. Siento una pequeña punzada de pena cuando me doy cuenta de que la casita tiene un segundo dormitorio. Si Bill no hubiera sido tan idiota, ahora podríamos estar aquí con los chicos, todos juntos. Bueno, si si si si... si los cerdos tuvieran alas, claro. No puedo pensar en lo que no es; estoy aquí para lo que podría ser. Y hoy lo que podría ser incluye un largo paseo por esa playa llena de sol y nadar en el agua salada. Mañana, con mi nuevo bronceado de isla (decididamente mejor que la variedad obtenida mediante el rociado), pensaré en buscar a Kevin. Ya sé que vive en el otro extremo de la isla. Dar con él supondrá un largo trayecto en coche por las ondulantes colinas de Virgen Gorda.

Me pongo unos pantalones cortos y una camiseta, y meto los pies en las sandalias de goma. Los otros cuatro pares de calzado, por no hablar de las faldas y los vestidos playeros, probablemente nunca llegarán a salir de mi bolsa de viaje. Y, oh sí, también me he traído dos suéteres bien gruesos. El Canal Meteorológico informaba de que en el Caribe hace unos calurosos veintiocho grados, pero cuando estaba aguantando los cero grados de Nueva York, no conseguía imaginar lo que sería pasar calor. La ley no escrita de hacer el equipaje en vacaciones es que te lo llevas todo y luego nunca te pones absolutamente nada de lo que has cogido. Y no sé por qué será, pero el caso es que nunca aprendo. La próxima vez haré exactamente lo mismo.

Salgo fuera a explorar y respiro profundamente. El aroma de la fresia flota en el aire. No se puede decir que la isla esté superpoblada, desde luego. Veo playa a un lado y rala vegetación isleña al otro. Mientras voy por un tranquilo sendero de tierra, dos cabras empiezan a seguirme. Y pensar que a Adam y Emily les preocupaba que su madre fuera a estar sola.

Con todo este sol, la idea de buscar a Kevin empieza a parecerme un poco traída por los pelos. Después de todo, no hay razón para pensar que ahora tendremos más en común de lo que teníamos en el instituto, cuando yo iba lanzada por el camino que terminaría llevándome a Columbia y él simplemente iba lanzado. Menuda pareja hacíamos, Kevin con su chaqueta negra de motorista y yo con mi chaquetita de algodón. Supongo que eso que dicen de que los opuestos se atraen será verdad, porque me acuerdo de que una vez le dije que desentonábamos tanto como un pingüino y una cebra.

—Pero es que ellos no desentonan. Los dos son blancos y negros. Tienen mucho en común —se apresuró a decir él.

Me maravilló su sabiduría. En aquel entonces, esa réplica que no tenía ningún sentido me pareció tan brillante que estuve segura de que yo era la única capaz de entender la genialidad de Kevin. Me había cogido de la mano mientras nos alejábamos del instituto juntos, en pleno arrebato del primer amor. Acabábamos de fumarnos la clase; una experiencia completamente nueva para mí, pero ése era el atractivo de chico malo que tenía Kevin. Él dictaba sus propias reglas, y yo estaba impresionadísima.

Pero ¿de verdad estoy tan desesperada como para buscar al chico que besé cuando estaba en el instituto? Ahora nuestra relación parecería de lo más inocente. La mano de Kevin nunca llegó a subir por encima de mi rodilla, pero aun así le rompí el pulgar. Juro que fue un accidente. Una noche, Kevin se inclinó sobre mí para darme un último beso de buenas noches justo cuando yo estaba cerrando la puerta del coche. Portazo, ruido, fractura. Kevin apareció al día siguiente con el brazo enyesado. Nunca más me dirigió la palabra. Una tontería de nada puede acabar con una relación.

Mi pequeño paseo me ha llevado al pueblo, donde paso junto a una tienda de artículos de navegación, otra que vende cebo para pescar, y un bonito café al aire libre. Me siento a una de las mesas de metal, a la que da sombra un parasol rojo y blanco de Campari. Todos los cafés del mundo parecen tener los mismos parasoles. Es como para pensar que Campari se ha hecho más famosa por sus parasoles que por su licor.

—Bienvenida —dice un alto camarero isleño que ha venido lentamente hacia mi mesa—. ¿Una copa?

—Claro. Qué tal un Campari con soda —digo, sintiendo una nueva lealtad hacia la marca que ha tenido el detalle de protegerme de la insolación.

—¿Campari? Nunca he oído hablar de él. Pero puedo ofrecerle unos excelentes rones locales —dice el camarero con un acento cantarín.

Me pregunto si esos rones locales serán los que hayan pagado las sillas. No querría financiar una bebida que no invierte nada en publicidad.

—Me parece muy bien. ¿Qué me sugiere usted? —pregunto.

—Le prepararé un combinado especial. Le pondré uno doble —dice él, guiñándome el ojo.

Mientras espero a que llegue mi doble de no-sé-qué, contemplo distraídamente la escena callejera que hay ante mí. Una pequeña valla de madera separa el café de la calle, y unos cuantos niños nativos con pantalones cortos de color rojo y los pies descalzos pasan corriendo, seguidos de un par de perros que no paran de ladrar. Un hombre que tira de un carrito lleno de fruta me sonríe y me tiende una fruta a través de la valla.

—¿Guava? —pregunta—. Recién cogida. Cincuenta centavos.

—No, gracias —digo educadamente.

—¿Mango? —Me ofrece el fruto, fresco y que huele muy bien, pero yo le digo que no con la cabeza—. Tenga. —Me lo pone en la mesa—. Para usted. Se lo regalo. Feliz día de Acción de Gracias.

Celebrar el día de Acción de Gracias es todo un detalle por su parte, teniendo en cuenta que Virgen Gorda es territorio británico. Si ahora celebramos el banquete del pavo-con-pastel-de-calabaza es porque los peregrinos que fundaron Estados Unidos huyeron de las colonias británicas. Menos mal que todo ha quedado perdonado y podemos disfrutar de las bendiciones de Elton John.

A unos metros de distancia, veo a una mujer sentada en una esterilla que teje una preciosa cesta de mimbre. Unos turistas se detienen a admirar su trabajo y compran una cesta del montón que tiene al lado. Quizá debería decirle a Rosalie que aquí abajo tiene una buena oportunidad de iniciar un negocio. Si luego resulta que sus nidos de rafia y sus cuadraditos de ganchillo no tienen éxito, siempre puede montar un puesto de Campari.

Un hombre bastante guapo que pasaba por allí se para y se apoya en la valla junto a la tejedora de cestas. Abre la botella de Coca-Cola que lleva en la mano y bebe un buen trago. El sol le ha dejado mechones rubios en el pelo y está muy moreno. Las líneas de su cara le otorgan esa mirada de ojos entornados tan sexy que hace que los hombres parezcan atléticos y curtidos por la vida al aire libre, mientras que con nosotras sólo sirve para hacer que parezcamos un bistec demasiado hecho. Lleva pantalones cortos de color caqui y una camiseta blanca cuyas mangas cortadas acentúan la anchura de sus hombros y la musculatura de sus brazos.

Colgada del hombro lleva una bolsa de nailon azul. Mete la mano dentro y saca una cámara de objetivo largo. Tiene que ser un juguete que se acaba de comprar, porque pasa las páginas de un folleto de instrucciones recién adquirido, y luego sostiene la Nikon SRL ante él y saca unas cuantas fotos. Comprueba las imágenes digitales que ha tomado, efectúa unos cuantos ajustes y vuelve a sacar fotos. En rápida sucesión, captura a los niños que corretean, el hombre de la fruta y la tejedora de cestas, y luego se da la vuelta para hacerle una foto al camarero, la pareja de la mesa de al lado y por último, aparentemente, a mí.

La cámara parece permanecer enfocada en mi persona durante demasiado rato. Luego el fotógrafo baja el objetivo muy despacio y me mira.

—Maldición —dice exuberantemente—. Hallie Lawrence. Sé que eres tú.

Dedica medio segundo a cubrir el objetivo de su cara cámara y luego corre hacia mí, me captura en un enorme abrazo y me levanta del asiento. Empieza a hacerme girar en el aire pero yo, un poco avergonzada, agito las piernas y sin querer le doy en la rodilla con el pie.

Él me baja y sonríe.

—Ésa es la Hallie que recuerdo —dice, mientras sacude la pierna. Como recordatorio de lo que quiere decir con eso, agita el pulgar ante mí—. Años de terapia física, pero está casi perfecto.

—Llevo años preocupada por ese pulgar —digo. Me río y sacudo la cabeza—. Kevin, no puedo creer que seas tú. Menuda coincidencia.

—Sí, sí, con todos los tugurios de licor barato que hay en el mundo. —Sonríe de oreja a oreja y yo me sonrojo, acordándome de la noche en que me llevó al autocine cuando echaban *Casablanca*. No vimos gran cosa de la película, pero luego siempre decíamos que era nuestra favorita.

Me pasa el dedo por la mejilla afectuosamente.

—Mi madre me dijo que habías telefoneado, y tenía la esperanza de que intentarías localizarme.

—Estoy de vacaciones. Un fin de semana largo —digo sin excesiva convicción.

Kevin asiente.

—Estás estupenda. Mamá también me dijo que te habías separado. Lamento saberlo. Bueno, en realidad, no. ¿Qué te parece si cenamos juntos esta noche? Sé de un sitio muy romántico.

Trago saliva. ¿No es ir un poco deprisa? ¿No deberíamos ponernos al día sobre lo que ha ocurrido desde los viejos tiempos y tomar un café antes de que «romántico» entre en la ecuación? Por otra parte, Kevin nunca se andaba con rodeos. Tampoco voy a estar aquí mucho tiempo y no me parece que hacerme la difícil sea la estrategia más adecuada.

Aun así, trato de ganar tiempo.

—Sí, me he separado. Bueno, ¿y qué me dices de ti?

—¿Mi madre no te contó eso, también? Aún no he sentado la cabeza, como dice ella.

—¿Novias?

154

—Docenas de ellas. Pero ninguna en este momento. Al menos nadie que importe.

No pregunto qué haría que alguien «importe». Por ahora sólo me está pidiendo que cenemos juntos.

—Me encantaría verte esta noche —digo, preguntándome si aún sacaré las chinelas rosa de la bolsa de viaje después de todo.

—No hagas planes para volver a casa temprano —dice él con una sonrisa. Y entonces, por si acaso no he entendido lo que tiene en mente, me agarra cuando menos me lo espero y de pronto estamos unidos en un estrecho abrazo que no se parece en nada a lo que yo recordaba. Los brazos de Kevin son fuertes y sus antes abruptos besos de muchacho ahora están sazonados con una ternura viril. Pienso que debería apartarme del beso, pero por alguna razón no lo hago.

Kevin es el primero en retroceder.

—¿Te importa que quedemos en el restaurante? Tengo una sesión de fotos esta noche. —Se mira el reloj, que es o un Breitling de submarinista o una buena imitación—. De hecho debería ir para allí ahora mismo. Pero a las nueve ya habré terminado. Coge un taxi desde tu hotel y di al conductor que te lleve a la Cima de la Colina. Todo el mundo lo conoce.

Me rodea la cintura con los brazos y vuelve a besarme. El corazón me late con fuerza igual que hacía en el instituto cuando prometíamos vernos más tarde. Mientras vuelvo a mi casita siento como si flotara, y no por el doble de ron. Me repito a mí misma una docena de veces el nombre del restaurante en el que se supone que he quedado con Kevin. Ese vestido de Marc Jacobs va a ver la luz del día después de todo. O la luz de la luna. Nos imagino sentados a una mesa para dos, las estrellas temblando en lo alto mientras una suave brisa aletea en mi pelo. Nos diremos cosas dulces el uno al otro. Tengo una cita, una cita de verdad. ¿Y por qué no? El beso que me ha dado Kevin fue realmente delicioso.

Subo los escalones de mi casita y siento que toda yo burbujeo por dentro como una jovencita impaciente por que llegue el gran momento. Salgo a mi soleado balcón y me instalo en una tumbona, pero estoy demasiado nerviosa para poder estar quieta. Me levanto y empiezo a bailar, como una ingenua en un escenario de Broadway.

«¡Esta noche, esta noche, no va a ser una noche cualquiera!»

Es una suerte que mi balcón esté escondido detrás de unos árboles, porque así nadie será testigo de mi numerito. Es lo bueno de estar sola. Puedo hacer todas las gansadas que quiera.

«Esta noche, esta noche, veré a mi gran amor.»

De acuerdo, ahora estoy exagerando un poco. Kevin no es mi gran amor. Pero uhh, nunca se sabe.

Paso a tararear «Me siento guapa» y agito los brazos por encima de la cabeza como una bailarina a la que se le hubiera ido la olla. Dios, ahora comprendo por qué no pude actuar en el musical del instituto. Pero hoy tengo la oportunidad de escenificar desde el primero hasta el último acto del instituto.

«¡Oh, tan guapa!» Canto lo bastante alto —y lo bastante desafinado— para que un par de pájaros alcen el vuelo desde los arbustos.

«¡Me siento guapa, lista y ocurrente!»

Ahora estoy cantando tan alto que los pájaros deciden que es hora de volar hacia el norte, a pesar de que allí están en lo más crudo del invierno.

—Eres guapa —dice alguien desde dentro de mi casita. Y luego hay un aluvión de risitas.

—Ocurrente y razonablemente lista —dice otra voz, ésta grave y masculina.

—¿Adam? —pregunto incrédulamente.

—¡SORPRESA! —dicen mis dos queridos hijos, irrumpiendo en el balcón.

Los miro con incredulidad. Parafraseando a Kevin —eso por no hablar de Humphrey Bogart, claro—, de todas las islas que hay en el mundo, ¿cómo han acabado precisamente en ésta?

—¿Qué estáis haciendo aquí? —pregunto en un tono que suena más como una acusación que como una bienvenida. No puedo creer que mis hijos me hayan pillado cantando canciones de *West Side Story* en mi balcón.

—¡Queríamos darte una sorpresa! —dice Emily, rodeándome con los brazos.

—No podíamos soportar la idea de que fueses a estar sola el día de Acción de Gracias —añade Adam—. Papá dijo que lo entendía y nos pagó los billetes de avión.

—Cuánta consideración por su parte —digo, todavía intentando recuperarme de la llegada de mis inesperados invitados.

—Oh, estuvo de lo más considerado —gruñe Emily—. Él y Ashlee nos llevaron al aeropuerto y luego cogieron un vuelo a Vail.

—Y vosotros... —Me callo.

—¡Hemos venido a pasar todo el largo fin de semana aquí! —dice Emily exuberantemente.

—Estamos a tu entera disposición, mamá —dice Adam, pasándome un brazo por los hombros—. No nos separaremos de ti ni por un momento.

Ah, sí, ¿y qué madre no querría ser yo ahora mismo? Dos maravillosos, considerados y amantísimos hijos a los que de verdad les importa su madre. Y ahora tengo precisamente lo que quería hace unas horas: Adam y Emily aquí conmigo. Llenando mi corazón y el otro dormitorio.

Y obviamente llenando mi hora de la cena.

—¿Qué te apetece hacer, mamá? —pregunta Adam—. ¿Dar un paseo por la playa? ¿Nadar? ¿Ir a recoger conchas?

En realidad lo que me apetece es procurarme los servicios de una buena pedicura, asegurarme de que todavía no necesito depilarme las piernas, y ponerme ese vestido tan sexy para ir al encuentro de Kevin. Pero «Mami tiene una cita» no es la clase de conversación que voy a mantener con Adam y Emily. Ellos han venido aquí para estar conmigo, y no voy a estar con nadie más. Bastante tenemos con que Bill vaya alardeando de su vida amorosa por ahí. Mamá tiene que mantenerse maternal (lo que quiere decir asexuada) a los ojos de sus hijos. Con todo lo duro que me resulta imaginarme a Emily con un tipo, para ellos sería muchísimo peor tener que imaginarse lo mismo acerca de mí.

—Vayamos a la playa —les digo—. Antes tengo que hacer una cosa, pero sólo será un momento. Enseguida estoy con vosotros.

Oigo el ruido de sus sandalias en los escalones de madera

157

mientras bajan rápidamente a la playa, pregonando a gritos su deleite por estar fuera de casa antes de correr hacia las olas, igual que cuando eran pequeños.

En cuanto se han perdido de vista, abro el primer cajón de la mesilla de noche y encuentro una guía de teléfonos local. Mucho más útil que la habitual Biblia de la Sociedad Gedeón. El número de la casa de Kevin figura en la guía y, cuando lo marco, me responde su buzón de voz: «Hola, soy Kevin. En este momento no estoy en casa. Deja sólo buenas noticias.» Pitido. Como mi mensaje no puede considerarse una buena noticia, cuelgo. Luego vuelvo a marcar rápidamente, pero parece como si hubiera perdido mi oportunidad, porque esta vez el mensaje es seguido de una voz electrónica que me informa de que el buzón de voz está lleno. ¿Cómo ha sabido lo que iba a decir? Está claro que Kevin se toma muy en serio lo de filtrar las cosas que no quiere oír.

¿Y ahora qué? No puedo fingir que me he olvidado de la cita, y decididamente no pienso aparecer con los chicos. Llamo al restaurante y le digo al propietario que haga saber a Kevin que no podré acudir a la cita.

—¿Va a dejar plantado a Kevin Talbert? —pregunta él con indignación—. Kevin es muy buena persona. ¿Cuál es su problema?

La isla es pequeña, y está claro que la gente de aquí es muy solidaria. Quizás haya sido mejor tener que cancelar la cita. Si al propietario no le hubiera gustado mi aspecto, es probable que de todas maneras la velada hubiese sido muy corta. Tal vez peor que una inspección de la malvada Jeanette.

—Dígale que me ha surgido un imprevisto. De verdad que lo siento —digo untuosamente.

—Muy bien —dice secamente.

—Asegúrese de que sepa que lo siento.

—¿Quiere concertar otra cita con él? —pregunta el propietario, convirtiéndose súbitamente en el consejero social de Kevin.

Claro que quiero, pero cuando se vayan los chicos también me iré yo.

—Dígale que ya le llamaré —digo.

—Le diré que ha decidido dejarlo plantado —dice él, y cuelga.

Miro el teléfono, muy disgustada. Ahora recuerdo qué es eso tan maravilloso que tienen las citas. Nada. Hagas lo que hagas, siempre está mal. Intentaré arreglar esto más tarde pero, por el momento, más vale que siga con lo que siempre se me ha dado mejor: ser una madre.

Voy a la playa, que está desierta salvo por una mujer recostada en una manta con un bebé. Su busto rebosa el sujetador de un bikini muy poco apropiado. Dados los pechos que tiene, intento decidir si es la madre del bebé, la niñera o el ama que le da el pecho.

Voy al otro lado de unas rocas en las que han acampado mis hijos. Adam corretea por la arena intentando conseguir que la brisa haga volar una cometa de colores y Emily está en el océano, haciendo ejercicio en un bugui de pedales. Junto a sus inmensas toallas de playa Ralph Laurent hay una neverita, dos sillas plegables azules y un grill Weber para hacer barbacoas. Maldición, mis niños son asombrosos. Me pregunto cómo se las arreglaron para poder llegar a meter todo eso en su equipaje de mano.

10

Pasamos los tres días siguientes recorriendo la isla en ciclomotor, buceando alrededor de los pequeños arrecifes de coral, y montando a caballo por la playa. Incluso hacemos un pequeño itinerario en una de esas embarcaciones nocturnas a observar los peces fosforescentes que relucen con brillantes colores de neón cuando se aparean. A la luz de la media luna, nos inclinamos sobre la borda y el agua reluce a nuestro alrededor con los destellos de la tumescencia, por todas partes. Al menos los peces están disfrutando del sexo.

En nuestro último día, Adam quiere ir a hacer submarinismo; algo que no hemos hecho en años.

—No sé si me acuerdo de cómo se hace —le digo.

—Eso nunca se olvida. Es como caerse de la bicicleta —dice él.

—Lo de caerme de una bicicleta sí sé hacerlo —digo, mientras me pregunto por qué todo el mundo tiene que evocar siempre esa imagen—. Es el apartado de mantenerme en ella lo que no llevo tan bien.

Pero Adam se encarga de todos los detalles, y a las siete de la mañana ya estamos esperando fuera, listos para subir al minibús que nos llevará al muelle. Furtivamente, vuelvo a entrar en la casita, pensando en que podría ser un buen momento para hablar con Kevin. La última docena de veces que lo he intentado, he obtenido el mismo resultado: «Buzón de voz lleno.» Lo lógico sería pensar que, a estas alturas, Kevin ya lo hubiera vaciado. Pero una vez más tampoco obtengo respuesta y sale el mismo mensaje. Maldición.

En el muelle, nos equipan con botellas de oxígeno, trajes y gafas de buceo, aletas, reguladores, chalecos para el control de flotabilidad, y un cinturón lastrado que servirá para mantenernos bajo el agua. El instructor nos mira y luego recomienda un cinturón de tres kilos y medio para Adam y uno de seis kilos para mí.

—Querrá usted decir al revés —digo confiadamente—. Adam tiene mucha más envergadura. Necesitará más peso que yo para permanecer bajo el agua.

—Pero él es todo músculo, que se hunde. Y usted... —No se molesta en terminar la frase porque cuando me mira todos sabemos lo que está pensando: la grasa flota.

Mientras suben todo el equipo a bordo de la impoluta embarcación de fibra de vidrio y nos incorporamos nosotros, intento recordar lo que aprendí hace años en las clases para el certificado de buceo. Veamos: se supone que tengo que hacer un alto cada tres metros para apretarme la nariz y soplar, lo que me despejará los oídos o hará que me estalle la cabeza. Debería mantener un ojo pendiente del nivel de profundidad, y el otro del contador del aire restante en la botella, lo que, según mis cálculos, no deja ningún ojo libre para el objetivo de esta expedición, que es ver el coral. Lo que necesitaría realmente es un artilugio que me dijera si ese pez que ronda por ahí es una lubina o una barracuda. Sé que mi Adam sería una estrella de mar, Eric un tiburón, y Bill un viejo pez globo. Pero ¿y Kevin? Ojalá lo supiera. Y ahora probablemente nunca lo sabré.

El guapo instructor de buceo, un rubio que no parece tener mucho más de veinte años, se presenta como Nick y hace la ronda para verificar nuestros reguladores y nuestras botellas de aire.

—¿Nerviosa? —me pregunta. El temblor de mis manos debe de haberme delatado, y él sabe que su trabajo consiste en calmarme—. ¿Se acuerda de la regla más importante cuando se hace submarinismo? —pregunta alegremente.

—Sí —digo yo, mientras todo me vuelve a la memoria—. Siempre tienes que mantener la respiración lo más regular posible. Nunca contengas el aliento debajo del agua.

—¡No! ¡Ésa es la regla número dos! La regla más importante es vestir de negro. ¡Queda muy sexy!

Se carcajea, y luego me da una palmada en la espalda. Estupendo. Estoy a punto de jugarme la vida para bajar a treinta metros de profundidad, y nuestro líder se cree que hemos venido aquí a rodar un episodio de *Viaje al fondo del mar.*

Adam y Emily vuelven a verificar mi equipo, y luego el instructor lleva a cabo una segunda verificación de su segunda verificación. Tanta preocupación me conmueve por un instante, pero entonces caigo en la cuenta de que no es sólo altruismo. Nadie quiere que una buena inmersión termine antes de tiempo porque mamá se ha ahogado.

Estamos listos para sumergirnos, y el capitán da gas al motor. Entonces, justo cuando empezábamos a alejarnos del muelle, se produce una conmoción y dos hombres salen corriendo de la tienda, agitando los brazos. Después de una rápida conferencia a bordo, el capitán viene hacia nosotros contoneándose sobre la cubierta.

—Ha habido un problema con otra embarcación. Vamos a recoger a un par de submarinistas en Pine Cay.

—Estupendo, más gente —dice Emily, que quizás empieza a estar un poco harta de estas vacaciones que son mamá todo el tiempo. Sé cómo se siente.

Avanzamos lentamente por las aguas, pero tan pronto hemos dejado atrás el letrero de «FIN DE LA ZONA RESTRINGIDA... 5 NUDOS», la embarcación se lanza rápidamente sobre las olas. Adam y Emily están en la proa, disfrutando de la espuma salada que llueve sobre sus caras bronceadas mientras charlan con Nick, el guapo instructor de buceo. Gracias a Dios, alguien con quien Emily puede hablar. Pero entonces reparo en que el muchacho en cuestión acaba de pasarle el brazo por los hombros a mi hija como si tal cosa. En otras palabras, que le está tirando los tejos. Nick lleva un elegante traje de buceo Speedo (negro, naturalmente), y mi pequeña Emily sólo lleva un diminuto bikini Guess. Menos mal que es rosa, no negro. Quizás así Nick no la encontrará sexy.

Aunque lo dudo, con todas esas curvas tan voluptuosas a su lado. Mamá tiene que intervenir.

—¿No le parece que ya va siendo hora de que nos pongamos los trajes de buceo? —le pregunto, mientras me levanto.

—No hasta que hayamos llegado al sitio en que vamos a sumergirnos. Pasaríamos demasiado calor —dice Nick.

Que la temperatura empiece a subir demasiado es justo lo que me preocupa.

Le arrojo una toalla a Emily.

—Tienes que estar cogiendo frío. Tápate —sugiero.

Ella ríe y me arroja la toalla.

—No te preocupes, mamá. Nick me mantiene calentita.

Opto por no decir nada y me distraigo contemplando el paisaje. Las límpidas aguas azules están salpicadas de islas tan pequeñas que parecen no ser más que rocas grandes: tal vez por eso asegura la guía que hay sesenta islas Vírgenes Británicas. Supongo que si veinticinco metros cuadrados y un sofá cama cuentan como un apartamento en Manhattan, unos cuantos árboles encima de un peñasco deberían poder pasar por un paraíso tropical.

El mar está un poco picado, la embarcación va cada vez más deprisa, y me avergüenza descubrir que empiezo a sentirme un poco mareada. Me masajeo las sienes. Venga, probablemente ese malestar sea resultado de ver todos esos cuerpos tan atractivos que están de pie en la proa, uno de los cuales da la casualidad que pertenece a mi hija. Todo está en mi cabeza, absolutamente todo. Trago saliva. No, también está en mi estómago. Y siento que, haya lo que haya en mi estómago, creo que no va a quedarse ahí mucho tiempo.

—Nick —lo llamo con un hilo de voz—. ¿Puedes venir? No me encuentro bien.

Él aparta el brazo de los hombros de Emily, que pone los ojos en blanco.

—Oh Dios, mamá. No te detendrás ante nada —dice, un poco irritada.

—Va en serio. Me temo que voy a vomitar —digo, mientras los dos vienen hacia mí.

—No hace falta que vomites. Nick y yo no estamos haciendo nada —dice Emily, todavía segura de que estoy fingiendo.

Pero Nick tiene que haberse dado cuenta de que me he puesto verde, porque coge una bolsa de hielo y me aprieta la nuca con ella.

—Busca un punto en el horizonte y no apartes la mirada de él —me aconseja—. A veces eso ayuda.

Me concentro en una boya amarilla en la lejanía. Enseguida descubro que ha sido una elección muy poco acertada. La boya sube y baja sobre las olas, y como mi cabeza sube y baja con ella mientras la miro, lo único que consigo es sentirme peor.

—¿Alguna otra brillante idea? —le pregunto a Nick.

Adam se reúne con nosotros mientras la embarcación empieza a reducir la velocidad.

—Ya estamos llegando a la isla donde recogeremos a esas personas —dice—. Deberías nadar un poco. No puedes seguir mareada en el agua.

—En eso tiene razón —dice Nick, que, seamos francos, sólo piensa en qué podría hacer para no tenerme a bordo.

Emily me ofrece unas gafas de buceo.

—Salta, mamá, salta.

Cielos, hay que ver cómo han cambiado las cosas. No hace tanto, Emily estaba intentando impedir que me suicidara.

El capitán amarra la embarcación al muelle para recoger a nuestros pasajeros adicionales y yo me subo a la borda para deslizarme a las frías aguas. Casi inmediatamente, me siento mejor. Nado alejándome de la embarcación, esperando que todo el mundo esté impresionado por mi enérgica brazada de crol australiano. Me detengo a mirar atrás, pero nuestros recién llegados parecen estar muy ocupados intentando subir un montón de equipo a la embarcación y pienso que tienen para rato. Después de haber nadado deprisa durante unos minutos, empiezo a sentirme cansada y me entra un poco de frío, así que vuelvo por donde he venido. Todo va bien hasta que llego a la escalerilla que cuelga en el costado de la embarcación. Cuando intento subir por ella, una de las aletas se me engancha en un peldaño y sudo lo mío para sacarla. Al oír esa especie de aleteo mojado, todo el mundo se reúne junto a la borda.

—Quítate las aletas y dámelas —dice Adam, extendiendo la mano.

Ahora debatiéndome en las olas, intento agarrarme los pies, pero éstos parecen encontrarse como muy lejos. Me doy en el mentón con la rodilla, pero finalmente consigo sacarme una aleta... y veo cómo ésta se aleja flotando.

Nick se zambulle. Al principio pienso que es para ayudarme a subir por la escalerilla, pero lo que hace es ir en pos del equipo a la deriva.

—Todo lo que se pierda se descuenta de mi sueldo —explica, mientras se aleja nadando.

Me pregunto por cuánto le saldría perderme a mí. Probablemente menos de lo que cuesta un chaleco salvavidas.

Nado hasta la escalerilla y me quito la segunda aleta para dársela a Adam, que está de pie en la cubierta. Mi hijo extiende el brazo hacia mí, fuerte, estable y tozudo. Pero de todas maneras yo pierdo el equilibrio en un peldaño resbaladizo, y esta vez caigo al agua en un chapuzón tan ruidoso que los ocupantes de un balandro que pasaba por allí aplauden.

Me quedo completamente mortificada, aparte de helada, y apenas puedo ver a través del pelo que se me ha caído en la cara. La búsqueda del monstruo del Lago Ness podría terminar ahora mismo.

Adam prácticamente me iza a la embarcación y me desplomo en un charquito estremecido. Alzo la mirada hacia el círculo de caras preocupadas que se inclinan sobre mí; el capitán, Nick, Adam y Emily. Y los dos recién llegados. Debo de haber tragado demasiada agua salada y estaré un poco aturdida, porque una de las caras es igualita que Angelina Jolie. ¿Y la otra? Oh Dios, es Kevin.

—¿Te encuentras bien? —pregunta esa mujer tan guapa, que ahora estoy convencida de que realmente es Angelina. Cualquiera podría lucir ese dragón tatuado en el brazo, pero ¿quién, si no ella, llevaría una camiseta de UNICEF?

—Gracias, creo que estoy bien —digo.

La mujer mete la mano en su bolsa de viaje y saca de ella una mullida toalla con la que me envuelve.

—¿Quieres que te traiga un poco de agua? ¿Un zumo? ¿Qué crees que te sentará mejor?

Siempre he querido conocer a Brad Pitt, pero pienso que quizá todavía no nos conocemos lo suficiente para pedirle que me lo presente.

—Un zumo me iría bien —digo.

Y faltaría más, la embajadora de la buena voluntad y madre de una camada en continuo proceso de crecimiento vuelve a introducir la mano en su bolsa de viaje y saca de ella un cartón de ponche de frutas Mott. Luego coge la pajita adherida a uno de los lados del cartón y atraviesa con ella el papel de aluminio que cubre el agujerito.

—Aquí tienes —dice sonriéndome solícitamente, como una madre que sabe de qué van estas cosas. Hace sólo unos años, Angelina era la salvaje besuqueadora de su hermano que se paseaba por el mundo con una ampollita llena de sangre colgada del cuello. ¿Qué me habría ofrecido entonces?

Kevin le frota la espalda con la mano.

—Oye, sólo unos minutos más y entonces querré otra dosis de lo que estábamos haciendo antes. ¿Captas?

—Capto. —Frunce esos labios de Angelina Jolie que tiene y lo besa en la mejilla—. Me encanta todo lo que estabas haciendo.

Kevin no se molesta en decir nada, y se limita a lanzarme una mirada arrogante mientras se aleja. Estupendo. ¿En qué clase de mundo estamos viviendo si dejas plantado a un tipo con el que habías quedado a cenar y luego él te lo echa en cara presentándose con Angelina Jolie?

La embarcación pone rumbo hacia el primer punto de inmersión, y Angelina se escurre dentro de un traje de buceo negro. Kevin la rodea con un brazo y le sube la cremallera de la espalda.

—Cuesta bastante llegar con la mano —dice.

—Qué va. Todos los trajes de buceo tienen un cordón muy largo unido a la cremallera, precisamente por esa razón —digo yo, cogiendo uno para hacerle una demostración.

Kevin hace como si yo no estuviera a bordo, lo que es peor que cualquier clase de comentario desagradable que hubiera podido llegar a hacer.

—¿Lista, Angie? Necesito que estés muy sexy, sexy, sexy debajo del agua —dice.

—Eso no debería de resultarle difícil —dice Adam, que no ha dejado de mirarla con la boca abierta desde que subió a bordo.

Yo estoy que echo chispas mientras Angelina y Kevin se ponen el resto de su equipo de inmersión. Angelina y Kevin, ¿a que queda monísimo? Quizá podría escribir sus nombres con rotulador dentro de un corazoncito en la pared de la habitación de las chicas, como hice hace años: Hallie ♥ Kevin. Kevin, bendito sea, grabó lo mismo en un árbol, y luego lo expulsaron del instituto por vandalismo. Y probablemente ha tenido vetada la entrada en el Sierra Club desde entonces.

Yo no podría competir con Angelina Jolie ni en el mejor de mis días, y tengo muy claro que no deberíamos estar en el mismo océano, y no digamos nada de en la misma embarcación. Mientras Angelina la Reina del Mar luce tipo en la cubierta, yo estoy sentadita en un rincón con la carne de gallina, el pelo enmarañado, las piernas llenas de moretones por las caídas, y el ego igualmente lleno de moretones por la indiferencia que me muestra Kevin. La botella de aire de Angelina ya ha quedado sujeta a su espalda, pero eso no le impide ir grácilmente hacia esa bolsa de viaje suya que no parece tener fondo. Estoy esperando que saque de ella a uno de sus críos, o al menos los restos de Billy Bob Thornton. Pero lo que hace es encontrar un tubito que desliza a través de sus maravillosamente seductores y sensuales labios.

—¿Qué es eso? —pregunta Emily, que la ha estado observando casi con tanta concentración como Adam—. ¿Labios Reforzados? ¿Veneno para Labios Du Wop? ¿Salsa de tabasco? He oído decir que te abulta los labios igual de bien que lo que compras en Sephora.

—Sólo es un protector labial. —Angelina pasa orgullosamente un dedo por sus suntuosos labios—. Estos pequeñines son naturales.

—Cuéntamelo, por favor. Haría lo que fuese por tener unos labios como los tuyos. Has de tener un secreto que compartir —suplica Emily. Yo sospecho que el secreto de los labios de Angeline tiene bastante que ver con la práctica de los ejercicios de chupeteo, pero no digo nada.

Ahora nuestro instructor de buceo también se muestra profundamente interesado, aunque en su caso lo que está mirando parecen ser los labios de mi hija. Por una parte, me llena de orgullo que a los ojos de Nick, Emily brille más que la estrella de la pantalla. Pero por otra, espero que se haya dado cuenta de que Emily nunca ha ido más allá de chupar piruletas.

—No sé qué le encontráis de bueno a eso de tener los labios tan gruesos. Todavía me acuerdo de cuando todas queríamos ser rubias de labios delgados como Christie Brinkley —digo.

—¿Ésa quién es? —pregunta Emily.

¿Que quién es Christie Brinkley? Qué rápido se desvanecen esos quince minutos.

—Solíamos pensar que era la mujer más deslumbrante que había en el mundo —les digo. Pero está claro que los tiempos han cambiado, y hoy nunca conseguiría ocupar la portada del especial trajes de baño de *Sports Illustrated*. Olvídate de su asombroso y esbelto estilo de chica cien por cien americana. Ahora necesitas tener los labios de Angelina, los rizos y las curvas de Gisele Bündchen, y el trasero de Jennifer Lopez.

—Que eso te sirva de lección —digo yo, la voz de la razón madura—. Remodélate para ser como tus ídolos de hoy, y dentro de unos años estarás tan pasada de moda como las botas Frye.

—Me encantan las botas Frye —dice Emily.

—A mí también —nos comunica Angelina—. Tengo cinco pares.

Suspiro. Si las chicas vaqueras se han vuelto a poner de moda, quizá todavía hay esperanza para esos labios tan delgados que tengo. Todo se mueve por ciclos.

Pero empiezo a pensar que el afecto que me tenía Kevin no

debe de seguir el movimiento de los ciclos, porque no veo ninguna señal de que vaya a volver.

—Al océano contigo, preciosa —dice Kevin viniendo hacia aquí, y sé que no me está hablando a mí. Le murmura cositas a Angelina mientras le ajusta las gafas de buceo sobre los ojos y la nariz y la ayuda a entrar en el agua. Lleva alrededor del cuello una cara cámara de vídeo sumergible, cosa que no me sorprende. Si pasas el rato buceando con Angelina Jolie, luego debes tener alguna prueba que lo demuestre.

Los chicos están ahora en el otro lado de la embarcación, preparándose para bucear, y Kevin se ha detenido por un instante antes de reunirse con Angelina para rociar con un aerosol antivaho los cristales de sus gafas de buceo. Atrapo el instante. De hecho, lo que atrapo es la mano de Kevin.

—Oye, siento no haber podido ir la otra noche. Mis chicos se presentaron inesperadamente. Intenté llamarte una docena de veces, pero tienes que ser el tipo más popular de la isla. Tu contestador siempre está lleno de mensajes.

Kevin ni siquiera levanta la vista.

—Tranquila. No hay problema —dice él, en un tono que me hace saber que realmente lo hay. Recuerdo esa voz, la misma que usó cuando intenté disculparme por su dedo en el instituto. Entonces le rompí el pulgar y Kevin no me lo perdonó. Ahora he roto una cita, y es la misma historia.

Pero ahora todos somos adultos.

—He venido a Virgen Gorda porque quería verte —digo, poniendo mis cartas sobre la mesa—. Y después de que nos encontráramos por casualidad, tenía aún más ganas de estar contigo.

—Lástima que eso no ocurriera. Todo consiste en saber elegir el momento apropiado —dice él mientras empieza a bajar por la escalerilla. Luego añade—: Olvídalo, de verdad. Yo lo he hecho.

—Es difícil olvidar ese beso —digo osadamente.

Kevin se detiene un momento en la escalerilla para mirarme. Pero, un momento después, ha desaparecido bajo el agua para nadar con los peces, y con la atractiva estrella de cine vestida de negro con el mohín de trucha en los labios.

Estupendo. Renuncio a cualquier posibilidad de estar con Kevin porque quiero mantener mi vida privada dentro de los límites de la discreción, pero al parecer Emily no siente tales escrúpulos. Tengo la gran suerte de que mi hija de dieciocho años no vacila a la hora de hacerme confidencias, pero la casi pareja mala suerte de que su honestidad me mantiene despierta hasta las tres de la madrugada, mientras me imagino lo que puede estar haciendo con Nick el submarinista.

—Está buenísimo, ¿verdad? —me ha dicho Emily con alborozo después de nuestra cena familiar de despedida, a primera hora de la noche. Habíamos vuelto a la casita, yo para dormir y Emily para ponerse una falda más corta y salir de nuevo.

—Sí, es bastante mono. Pero si has quedado con Nick en una discoteca, a lo mejor a Adam le apetece ir contigo.

—Yo estoy un poco cansado. Me parece que me voy a ir a acostar —remata su hermano mayor, sin captar mi indirecta. O captándola y decidiendo ponerse del lado de Emily. Luego ha continuado con todo el ruido que ha podido para abrir el sofá cama de la sala de estar y se ha dejado caer en él con un sonoro bostezo.

Ahora vuelvo a consultar el despertador, que ha progresado dos minutos enteros desde la última vez que lo miré. ¿Hasta qué hora pueden estar abiertas las discotecas en Virgen Gorda, de todos modos? ¿Y si Nick la ha llevado a su casa para enseñarle alguna versión Virgen Gorda de sus grabados? O tal vez su colección de erizos de mar... Emily podría morder ese anzuelo. Siempre le han encantado los erizos de mar.

Finalmente me quedo dormida, y no veo a Emily hasta que la despierto la tarde siguiente.

—¿Lo pasaste bien anoche? —pregunto, intentando que mi voz suene lo más natural posible. Doy una miradita por su habitación y encuentro unos pantalones cortos y un pasador para el pelo, que meto en su maleta.

—La maaaar de bien. Nick lleva seis meses aquí enseñando a bucear. Dejó sus estudios en la Universidad de Minnesota y dice que nunca había sido más feliz.

—Y nunca había estado más moreno —sugiero.

—Ni pasado más calor —añade Emily con una sonrisa—. Yo sudaba sólo con verlo.

Me la quedo mirando.

—Cuando me hablaba del calor que hace aquí, mamá. Minnesota es muy fría. Y New Haven también. Quizá debería pasar algún tiempo aquí con él. He estado pensando que me encantaría sudar un poco con Nick.

La miro con ojos de súplica.

—Acabas de empezar la carrera en Yale. ¿A qué viene esa obsesión con el calor que te ha entrado de pronto? ¿Intentas decirme que te atrae el concepto de achicharrarte al sol en vez de tener que soportar los gélidos inviernos norteños?

—No, mamá. Lo que intento decirte es que me gustaría sudar un poco con Nick. —Emily salta de la cama y me da un abrazo—. Tú eres una abogada muy lista. ¿Por qué te cuesta tanto entenderlo? Los chicos de la universidad no son más que chicos, pero Nick es un hombre de verdad. Piensa en todo lo que podría llegar a aprender si dejara Yale y pasara un semestre con él.

—Puedo imaginar lo que aprenderías —digo, en un tono tal vez demasiado despectivo.

—La vida real también importa, mamá —dice Emily, percibiendo mi tono y poniéndose a la defensiva inmediatamente. Ofensiva, de hecho—. Hablo en serio cuando digo lo de volver a estar con él. Tú nunca corriste riesgos, pero quizá deberías haberlo hecho. Eres abogada, eres leal... y mira lo que te ha reportado.

Me la quedo mirando, atónita. ¿De verdad ha sido tan mala mi vida a los ojos de mi hija? ¿Tan poco ha significado?

—Mira, estamos hablando de ti, no de mí —digo, intentando ocultar que me siento herida y tratando de ser razonable—. Estoy segura de que Nick es un tipo muy guay. Vamos, que nada más verlo te entraba calor. O lo que fuese que te entraba. Pero lo que te atrae de Nick tras pasar una noche con él en una discoteca probablemente no baste para que aguantes todo un semestre a su lado.

—Eso nunca se sabe —dice Emily con una sonrisita taimada—. He oído decir que la atracción física puede hacerte aguantar muchas cosas.

—Te olvidarás de él en cuanto hayas vuelto a Yale —le prometo.

—Hay personas a las que nunca se olvida —dice Emily, al tiempo que me mira con toda la intención.

Me limito a carraspear, porque en eso, la verdad, tengo que estar de acuerdo con ella. Estoy segura de que Emily no sabe lo de mi lista secreta con todos esos antiguos novios a los que he estado buscando, pero ya ha deducido por su cuenta que el impacto causado por ciertas personas perdura en el tiempo.

Adam aparece en la puerta abierta.

—Mamá, ¿a qué hora tenemos que salir para el aeropuerto?

—Ahora mismo —digo, pensando en que no me sentiré tranquila hasta que Emily haya salido de esta isla.

Entro en acción y lo meto todo en el coche de alquiler. Mi vuelo no sale hasta mañana, pero ahora pienso que ojalá pudiera dejar la isla con los chicos. Aquí ya no me queda nada por hacer y ciertamente nadie con quien hablar. ¿Hombres que te hacen sudar nada más verlos? Ya he tenido bastante de ellos. Meto mi maleta en el coche, con la esperanza de poder cambiar el vuelo.

El aeropuerto no es más que un campo barrido por el viento junto a un sendero lleno de guijarros, que supongo es la pista. La manga de viento que oscila a impulsos de la brisa es como un puñetazo. Rezo para que los pilotos dispongan de la más sofisticada tecnología meteorológica, pero si es así, el caso es que no la veo por ninguna parte.

Ruego al hombre del mostrador de los billetes que me consiga una plaza a bordo del avión de los chicos, pero él sólo me mira y se ríe de mí. Encontrar un espacio libre en un saltacharcos de cuatro asientos es más difícil que conseguir nueces de macadamia calentitas sobre un fondo de nata a bordo de un 747.

—Siento que tengas que quedarte sola aquí —dice Adam, abrazándome antes de ir hacia el avión, que sólo es ligeramente más grande que el construido por él mismo con unos cuantos bloques de Lego cuando tenía diez años.

—No seas bobo. Sólo una noche más y me iré. Hicisteis muy bien al venir. Ha significado muchísimo para mí —digo, abrazándolos a los dos.

—Si te sientes sola, siempre puedes llamar a Nick —me aconseja Emily—. Es la clase de hombre...

—Lo sé. Es la clase de hombre que te hace sudar en cuanto lo ves —digo, interrumpiéndola y dándole otro abrazo.

Los chicos se van, diciéndome adiós mientras suben los peldaños que llevan al avión. Yo sigo despidiéndolos frenéticamente con la mano mucho después de que ellos hayan dejado de mirar, igual que hacía cuando el autobús que los llevaba a su campamento de verano se alejaba cada mañana. Espero hasta que el avión está en el cielo, e incluso entonces continúo mirando. Ahora lo único que puedo hacer es regresar a mi casita vacía.

Sola y sintiéndome súbitamente sola, me encamino hacia el coche que he alquilado. Menudas pintas que debo de tener. Arrastro los pies con expresión lúgubre, no levanto la cabeza, y apenas presto atención a lo que me rodea. Estoy a unos pasos del sitio donde he aparcado cuando oigo un ruido. Alguien viene por detrás y me agarra del brazo. Suelto un gritito de pánico y me vuelvo para encararme con mi atacante, y vuelvo a soltar un gritito.

Es Kevin, en pantalón corto y camiseta como de costumbre... y además lleva un sombrero al estilo Humphrey Bogart.

—Si subes a ese avión, lo lamentarás. Puede que no hoy o mañana, pero no tardarás en lamentarlo, y luego no dejarás de lamentarlo durante el resto de tu vida —dice.

—¿Sí? —pregunto con voz vacilante. ¿Qué hace aquí? ¿Es éste el mismo hombre que me ignoró cuando fuimos a bucear ayer?

—Con Ingrid Bergman funcionó —dice Kevin, que nunca pierde ocasión de citar *Casablanca*.

—Hay un pequeño problema. Creo que Humphrey decía: «Si "no" subes a ese avión lo lamentarás.» Estaba intentando convencer a Ingrid Bergman de que se fuera.

—Ésa es una manera de interpretar el guión —dice Kevin.

—¿Y cuál es la tuya?

—Que él quería en su interior que ella se quedara. Pero estaba demasiado obsesionado con llevar el timón para decirlo.

—No recuerdo ninguna escena de *Casablanca* que transcurriera en alta mar.

—Bien. Entonces quizás has olvidado también la escena de ayer en la embarcación.

—Difícilmente —digo—. Pero pasaré por alto el que te comportases como si yo no estuviera allí. Al fin y al cabo, estabas muy ocupado haciéndole la pelota a Angelina Jolie.

—No le hacía la pelota. En Hollywood lo llaman presentarse a una audición —dice Kevin, con tono de disculpa—. El director me había llamado para que me encargara de la fotografía submarina en su próxima película, pero Angelina tiene que dar su aprobación a todo. Ayer nos sumergimos para tomar unos cuantos planos y ver si me encontraba compatible.

—¿Y te encontró compatible? —pregunto.

—Lo suficiente para que haya conseguido el trabajo, pero nada más, si es eso lo que estás preguntando.

—Qué va. Tampoco es asunto mío.

—Me gustaría que lo fuera. —Su expresión se vuelve conmovedora—. Pasé el fin de semana convencido de que me habías dado puerta y no querías volver a verme. Lo que dijiste mientras estábamos a bordo significó mucho para mí. Y esta mañana comprendí que necesitaba verte antes de que te fueras.

No sé qué decir.

—Me alegro de que estés aquí —digo finalmente, en un tono bastante más dulce. Y luego añado—: No entendí lo que estaba ocurriendo realmente entre tú y Angelina. Pero me alegro de que hayas conseguido el trabajo.

—Mi magnetismo parece haber funcionado con ella. Ahora quiero averiguar si puedo hacer que funcione contigo —dice él con una sonrisa.

—No puedo creer que hayas dicho eso —digo con una risita. Es pura sensiblería, pero he de admitir que estoy sintiendo el tirón del campo de fuerza de Kevin. Así que añado—: Pero adelante, sé magnético.

—A los imanes se les da muy bien lo de atraer las cosas hacia ellos —dice Kevin. Y rodeándome con los brazos, hace exactamente eso. Luego me inclina sobre su fuerte brazo, me aprieta contra su pecho, y me besa. Cuando vuelvo a ponerme recta y recupero el aliento, estoy sonrojada. Pero eso sólo es el comienzo. Nos quedamos de pie en la pista besándonos hasta que llega alguien a bordo de una camioneta, levantando una tormenta de polvo.

—Eh, Kevin, llévatela a casa —dice el tipo que va al volante, sacando medio cuerpo por la ventanilla y riendo.

—Piérdete, Dave. A ti lo que te pasa es que estás celoso —replica Kevin, con un ademán de que siga su camino.

Dave hace sonar la bocina un par de veces y pisa el acelerador. Kevin se vuelve hacia mí.

—Mi amigo Dave ha tenido una buena idea. Debería llevarte a casa. A mi casa, quiero decir. Podemos ver *Casablanca.*

Tiro juguetonamente del borde de su sombrero, calándoselo hasta las cejas.

—Confieso que me atrae la oferta. Pero tampoco hacía falta que montaras todo este numerito para mantenerme aquí. Mi vuelo no sale hasta mañana.

—Estupendo, entonces te tendré secuestrada durante veinticuatro horas.

No necesito que me convenzan. Subo al viejo convertible GM de Kevin, y en el calor de las últimas horas de la tarde vamos por la isla, poniéndonos al día sobre nuestras respectivas historias. Kevin vino a esta isla hace años esperando no hacer nada más que pasar el resto de su vida como un profesor de buceo exento de preocupaciones. Pasado un tiempo se dio cuenta de que tenía que sacar algún rendimiento de su pasión. Cuando una de las destilerías de ron locales quiso rodar un anuncio debajo del agua, Kevin se hizo con el trabajo, pensando que podría respirar y disparar la cámara al mismo tiempo. Una estrella —o al menos una carrera a tiempo parcial— acababa de nacer.

—Desde entonces, he hecho unos cuantos trabajitos en Hollywood, pero no todo es glamour —dice—. Después de *Waterworld*, la mayoría de los directores se negaban a filmar aunque sólo fuese una pecera. Así que me pasé al sector servicios.

—¿Quiénes recurren a tus servicios? —pregunto.

—Los turistas. A la gente le encanta tener vídeos suyos buceando. Y lo mejor de todo es que últimamente hacen furor las bodas en lugares exóticos. Han dado un nuevo impulso a mi negocio. Te sorprendería la cantidad de personas que quieren venir a las islas para casarse bajo el agua.

—Me sorprendería —digo, preguntándome si los trajes de buceo con encajes blancos que Vera Wang acaba de lanzar al mercado incluirán una cola desprendible. Y si todos los trajes de baño de las damas de honor de la novia tendrán cinturas imperio y serán de un horrendo tono morado. Luego, haciendo una transición ligeramente incómoda, pregunto—: ¿Pero tú nunca te has casado? ¿Ni una sola vez? ¿Ni siquiera en tierra firme?

Kevin da un volantazo para esquivar un conejo que entra corriendo en la carretera. O quizá para esquivar mi pregunta.

—Estaba esperando a que volvieras a mí —dice, mientras recupera el control del coche y de sí mismo.

—Chorradas.

—Correcto. —Kevin se ríe—. La verdad es que no he conocido a la mujer apropiada.

Aparta los ojos de la carretera para mirarme y ver si me lo he tragado. Yo sacudo la cabeza dubitativamente y Kevin sonríe.

—¿Me creerías si te dijera que me gusta ir por libre y no tener ataduras?

—Caliente —digo—. Ahora se supone que deberías contarme lo mucho que te cuesta comprometerte. Y que sufres del síndrome de Peter Pan.

—Buenas respuestas —dice él, impresionado—. ¿Te funcionan?

—Bastante bien. Digamos que en estos momentos no estoy de humor para defender el matrimonio. —Levanto la mano para echarme el pelo hacia atrás, disfrutando de la agradable sensación de la brisa. Durante el verano, en Nueva York ni se me ocurriría bajar las ventanillas del coche. Como todo el mundo, viajo a temperatura controlada y herméticamente sellada. Sin embargo, heme aquí ahora encantada con la libertad del cupé descapotable de Kevin. Estoy de vacaciones, estoy en la carretera, y todo vale.

—El matrimonio ya no me suena tan mal —dice Kevin—. Supongo que siempre quieres lo que no tienes.

—Probablemente tú habrás tenido mucho —digo—. Apuesto a que llevas aquí el tiempo suficiente para que ya no quede ninguna virgen en Virgen Gorda.

—Ah, pero hay una afluencia constante de turistas.

—La Cámara de Comercio debería incluirte en su lista de recursos nacionales.

Kevin suelta una larga carcajada que le hace aparecer unas arruguitas muy atractivas en sus facciones.

—Tienes una imagen muy equivocada de mí. Admito que he tenido mis momentos, pero a pesar de lo que pueda pensar mi madre, tampoco soy el playboy del Caribe. Ahora me basta con regresar a casa para disfrutar de un poco de paz y silencio.

Unos minutos después, llegamos a la casita de madera en la que vive Kevin, resguardada entre las rocas a bastantes metros por encima del agua. Estoy segura de que aquí habrá mucha paz, pero el rugir de las olas y los graznidos de las gaviotas no me suenan a silencio. Cuando Kevin me enseña la casa, me impresiona que cada habitación dé al centelleante azul del océano. Su paisaje empequeñece incluso las vistas desde el apartamento de Eric, y tomo nota mental de ello. Puede que Kevin no viva en el edificio Time Warner, pero su atalaya en lo alto del risco tiene una impresionante vista panorámica de 360 grados.

Salimos en dirección a la orilla del agua. El intenso azul del Caribe parece no tener fin, en un rielante mosaico de turquesa y olas azul celeste.

—¿Te apetece nadar? —pregunta Kevin.

—No tengo traje de baño.

Él me señala el paisaje desierto.

—Por si no te habías dado cuenta, tampoco es que haya mucha gente. —Se quita la camisa y me rodea con los brazos. Nos besamos y siento cómo las olas me acarician los tobillos. Un instante después, Kevin me tira suavemente de la camisa—. Estaba loco por ti en el instituto, pero eras tan buena chica que nunca llegué a verte los pechos.

—¿Has estado pensando en ellos durante los últimos veinte años? —pregunto, tomándole el pelo.

—No —dice él, pasando de mentir—. Pero decididamente sí durante las últimas veinticuatro horas.

Río, me adentro en el agua, y me zambullo valientemente en el oleaje que rompe contra la playa. Kevin me sigue y nada junto a mí, todavía con ganas de jugar.

—¿Debería suplicar? —pregunta.

—Eso ayudaría —digo, y una parte de mí habla en serio. La verdad es que aparte de Bill nadie me ha visto los pechos en quizá ningún instante. A menos que cuentes la técnica del bronceado por rociada y a Biddy, la que vende sujetadores en la Tienda del Pueblo. Biddy es toda una experta, y me ha asegurado que mis pechos no están nada mal. Pero aun así, me aparto con una pirueta, derramando una tempestad de agua sobre el rostro de Kevin.

—La chica es guerrera —dice él mientras me sigue.

—Dejaré que me atrapes —digo, nadando más despacio.

—Lo haría de todas maneras —replica él, besándome mientras ambos nos mantenemos a flote en el agua—. Puedes nadar pero no puedes esconderte.

Qué diablos. Esta camiseta mojada obviamente ya no oculta gran cosa de todos modos. Y si me ha encantado la libertad del descapotable de Kevin, me siento todavía más envalentonada por la libertad que experimento en el vasto e ilimitado océano. Esto es una playa desierta, por el amor de Dios. Me aparto un poco y me sumerjo, para emerger un instante después con mi camiseta y mi sujetador en la mano. Los arrojo melodramáticamente a una ola mientras le sonrío a Kevin.

—Preciosos. La espera ha valido la pena —dice él con admiración, viniendo hacia mí con intención de poner sus manos en mis pechos.

Pero yo me aparto bruscamente. ¿Qué estoy haciendo? No soy una de esas que van por el mundo con los pechos al aire.

—¡Mi camiseta! ¡Me encanta esa camiseta! —digo, apartándome presa del pánico al pensar que mi Sé Atrevida va camino de alta mar. Y lo que acrecienta mi pánico es que después de todos estos años, Kevin haya conseguido llegar al centro del campo. Aunque supongo que lo grave sería que hubiese chutado a puerta. En la jerga de la generación MTV, ¿significa eso que Kevin y yo hemos «conectado»?

Nado lo más deprisa que puedo hacia la errante camiseta roja, que sube y baja en el océano como una señal de advertencia.

—¡Para! —me está gritando—. ¡No hagas lo que estabas pensando hacer!

—No lo haré —le digo a mi Sé Atrevida, al menos en mi cabeza—. Siento haberte arrojado lejos. Ahora necesito tenerte de vuelta.

—Ya me tienes —dice Kevin, que flota tranquilamente boca arriba a mi lado. ¿Tan lento es mi nadar deprisa? Y lo que es mucho más grave, ¿le he hablado en voz alta a mi camiseta?

—No me refería a ti —digo, con la espalda vuelta hacia Kevin mientras me detengo y recupero el aliento.

Él pasea la mirada por el mar vacío pero tiene el detalle de no preguntar con qué amigo imaginario, o pez, puedo haber estado manteniendo una conversación.

—Ahora mismo te traigo esa camiseta —dice, y lo veo impulsarse con sus fuertes brazos a través del agua para recuperarla. Vuelve en cuestión de nada y me pasa la camiseta por la cabeza—. Aquí tienes. ¿Mejor? —pregunta cariñosamente.

Avergonzada por el episodio, sonrío y asiento con la cabeza. ¿Cómo puedo decir a Kevin que me ha parecido que al quitarme la camiseta estaba yendo demasiado lejos? Después de todos estos años de no estar con nadie aparte de Bill, quiero seguir adelante, pero no estoy muy segura de saber cómo. Y lo que me asusta todavía más es que siento verdadera atracción por Kevin; no sólo la variedad antigua de atracción, sino una de un tipo completamente nuevo.

—Perdona que me haya comportado como una tonta. Pero la verdad es que ya no sé cómo hacer esto.

—¿El qué?

—Estar con un hombre.

—Te diré cómo estar con este hombre. Tú relájate y no te preocupes por nada, ¿de acuerdo? No hay ninguna prisa. Recuerda, estamos viviendo en tiempo de isla.

Se lo agradezco dándole un beso en la mejilla. Y luego miro con inquietud la orilla, que ahora parece estar a kilómetros de distancia.

—Nos hemos alejado demasiado —digo preocupadamente.

—Ya te he dicho que nada de preocupaciones cuando estés conmigo. Te llevaré a casa sana y salva. Sube.

Siguiendo sus instrucciones, me tumbo sobre la espalda de Kevin, paso los brazos alrededor de sus hombros y le rodeo la cintura con las piernas. Ummm... ¿De verdad es ésta la manera más eficiente de llevar a alguien a la orilla? No recuerdo que me enseñaran esta posición en ninguna lección de la Cruz Roja. Pero Kevin tiene que saber lo que está haciendo. Me relajo y dejo que mi ahora aterido cuerpo se acomode sobre su forma musculosa. Bajo mi camiseta mojada, mis pezones se restriegan con gratitud contra la tersa piel mojada de Kevin.

Sí, no hay duda de que Kevin es todo un profesional.

11

En cuanto llegamos a su casa, Kevin desaparece dentro de la cocina para preparar lo que me promete va a ser la mejor cena de mi vida. Yo corro al dormitorio para cambiarme la camiseta mojada y los pantalones cortos empapados por una de sus camisas. Me queda lo bastante larga para que pueda usarla como minifalda improvisada. Me miro al espejo. No es lo que me pondría en Nochevieja, pero tampoco me sienta tan mal. Por una vez, no me preocupan mis muslos. La Exorcista de la Celulitis puede haberme recomendado catorce semanas más de tratamiento, pero estar con un hombre al que encuentras atractivo da todavía mejor resultado.

—No sé qué tendrás en la parrilla, pero sea lo que sea huele de fábula —le digo a Kevin cuando me reúno con él en la cocina.

—Todavía no le he puesto nada. Lo que estás oliendo es el carbón —me dice él con una sonrisa.

—Mmmm, bueno, entonces quizá deberíamos cenar eso.

—Buena idea. Me parece que reservaré los filetes para otra persona —dice él—. Debería tener otra cita dentro de un rato.

—¿Rubia o morena? —pregunto.

—Se me ha olvidado. ¿Cuál te pondría más celosa?

—No hace falta que me pongas celosa —digo, y me echo a reír—. Acuérdate de que ya no estamos en el instituto.

Kevin deja de preparar su marinada y me abraza.

—Me alegro de que ya no estemos en el instituto. Creo que entonces yo era demasiado joven para saber apreciarte como es debido. Ahora me gustas todavía más. —Me besa delicadamente, un instante muy dulce y romántico que yo, claro está, soy incapaz de dejar pasar.

—Si ahora te gusto más es porque al fin has podido verme los pechos —digo, más que nada por aquello de provocar.

—Bueno, no cabe duda de que eso ayuda bastante —admite Kevin con una sonrisa. Se calla y flexiona las manos—. Y todavía no me has roto ni un solo dedo.

Me río y miro en derredor, lista para ofrecer ayuda. Pero justo cuando me disponía a explicar que siempre se me ha dado muy bien aderezar ensaladas, el timbre de la puerta empieza a sonar.

Kevin levanta la vista, sorprendido.

—Tu otra cita —digo sin perder la calma—. ¿Me escabullo por la puerta de atrás?

—No tengo ni idea de quién puede ser —dice Kevin. Se limpia las manos en un paño de secar los platos y va hacia la puerta principal. Un instante después, oigo voces que entonan un alegre coro de felicitaciones.

—¡Eh, lo de esa película de Angelina Jolie sí que ha estado genial, Kev! —brama un tipo.

—¡Tú trabajas, todos trabajamos! —dice otro—. Se nos ha ocurrido venir y sorprenderte con una pequeña fiesta improvisada para celebrarlo.

—¡FIESTA! —grita otro par de juerguistas.

—Eh, chicos, gracias —dice Kevin—. Pero tal vez no sea el mejor momento. Tengo a alguien aquí.

—¿Ya te has llevado al huerto a Angelina Jolie? —pregunta una voz masculina con admiración.

Los que han venido a organizar una fiesta se abren paso a empujones alrededor de Kevin, en busca de la estrella de cine. Pero cuando llegan a la cocina, sólo me encuentran a mí.

—Hola —digo tímidamente a los compañeros de juerga de Kevin, que entran en tropel cargados de latas de cerveza y grandes bolsas de patatas fritas. Dos de las mujeres traen recipientes de plástico llenos de comida.

—Mi famosa pasta con mango y judías pintas —dice la chica del bronceado espectacular, que lleva pantalones cortos y un top muy vistoso. Deja su recipiente sobre la encimera y extiende la mano para estrechar la mía—. Hola, soy Susie. A veces trabajo con Kevin en los rodajes.

—Hola, soy Hallie. —«A veces monto sobre la espalda de Kevin» es lo primero que se me ocurre para identificarme, pero lo corrijo—. Soy una vieja amiga.

El resto del grupo —un atractivo muestrario de instructores de buceo, marineros y demás ex colegas— también se presenta. La mayoría de ellos comentan que el viejo Kevin es un tío muy majo.

—No dejes que te engañen —dice Kevin, viniendo hacia mí para rodearme con un brazo—. La mitad de esta multitud de vagabundos de la playa ha venido pensando en que los contrataré para que trabajen conmigo en la película.

—Lo harás, ¿verdad? —pregunta Dave, el amigo de Kevin que lleva una camiseta en la que pone «Los buceadores siempre llegan al fondo del asunto».

—No me quedará más remedio que hacerlo. Mis queridos colegas. Lo mejor de lo peor —dice Kevin con un falso suspiro.

Los recién llegados abren latas de cerveza y brindan ruidosamente por Kevin. Un tipo abre una bolsa de patatas fritas y Susie abre los recipientes de comida y reparte platos de papel. Adiós a mi tranquila cena romántica con Kevin. Alguien pone un cedé en el reproductor y el estruendo de la música latina llena la habitación.

—¡Salsa! —anuncia una mujer llamada Carla cuya larga melena pelirroja le llega prácticamente a la cintura. Mueve las caderas y chasquea los dedos sobre la cabeza, y luego agarra a Kevin—. Baila conmigo —dice.

Se desplazan al centro de la sala de estar. Dos tipos corren los muebles hacia las paredes, creando una pista de baile improvisada, y el resto de las parejas que han venido a la fiesta acude rápidamente a ella para moverse al ritmo de la música. El señor Los Buceadores Siempre Llegan Al Fondo Del Asunto me agarra de la mano. No necesitamos hablar, su ropa me lo dice todo.

—Salsea conmigo, pequeña —dice mientras se contonea ante mí.

Niego con la cabeza. No sé bailar. Y aunque supiera, me preocuparía que la botella que él agita jubilosamente en el aire dejara caer una lluvia de cerveza sobre mí.

—No, gracias. Nunca he tenido sentido del ritmo —digo, y no estoy mintiendo.

—Yo te llevaré —se ofrece él.

—Pero es que no te podré seguir.

—Puedes seguirme a mí —dice Kevin, viniendo al rescate. Le ofrece la mano de Carla al tipo que quería bailar conmigo, y la nueva pareja se desliza hacia el centro de la habitación.

—¿Vals? —pregunto con una mirada esperanzada mientras Kevin me coloca en la clásica posición del baile de salón—. Creo que aún sería capaz de vérmelas con un compás de tres por cuatro.

—Esto es un cuatro por cuatro. Tú sólo recuerda que el primer paso se da en el segundo compás, no en el primero.

—Gracias por la aclaración —digo, negándome a mover los pies.

Kevin se pone a bailar, prácticamente arrastrándome consigo.

—¿A qué estás esperando? —pregunta.

—A que suene el segundo compás —explico.

—Contaré en voz alta —dice él pacientemente—. Uno, DOS.

Da un paso adelante y yo también lo doy. Casi inmediatamente, chocamos el uno con el otro.

Ambos retrocedemos para tocarnos la frente. Resuelto a seguir en la brecha, Kevin vuelve a adoptar valientemente una posición de danza.

—Limítate a hacer lo mismo que yo. Escucha la música y sigue el ritmo —dice con una afable sonrisa.

Siempre me he enorgullecido de ser la que lleva el ritmo. Pero en la pista de baile, eso no parece resultarme demasiado ventajoso. Miro en derredor y veo con asombro cómo las distintas parejas se embarcan en complicadas pautas de contoneos y pasos de baile.

—¿Cómo es posible que todo el mundo sepa hacerlo? —le pregunto a Kevin.

—Sólo tienes que hacer que tus caderas se muevan al ritmo de las mías —dice él.

Intento imitar sus movimientos una vez más, pero luego suspiro.

—No tengo remedio.

—Nunca digas eso —dice Kevin—. Es algo instintivo. Para citar a George Bernard Shaw, y me gustaría aclarar que muy pocos hombres lo hacen, bailar sólo es la expresión vertical de un deseo horizontal.

Pienso en ello un momento.

—Deseo horizontal comprobado y listo. Es la expresión vertical la que me está dando problemas.

—Peor sería que fuera al revés —dice Kevin. Luego me hace girar hacia él y susurra—: Probemos otra vez, y ahora concéntrate en el deseo horizontal.

Cuando Kevin me pone la mano en la espalda y me atrae hacia él, esta vez me relajo y me dejo llevar. Empezamos con unos cuantos pasitos de baile, y confío en la mano que sostiene la mía para que me guíe por la pista de baile. Quién me lo iba a decir. Nadie se está riendo de mí. De hecho, la verdad es que ni siquiera me están prestando atención. Excepto Kevin.

—Lo estás haciendo muy bien —dice alentadoramente—. ¿Lista para probar unos cuantos giros?

—Estoy lista para cualquier cosa —digo, echando la cabeza hacia atrás.

—Eso es lo que quería oírte decir.

Kevin empieza a explicar algo sobre girar las caderas en una dirección y transferir el peso del cuerpo al otro pie. Luego viene algo acerca de doblar una rodilla.

—¿Por qué no te limitas a llevarme? —sugiero.

—Hace un rato le dijiste a Dave el Buceador que no sabes seguir a tu pareja de baile.

—Nunca seguiría a Dave el Buceador. Pero a ti sí que te seguiré.

Alguien sube un poquito la música, y el nuevo tema que rebota en las paredes tiene un ritmo todavía más rápido. Kevin y yo giramos por la sala, y dentro de mi cabeza comienzan a flotar unas visiones llenas de colorido. Siento un poco de mareo conmigo en sus brazos, pero en lugar de analizar por qué, me limito a disfrutar de la sensación.

Nos pasamos la noche bailando. En un momento dado, Dave el Buceador viene a hablar con Kevin, y ni siquiera me importa. Hago una pausa para comer algo en la cocina y hablar con Susie y Carla. No tardan mucho en contarme sus historias. Antes de escaparse a las islas para convertirse en instructora de buceo —y ayudante submarina ocasional de Kevin—, Susie se encargaba de conceder los préstamos en la sucursal de Ontario del mayor banco de Canadá. Carla era vicepresidenta de una empresa de venta por correo en Filadelfia.

—¿Cómo llegaste aquí? —pregunto.

—En avión —dice Susie, y se ríe.

—Quiero decir, ¿por qué? ¿Qué te impulsó a venir? Y lo que es más importante, ¿por qué decidiste quedarte?

Susie pasea la mirada por la sala, observando a los alegres asistentes a la fiesta que se divierten bajo los ventiladores que dan vueltas en el techo. Las puertas acristaladas están abiertas a la vasta extensión del océano, que centellea bajo una luna llena.

—Esa pregunta ya está mejor. ¿Y tú por qué te fuiste? —pregunta Susie.

—Suele pasarnos a muchas —dice Carla—. Me apeé del tiovivo para tomarme lo que pensaba iban a ser dos semanas de vacaciones. Pero entonces pensé, ¿qué hay de las otras cincuenta semanas del año? ¿No deberías tratar de ser feliz todos los días de tu vida?

Bebo un sorbo de cerveza. ¿Ser feliz todos los días de tu vida? Ser madre significa que te sientes feliz si tus hijos son felices. Dejas de pensar en encontrar la felicidad por tu cuenta.

—¿Qué me dices del trabajo? —pregunto.

—Sorprendentemente, el banco ha sabido sobrevivir sin mí —dice Susie, y vuelve a reír.

—Y, sorprendentemente, yo he sabido sobrevivir sin el mundo empresarial —dice Carla.

—Eso de cambiar los trajes de tres piezas por los de dos está muy bien. Te bronceas mucho mejor en bikini —dice Susie.

—Bueno, ¿cuál es tu historia? —pregunta Carla, sonriéndome—. ¿Vives aquí con Kevin?

El sorbo de cerveza se me va por el otro lado y empiezo a toser.

—En absoluto. No es eso. Mañana volveré a Nueva York.

—Y mientras digo esas palabras, me doy cuenta de que me encantaría disponer de un poco más de tiempo para nadar en el océano, beber Coronita de una botella, y disfrutar de mi recién descubierto talento como bailarina de salsa. Y pasar un poco más de tiempo con Kevin.

Pero todo el mundo parece querer pasar un poco más de tiempo con Kevin porque, cuando superamos la medianoche, la fiesta aún sigue en pleno apogeo. No es hasta las dos de la madrugada cuando Dave el Buceador comenta que mañana por la mañana tiene que salir en una embarcación y necesita sus cuatro horas de descanso.

—Sí, ya veo que te hace falta dormir para estar guapo —bromea Carla—. Los turistas te darán mejores propinas si no tienes los ojos hinchados.

—Confío en mi Speedo bien ceñido al cuerpo para obtener buenas propinas —dice Dave.

—Aprendiste ese truco de mí —dice Carla, y le sopla un beso mientras él se encamina hacia la puerta.

El resto del grupo ayuda a poner orden en la cocina y devuelve los muebles a sus lugares originales en la sala de estar. Nadie parece reparar en la alfombra de patatas fritas que cubre el suelo o en la escultura hecha con latas de cerveza que ha aparecido sobre la repisa de la chimenea. Pero al menos lo han intentado. Tardan lo suyo en despedirse, pero Kevin y yo por fin nos quedamos solos.

Súbitamente agotada, me dejo caer en el sofá y Kevin viene hacia mí.

—Es tarde —dice, pasándome un brazo por los hombros—. ¿Por qué no te quedas aquí en vez de regresar a tu hotel? Mañana por la mañana te llevaré a recoger tu coche en el aeropuerto.

Le dirijo una mirada titubeante.

—Puedes dormir en la habitación de invitados —dice él.

—Trato hecho.

Me lleva a una bonita habitación pintada de azul pálido con una cama de matrimonio cubierta por la misma colcha en tonos pastel que encuentras en todas las habitaciones de hotel en todas las islas del mundo. Busco el habitual cuadro con marco de conchas que muestra una playa, pero aquí la pared está adornada con tres fotos submarinas ampliadas al tamaño póster.

—¿Son tuyas? —pregunto a Kevin, admirando la brillante claridad y la forma en que supo capturar un momento con una hilera de chiribicos que parecen soplarle besos.

Kevin asiente con la cabeza.

—Las tomé hace años.

—Eres bueno —digo.

—Buenísimo. Y no paro de mejorar.

—Desde luego que sí. —Y todavía en mi minivestido improvisado, aparto la colcha y me acuesto sobre las frescas sábanas, y después estiro los brazos y bostezo.

—¿Te importa si te hago compañía un momento? —pregunta Kevin.

Paso la mano por el espacio que hay junto a mí, y Kevin se acomoda en él y se me acerca.

—Ha sido divertido —dice.

—Un día estupendo. Un día feliz —digo, y con la cabeza pegada a su robusto pecho, me quedo dormida en cuestión de segundos.

Me despierto bastante más tarde de lo que había planeado y miro a Kevin, todavía dormido con sus pantalones cortos y su camiseta. La barrera ha sido atravesada: he pasado la noche con un hombre. De hecho, si adoptas una interpretación literal, hemos dormido juntos.

De algún modo, durante la noche, los brazos de Kevin han acabado alrededor de mi cintura y mi pierna entrelazada con la suya. Me aparto con mucho cuidado para levantarme de la cama, y Kevin abre sus ojos con un aleteo de párpados.

—Mmmm, una noche magnífica —dice.

—¿Ha pasado algo en la cama de lo que debiera estar informada? —pregunto, tomándole el pelo.

Kevin se pone de lado con cara de sueño.

—Yo nunca desperdiciaría mis talentos de esa manera. Tendrías que estar completamente despierta para apreciarme.

—Te gusta hacerte el chulo, ¿eh? —Río y le doy un golpecito en el brazo. Afortunadamente, Kevin no hace ningún comentario sobre las otras facetas que puede llegar a abarcar su chulería.

Empieza a besarme suavemente en el cuello, pero entonces miro el reloj y salto de la cama presa del pánico: de repente se ha roto el feliz hechizo de calma que estaba sintiendo.

—¿Qué pasa? —pregunta Kevin.

—No puedo creer que haya dormido hasta tan tarde. Tengo que ir al hotel a desocupar mi habitación, y después tengo que ir al aeropuerto a devolver el coche a la agencia de alquiler y facturar en el vuelo. —Sacudo la cabeza y luego repito—: ¿Cómo he podido dormir hasta tan tarde?

—Estabas relajada. Quizá te resultaba agradable sentirme acostado junto a ti —dice Kevin.

—Pues ahora ya no me siento tan relajada —digo. Me lanzo al cuarto de baño y me echo un poco de agua fría en la cara, luego atrapo mi agenda, me pongo un poco de bálsamo labial, y compruebo que mi pasaporte todavía está a salvo en el bolsito de cremallera.

Mientras tanto, Kevin no se ha movido de la cama. ¿Es que no se da cuenta de que no tengo mi coche aquí? Necesito que me lleve en el suyo. Tengo un millón de cosas urgentes que hacer hoy. Pero Kevin sólo pasa las manos lánguidamente por la almohada.

—Mira qué bonito día hace —dice, señalando los rayos de sol que entran a raudales por la ventana.

—Precioso, magnífico, el sol está muy amarillo. Y ahora venga, por favor. —Voy a la cama y tiro del brazo de Kevin—. Ayúdame a salir de aquí. Mi vuelo despega dentro de unas horas.

—Mañana hay otro vuelo. Y otro pasado mañana —dice Kevin mientras me acaricia la mano.

—Pero mi vuelo sale hoy.

—No tiene por qué hacerlo. —Juega con mis dedos.

Frenada por su falta de reacción a mi prisa, me siento en la cama junto a él.

—Quédate conmigo —dice Kevin—. ¿No te acuerdas de lo que te dije ayer? Si subes al avión, lo lamentarás.

—¿Lo lamentaré?

—Siempre te preguntarás qué habría sucedido si no lo hubieras hecho. Los dos nos lo preguntaremos siempre.

Los dedos de Kevin bailan sobre mi muslo desnudo y cierro los ojos por un instante.

—¿Qué sucederá si me quedo? —pregunto en voz baja.

A modo de respuesta, Kevin me atrae suavemente hacia él. Me abraza muy fuerte, y luego se da la vuelta para que sienta todo el peso de su firme cuerpo contra el mío.

En lugar de decirle lo mucho que quiero quedarme, me derrito en él mientras nos besamos. Estoy en el punto al que me dirigía, y del que al mismo tiempo he estado huyendo desde que llegué a la isla. ¿Voy a darme por vencida finalmente y me voy a permitir la oportunidad de volver a sentir? ¿Y correr todos esos riesgos que según Emily nunca me he atrevido a correr?

—Quiero hacerte el amor —me dice Kevin con su cálido aliento acariciando mi oreja—. Apasionadamente, pero despacito, muy despacito. —Siento que el corazón me palpita en el pecho e introduzco mis manos bajo su camiseta, sobre los fuertes músculos de su lisa espalda.

Arriesgarse. Ir a por lo que quiero.

—No estoy segura de si todavía me acuerdo de cómo se hace esto —digo en un susurro mientras estrecho a Kevin contra mi cuerpo.

—Entonces deja que me encargue de recordártelo. —Me quita la camiseta y luego se quita la suya. Siento el escalofrío sensual de la piel desnuda contra la piel, y esta vez no me avergüenza que Kevin vea mi cuerpo. O lo acaricie. O le haga el amor. Me dejo llevar por él, como cuando estábamos bailando.

Y me dejo llevar. Y luego soy yo la que lo lleva a él. Y luego vuelvo a dejarme llevar.

Desde que Bill se fue de casa, me he preguntado si volvería a hacer el amor alguna vez. Creía que no; no creía que quisiera hacerlo. Después de todos estos años, ¿cómo iba a poder estar con alguien nuevo? Pero conforme mi cuerpo se fusionaba con el de Kevin —una y otra vez—, sentí que ciertas partes de mí despertaban de un largo sueño.

—¿Cuántas veces podemos llegar a hacer el amor? —le pregunto a Kevin, ya entrada la tarde mientras nos tomamos un descanso en una pequeña cala escondida en la playa.

—Mmmm, quizá sólo una vez más —dice Kevin, acercándose un poco.

—Qué asco, estás todo lleno de arena. —Me río y lo aparto.

—¿Llevamos un día y ya te has cansado de mí? —pregunta él.

—Nunca —digo, y lo beso.

Kevin se estira, con la barbilla apoyada en su mano curva, y yo recorro con mis manos —una vez más— su magnífico cuerpo.

—¿En qué piensas? —pregunta.

Me tumbo boca arriba y alzo la mirada al cielo.

—En que eres un amante asombroso.

—¿Qué dimensiones tiene tu base de datos?

—No es gran cosa. Pero leo mucho. —No le digo que mis textos suelen ser jurídicos, más que novelas románticas al estilo Harlequin.

—¿Y en qué más piensas?

—En que Arthur habrá empezado a preguntarse si me han raptado unos piratas.

Kevin me interroga con la mirada.

—¿Arthur? Así que tienes un novio en casa.

Me río.

—No. Arthur es mi jefe. Espera verme en el trabajo mañana.

—Entonces no hay problema. Llámalo y dile que vas a llegar con un día de retraso. —Kevin extiende la mano y me acaricia los pechos—. Se me acaba de ocurrir una idea mejor. Dile que vas a llegar con una semana de retraso. Ya sabes que puedes quedarte conmigo todo el tiempo que quieras.

—No tengo nada de ropa aquí. Mi maleta todavía está en el coche de alquiler que dejé en el aeropuerto —digo, como si lo único que me impidiera venirme a vivir con Kevin fuese otro par de Levi's.

—Olvídate de la ropa. No quiero que vuelvas a llevar ropa nunca más —me dice Kevin. Estira el brazo y me acaricia la curva de la cintura.

Regresamos a su casa caminando muy despacio, cogidos de la cintura. Me doy cuenta de que Kevin tiene razón. En este momento no tengo ningunas ganas de volver a Nueva York.

—Voy a llamar a Arthur —le digo a Kevin apenas hemos entrado. No suelo faltar al trabajo, pero de todas maneras sólo van a ser unos días. Además, ya he pasado la prueba de papel tornasol de Susie-Carla, ésa de «por qué no deberías volver corriendo a tu vida real». Me siento feliz.

Y me siento todavía más feliz dos días después cuando tanto Kevin como yo coincidimos en que debería quedarme en la isla al menos hasta que haya llegado el barco de los suministros con la nueva cafetera automática y el ejemplar de *El Kama Sutra completo ilustrado* que ha encargado en Amazon.com.

—No quiero que te aburras —me dice Kevin, justificando sus compras.

—Otra taza de café que sepa a rayos y salgo corriendo de aquí —le digo con una carcajada. Pero pienso que se podría haber ahorrado el dinero del libro. El repertorio sexual de Kevin no tiene necesidad de ninguna ayuda—. ¿Cuántas posturas hay en el Kama Sutra? —pregunto, curiosa.

—Sesenta y cuatro.

—Probarlas todas va a ser un trabajo de aúpa.

—Invertiremos todo el tiempo que haga falta.

Hay una cosa que está clara, y es que vamos a tardar lo suficiente como para que yo tenga que volver a llamar a Arthur. De hecho, cuando contesta, le explico que se me han complicado un poco las cosas y que voy a tener que gastar unos cuantos días más de vacaciones.

—¿Qué te está pasando, Hallie? —me espeta Arthur—. No es propio de ti ser tan irresponsable.

—Lo sé —farfullo alegremente. Pero reacciono rápido, al darme cuenta de que Arthur no me está haciendo ningún cumplido. Normalmente mi jefe nunca me pone pegas, y esperaba que se mostrara algo más comprensivo, pero vista la situación, rápidamente cambio el tono—: Puedo hacer algunas cosas desde aquí —digo con la que espero sea mi mejor voz profesional—. Con los teléfonos, Internet y el correo electrónico nunca me echarás de menos.

—Sigue sin gustarme la idea —dice Arthur—. El caso Tyler no tardará en llegar a juicio. Necesito contar con toda tu atención.

¿Y qué le hace pensar que no cuenta con ella? ¿Puede saber por mi tono que estoy sosteniendo el teléfono con una mano mientras me pongo crema solar con la otra?

—Te conseguiré todo lo que pueda para el caso Tyler —digo, mientras se me resbala el tubo de crema solar de entre los dedos. Lo veo rebotar por el suelo. ¿Exactamente qué conejo voy a sacar del sombrero para salvar el caso Tyler? Con la suerte que tengo, seguro que será Jessica Rabbit, el dibujo animado supersexy. Y resultará que trabaja para Alladin Films y también se está tirando al señor Tyler.

—Me conformaría con que me encontraras al señor Tyler —dice Arthur con voz hosca—. Llevo tres días tratando de dar con él, y de momento no ha respondido a ninguno de mis mensajes.

—Siempre podría echar una mirada por aquí —bromeo.

—Intenta hacerlo si no estás demasiado ocupada —dice Arthur despectivamente, antes de colgar.

Para tener contento a mi jefe, al final decido que voy a trabajar un poco. Miro detrás de las almohadas, debajo de la cama, y en el cuarto de baño. No, ni rastro del señor Tyler. Bueno, esto debería valer por una hora de sueldo al menos. Después iré a la playa a ver si consigo localizarlo. Pero primero voy a hacer una llamada a Bellini. Alguien en Nueva York debería saber dónde estoy.

—¿Qué quieres decir con eso de que todavía estás en Virgen Gorda? —pregunta ella cuando me ponen con su despacho en Bendel.

—Tendrías que ver lo exquisitas que son las playas aquí —digo lánguidamente.

—Claro —suspira ella—. Oye, en estos momentos no dispongo de tiempo para escuchar otro folleto de viajes. ¿Por qué no te limitas a contarme las últimas novedades? Tengo esperando a un representante que quiere venderme bolsitos con lentejuelas y otro que insiste en que la próxima temporada todo llevará aplicaciones. Lo siento, pero me encuentro bajo una gran presión.

Salgo a la barandilla y miro pasar un precioso catamarán de doce metros de eslora. Las tres personas que están repantigadas en la cubierta me saludan con la mano y yo les devuelvo el saludo. Sí, no cabe duda de que hay muchísima presión. A Bellini le ha dado un ataque de pánico porque las ventas de Bendel dependen de que ella elija entre las lentejuelas y las aplicaciones. Arthur está frenético porque podría perder un caso, y además ha extraviado a un cliente. En cuanto a mí, basta con que me relaje un ratito al sol y de pronto todo parece muy lejano.

Pero si Bellini necesita que me deje de rodeos, lo haré.

—La última novedad es que Kevin ha resultado ser un fotógrafo subacuático realmente excepcional. Y en lo que al sexo se refiere, es todavía más excepcional.

—Eso suena bien —dice Bellini.

Me apoyo petulantemente en la barandilla y saludo con la mano a otra embarcación.

—Puede que nunca vuelva a casa.

—Claro que volverás. Sólo estás teniendo una aventurita.

Pienso en ello por un segundo.

—No, no es una aventurita. ¿Y si se trata de algo serio? ¿Qué te parece eso como razones?

—Acabas de conocer a ese tío. Tienes dos hijos. Y odias la piña colada. ¿Qué te parece eso como razones?

Como no he parado de dar vueltas a esos mismos argumentos dentro de mi cabeza durante los últimos días, estoy lista para refutarlos.

—Mis hijos están en la universidad. La piña colada se ha pasado de moda. Y hace veinticinco años que conozco a Kevin. Por el amor de Dios, pero si incluso conozco a su madre. —Eso me hace callar. Está claro que Jeannette Talbert no pertenece a la columna del haber.

—Venga, no seas boba —dice Bellini—. Vive en una isla y se gana la vida buceando. No es el hombre apropiado para ti.

—¿Que no es apropiado? —Me dan ganas a reír. Bellini juzgándome por salir con el hombre inapropiado es como oír al director del FBI atacando a los adictos a la droga. O al predicador de la esquina metiéndose con las desviaciones sexuales. O a la Iglesia católica sermoneándote sobre... bueno, hoy en día sobre cualquier cosa.

—Hallie, te recuerdo que la que tiene el listón puesto muy bajo soy yo —exclama Bellini, exasperada—. Todas confiamos en ti para que seas el parangón de la virtud. El pilar de la comunidad. El epítome de lo correcto.

—Bueno, puede que me haya hartado de ser un parangón y un pilar. Por no hablar de lo de ser un epítome.

—Es lo que eres. Así te hicieron.

—Cualquiera diría que hablas de un antiguo anfiteatro griego. Ya he tenido suficiente de eso. Quiero ser... —Hago una pausa. ¿Qué quiero ser exactamente?—. El Guggenheim de Bilbao. Ya sabes, ese museo tan raro de los tejados curvos que hay en España. Nueva y moderna y algo de lo que habla todo el mundo.

—Sigue adelante con esto y todo el mundo hablará de ti, eso te lo puedo asegurar.

—No puedo creer que te muestres tan negativa. Precisamente tú, la persona a la que esperaba oírle decir que fuera a por ello.

—Me limito a ser racional —dice Bellini.

—No te sienta bien.

Bellini suspira.

—Vale, de acuerdo. Disfruta del sexo. Estarás usando condones, ¿verdad? ¿Y algún sistema de control complementario? Ya sabes que tienes que volver a aplicar espermicida cada vez que hagas el amor. Y sólo por si las moscas, deberías usar mucha más cantidad de lo que pone en las instrucciones.

Arrugo la nariz.

—Bellini, si quieres que disfrute del sexo, cierra la boca. Ya sé lo que tengo que hacer, así que deja de hablar como si fueras un servicio de asistencia. ¿Qué ha sido de la espontaneidad?

—¡No te atrevas a hablarme de la espontaneidad! Yo siempre me tomo muy en serio lo de presentar una nueva solicitud, por mucho que tú lo estés haciendo dos veces en una hora. —Hace una pausa. Luego añade, ahora en voz más baja—: Por cierto, ¿él lo hace dos veces en una hora?

—Tres —digo.

—Ahora sé que estás mintiendo. —Se ríe—. Pero ya que hablamos del tema, ¿qué les has contado a tus chicos?

—Nada.

—¿Les estás mintiendo?

—Yo nunca les mentiría a mis hijos —digo con justificada indignación—. Hablo con ellos constantemente. Me llaman al móvil. Lo que pasa es que nunca se les ocurre preguntarme dónde estoy.

—Bueno, suena como si lo tuvieras todo bajo control —dice Bellini, no muy convencida—. Ya te llamaré. Pero mientras tanto, tengo que sofocar esta pequeña crisis en Bendel.

—Bueno, ¿qué vas a decidir para la próxima temporada? ¿Lentejuelas o aplicaciones?

—Ninguna de las dos cosas —dice Bellini—. No eres la única que puede lanzarse por una dirección completamente nueva. Espera un momento. —La oigo llamar a su ayudante para decirle que se libre de los dos comerciales que están esperando en la antesala—. Ya va siendo hora de que tengamos un poco de movimiento por aquí —anuncia después. Luego, en una breve frase, Bellini deja su impronta en la historia de los accesorios para el vestir cuando dice—: Tráeme esas bolsas de plástico.

¿Bolsas de plástico? Buena idea. Pero me parece que compraré las mías en el supermercado de la esquina.

12

Me asombra la facilidad con la que me he incorporado a la vida en la isla, y la de ahora para introducirme en un *sarong*. Te pasas el día fuera de casa correteando por la playa, nadando en el océano y practicando el sexo en todas partes. Nunca he estado más en forma que ahora. He oído decir que la mujer media gana un kilo de peso por cada año de casada. Quizá las separadas pierdan un kilo por año. Si continúo soltera otros veinte años, podría acabar anoréxica.

De momento, tengo lo mejor de cada cosa. Me siento esbelta y en forma, y además tengo a Kevin. Para que luego hablen de habituarse a las cosas. Con una facilidad verdaderamente asombrosa, he abandonado mi mundo y me he mudado al suyo. De pronto mi llamada para despertar por las mañanas ha pasado a ser el murmullo de las olas, no un despertador que grita como un poseso. En vez de llenarme el estómago con un desayuno de copos de avena en el primer bar que encuentro de camino al tren de cercanías, estoy sentada tranquilamente con Kevin en el mirador de su casa, mirando las gaviotas mientras bebo café recién hecho (esa nueva cafetera automática ha sido una buena idea), y mordisqueo fruta madura. El manual del Kama Sutra también ha sido una buena idea, pero normalmente no llegamos a eso hasta la hora de comer.

Me gusta estar con Kevin, aunque eso suponga pasar mucho tiempo debajo del agua. Ahora se me da mejor bucear y me encanta poder echarle una mano ocasionalmente en sus trabajos. Cuando estaba casada con Bill rara vez llegaba aunque sólo fuese a poner los pies en su elegante despacho, pero me gusta ir al trabajo con Kevin. Quizá sea porque su lugar de trabajo es el océano, y estar con él parece irresistiblemente exótico.

El trabajo que le ha salido en la película de Angelina no empezará hasta dentro de un mes, y mientras tanto ha vuelto a sacarles fotos a los turistas que van a bucear. Pero el encargo de hoy, filmar una ceremonia nupcial, se sale de lo corriente, al menos para mí. He asistido a un montón de bodas, he visto novias correteando descalzas por los campos de Vermont, y novios que llevaban chaqué y sombrero de copa avanzando con paso envarado por el pasillo de la catedral de San Patricio. Pero nunca he visto intercambiar alianzas a una pareja a treinta metros de profundidad con las botellas de oxígeno sujetas a la espalda. Todo el mundo siente que le falta el aliento antes de decir «Sí, quiero», pero que yo sepa éstos van a ser los primeros novios que de verdad necesitan oxígeno.

—¿Y si se les cae el anillo en el agua? —pregunto a Kevin mientras damos botes en la motora que nos lleva a la isla Guana, donde la feliz pareja está contrayendo matrimonio.

—Si se les cae el anillo, llamamos a la Guardia Costera —dice Kevin.

Tardo un momento en darme cuenta de que está bromeando.

—«Guardia Costera: en busca del anillo perdido» —bromeo a mi vez—. Me parece que la echan en la CBS los domingos por la noche.

Kevin se ríe, y cuando nos acercamos a Guana, una bandada de pájaros blancos que revolotea perezosamente en busca de restos de comida acalla el zumbido de nuestro motor con sus ruidosos graznidos. Un hombre alto y corpulento nos saluda con la mano desde el extremo del muelle, y luego viene hacia nosotros y nos tiende la mano para ayudarnos mientras desembarcamos de la motora.

—Eh, Henry, me alegro de verte —dice Kevin mientras le estrecha la mano.

—Lo mismo digo. Bienvenido —dice Henry. Me mira con curiosidad, y luego pregunta a Kevin—: ¿Una nueva amiga?

—En realidad es una antigua amiga. Te presento a Hallie. —Kevin pone las manos sobre mis hombros en un gesto posesivo—. ¿Cuidarás de mi chica mientras voy a preparar el rodaje de la boda?

—Ya sabes que siempre es un placer cuidar de tus chicas —bromea Henry.

Kevin se ríe, y luego recoge su equipo fotográfico y se va.

—Un sitio precioso —digo a Henry mientras me ayuda a amarrar la motora y paseamos por la orilla—. ¿Llevas mucho tiempo trabajando aquí?

—Supongo que se podría decir así —admite él con una dulce sonrisa.

Una hilera de flamencos desfila junto a nosotros, gráciles preciosidades de largas patas y largos cuellos que parece como si protagonizaran su propio ballet. Los divos de *El lago de los cisnes* llevan demasiado tiempo en el poder.

—Qué preciosidad —digo mientras los veo pasar.

Henry los sigue con una mirada de orgullo.

—Guana es un santuario de fauna salvaje —me dice—: hace unos años, los flamencos caribeños corrían peligro de extinguirse, así que repoblamos la zona. Aquí hay muchos animales que no encontrarías en otros sitios.

Para demostrarlo, un insecto muy grande empieza a subir por mi pierna, y suelto un grito antes de quitármelo de encima de un papirotazo.

Henry se agacha y recoge el bicho extraviado en la palma de la mano.

—Aquí viven centenares de especies, incluidos tres tipos de escarabajos. —Contempla el insecto por un instante, y luego lo deposita con mucho cuidado sobre una hoja—. ¿Sabías que no hay en el mundo ninguna otra especie que tenga más ejemplares que los escarabajos? Cuentan que a un biólogo le preguntaron qué le había enseñado la naturaleza acerca de Dios, y que él respondió: «Les tiene muchísimo cariño a los escarabajos.»

Me río y flexiono la pierna.

—Pareces saber mucho acerca de este lugar —digo.

—Debería —dice Henry, poniéndose bien el sombrero de ala ancha que lleva—. Me pertenece.

—¿Es tuyo? —pregunto sorprendida—. ¿Qué eres, el rey de la isla? ¿El dictador? ¿Cómo he de llamarte?

—Henry —dice él simplemente.

—Me parece que optaré por llamarte rey Henry —digo al tiempo que le hago una reverencia.

Henry se ríe.

—De hecho, soy dueño de dos islas. Compré Guana allá en los años setenta.

—Una buena inversión. ¿Que es lo próximo que estás pensando en comprar? —le pregunto.

—Una nueva caña de pescar.

—Es bueno tener metas en la vida —digo.

Henry sonríe y vuelve a sentarse en el muelle.

—¿Y qué me dices de ti, Hallie? ¿Cuál es tu historia?

—Todo lo que guarda relación con mi historia parece estar cambiando —digo—. En estos momentos el tema principal parece ser estar con Kevin.

Henry coge una piedra y la arroja limpiamente a ras de agua. Tres rebotes. No está mal.

—Kevin es un tipo con el que da gusto estar. Un auténtico espíritu libre —dice—. Admiro eso en un hombre. Aunque después de un tiempo, algunas mujeres se cansan.

Lo miro y cojo un puñado de arena que dejo escurrir entre los dedos.

—¿Eso es una advertencia, rey Henry?

Nos miramos el uno al otro, y luego Henry se levanta del suelo.

—Probablemente deberías ir a la boda. —Señala un sendero y me da instrucciones para llegar a Muskmelon Bay. Luego me abraza y me da un beso en cada mejilla—. Diviértete. Pásalo bien con Kevin. Eso es mucho más importante que ser dueño de unas cuantas islas.

Le devuelvo el abrazo.

—Eres el rey más encantador que he conocido nunca —digo.

Me despido de él agitando la mano y luego me encamino hacia el lugar donde se celebran las nupcias. Un lagarto muy raro corretea a través del camino, y en lugar de apartarme de él dando un salto, me detengo a admirarlo. Después de todo, es una de las criaturas de Dios, o, al menos, de Henry.

Cuando llego al final de la bahía, miro dentro de las claras aguas azules, en busca de burbujas y signos de Kevin. Mi novio está en algún lugar ahí fuera. Mi novio. Es bueno volver a tener un novio, pese a la advertencia de Henry. Guana parece ser un buen sitio para cultivar cosas. Un novio quizá se convierta en...

—¡Aquaman! —grito cuando la cabeza de Kevin emerge del océano.

Kevin me saluda con la mano, nada hacia la orilla y se iza fuera del agua.

—Eh, Aquaniña —dice, quitándose las gafas de buceo y goteando agua sobre mí.

—Para. Me estás mojando.

Él ríe y extiende los brazos hacia el vasto océano.

—Es lo que hacemos en las bodas subacuáticas —dice.

Me pongo el traje de buceo y compruebo el equipo, pensando en que hace unas semanas sólo para entrar en el agua necesitaba la ayuda de mis hijos, de Nick y del capitán de la embarcación que nos llevaba a bucear, y que una vez allí agitaba mis aletas como si fueran hamburguesas puestas en una barbacoa. Pero ahora estar en el océano me parece de lo más normal. Un mero acto reflejo. Y se me está ofreciendo una segunda oportunidad en otras cosas aparte del bucear.

Cogidos de la mano, Kevin y yo bajamos al templo de la ceremonia. Tratándose de una boda, tal vez debiera comprobar que esté todo en orden, pero tampoco creo que haya mucho que hacer con el hábitat natural. El arrecife de coral vivo que reluce como un manto de cristal es más hermoso que cualquier altar de mármol, y las anémonas púrpura mecidas por la corriente impresionan más que cincuenta mil rosas.

Unos minutos después, observo el lento descenso de los novios desde la superficie hasta donde estamos nosotros, a treinta metros de profundidad. Se deslizan envueltos en sus relucientes trajes negros de buceo, pero con todo el spandex, las gafas de buceo, los tubos y las botellas de oxígeno, cuesta un poco determinar quién es el «él» y quién es la «ella». Podría ser la solución perfecta para los matrimonios gays. No pregunto, y cualquiera los distingue.

Acompañando a la pareja está Susie, la ayudante ocasional de Kevin, que también se encargará de presidir las nupcias. Puede que haya dejado su carrera en la banca cuando vino a las islas, pero está claro que no ha perdido el olfato para los negocios. Para ampliar los servicios que presta como instructora de buceo, Susie se ha registrado como juez de paz y encargada de barra. Un hábil paso adelante en su carrera profesional. ¿Quién no necesita una copa después de una boda?

Cuando la pareja viene hacia nosotros, la novia (o al menos la más pequeña de los dos) coge unas cuantas algas para sostenerlas ante ella como ramo. Kevin se quita la boquilla y sopla burbujas musicales.

—Dum dum da-dum —exhala, al compás de «He aquí la novia».

Vuelve a ponerse rápidamente el regulador en la boca para respirar de nuevo. Menos mal que la novia no ha llegado nadando por un pasillo entre corales acompañada de la música de Wagner, porque Kevin habría quedado entonces inconsciente antes de la última nota. Tras el acompañamiento musical, Susie nos reúne a su alrededor, y la boda se pone en marcha por fin. Un banco de peces loro hace corro para presenciar la sagrada unión y una gran tortuga boba aparece para hacer de madrina del novio.

Con nadie para entregar a la novia y como ninguno de los peces parece tener nada que objetar al matrimonio, el procedimiento discurre bastante deprisa. Kevin empieza a sacar fotos mientras Susie lleva a cabo la ceremonia señalando al novio, señalando a la novia, y dibujando un signo de interrogación con el dedo. El novio asiente haciendo un círculo con el índice y el pulgar, la versión submarina del «Sí, quiero». Después Susie invierte el proceso y la amada del novio asiente con la cabeza, prestando su juramento. Estoy segura de que Susie nunca dará ninguna pista al respecto, pero ¿cómo va a saber una novia submarina si ha accedido sólo a amar y respetar, o también a obedecer?

La feliz pareja hace entrechocar sus gafas de buceo en un intento de besarse, y luego, para anunciar que ahora son una sola persona, toman un poco de aire de la misma botella. En la excitación del momento, hago el signo del pulgar hacia arriba, sin acordarme de que para los buceadores eso significa que es hora de volver a la superficie. Todo el mundo empieza a ascender obedientemente. Ah, bueno, lo único que la novia no ha tenido ocasión de hacer es arrojar su ramo, pero de todos modos tampoco es que me apeteciese acabar con la cara llena de algas.

Kevin y yo somos los primeros en salir del agua, y nos quitamos el equipo rápidamente. Los recién casados salen a la superficie y yo extiendo la mano para ayudarlos a llegar a la orilla.

El novio me mira a través de sus gafas de buceo y se lleva tal sobresalto que por poco se cae de culo en el agua. Cuando lo llevo a tierra firme, se apresura a esconderse detrás de su novia.

—¿Qué pasa, cariño? —pregunta ella, quitándose las gafas de buceo. Luego se quita la cinta elástica que le mantiene recogido el pelo en una cola de caballo y agita sus espesos rizos pelirrojos. El novio, mientras tanto, le susurra algo al oído y tira apremiantemente de su traje de buceo.

—¿Señor Tyler? —pregunto con incredulidad—. ¿Es usted?

En lugar de responder, él se apresura a agarrar a la novia —a la que ahora puedo identificar como Melina Marks— y la sube a una motora amarrada en la playa. Luego empuja la motora hacia el agua y tira del cordón de arranque.

Corro tras ellos, pero la motora se va, proyectando una fina ola de agua salada que me salpica en la cara. Susie se reúne conmigo en el borde del océano.

—Espero haberlo hecho todo bien durante la ceremonia —dice, mientras ve cómo la pareja se aleja a toda velocidad.

—Estuviste perfecta —le prometo. Y observo la trayectoria de nuestra mirada fija en el océano hasta que la motora se convierte en un puntito en la lejanía.

Susie suspira.

—Tengo que cumplimentar la licencia matrimonial, y ni siquiera sé cómo se llaman. ¿Quién era ese hombre enmascarado?

Tantos años viendo cómo reponían una y otra vez *El Llanero Solitario* en la tele, y nunca se me ocurrió pensar que llegaría a responder a esa pregunta.

—Se llama Charles Tyler. Es cliente mío —digo—. Precisamente mi jefe me había pedido que lo localizara, y pensé que tendría que mirar bajo las piedras, pero nunca se me pasó por la cabeza mirar bajo una botella de aire.

—¿Por qué le ha entrado tanto pánico al verte?

Sacudo la cabeza.

—Probablemente porque no es muy prudente estar a punto de comparecer ante la jueza acusado de discriminación sexual y al mismo tiempo casarte con la mujer a la que la demandante asegura que te has estado tirando.

Dedico un buen rato a dar vueltas por Guana, esperando que la motora vuelva a aparecer, pero no lo hace.

—¿Crees que deberíamos empezar a buscarlos? —le pregunto a Kevin.

—Podemos intentarlo. Pero a estas horas ya podrían estar en cualquier parte, o al menos en cualquier sitio al que puedas llegar con el tanque de propano lleno.

A falta de alguna alternativa real, dejo un mensaje de voz en el móvil del señor Tyler, felicitándolo por su boda. ¿Qué otra cosa puedo decir: «Imbécil, vas a echar a perder tu carrera y la mujer con la que te acabas de casar va a perder su empleo»? Le ruego al señor Tyler que me llame, por mucho que ahora esté oficialmente en su luna de miel.

Nos vamos de Guana, y paso todo el trayecto de vuelta a casa hecha un flan. Mientras nuestra pequeña embarcación se abre paso a través de las olas de un mar que empieza a agitarse, los golpeteos de mi trasero contra el asiento no son nada comparados con las palpitaciones que siento en las sienes, cortesía del señor Tyler. Cuando salimos esa noche a tomar unas copas con Susie y Dave en una terraza, no puedo hablar de otra cosa.

—Sigo sin entender por qué estás tan nerviosa.

—¿Nerviosa? No estoy nerviosa —digo, poniéndome todavía más nerviosa cuando pienso que encima ahora tendré que defender mi derecho a estar nerviosa.

—No, Kev tiene razón. Estás hecha un manojo de nervios —dice Dave, lanzando un cacahuete al aire y atrapándolo con la boca—. ¿Qué demonios te pasa?

—Lo que me pasa es que mi cliente se está comportando de una forma muy rara. Estoy segura de que el señor Tyler se trae algo entre manos, pero por más vueltas que le doy no se me ocurre qué diablos puede ser. —Bebo un trago de mi copa—. No sé qué hacer para salir de este lío, y eso me está volviendo loca.

—¿Y a ti qué más te da? Al final de la jornada laboral, te tomas una cerveza y le dices adiós a tu trabajo.

—Mi trabajo me interesa —digo, acordándome de que hubo un tiempo en el que me interesaba—. Odio tener que decirle adiós. A veces se queda conmigo toda la noche.

—Bueno, a veces mi trabajo también se queda conmigo toda la noche —nos suelta Dave con una sonrisita lasciva—. Siempre hay alguna turista muy sexy que quiere que el instructor de buceo le enseñe algo más que el arrecife. Así que se viene a casa conmigo y yo le presento a la gran anguila.

—Aaah, Dave, mira que eres basto —dice Susie.

—¿La gran anguila? —pregunta Kevin con cara de perplejidad—. ¿Es así como la llamas? Pensaba que la última mujer que se acostó contigo se refería a ella como el calamarcito.

Me recuesto en el asiento y sacudo la cabeza. Sólo unos meses —y toda una vida— antes, iba con Bill a las cenas en Chaddick, a beber Château Margaux y discutir sobre los efectos que la deforestación del Amazonas estaba teniendo en el entorno. Ahora mi entorno sí que ha cambiado de verdad. Estoy bebiendo lo que sale del tirador y discutiendo si un hombre que ni siquiera me cae bien tiene un calamarcito o una gran anguila.

—Acerca de tu caso —dice Dave, dando por zanjado el tema de sus atributos viriles—. Todo eso de la discriminación sexual me parece una chorrada. Bienvenida al mundo. Está claro que se consiguen las cosas porque uno no está nada mal y alguien quiere acostarse contigo. Es la selección natural. Darwinismo puro.

No digo nada, impresionada por el hecho de que Dave el Buceador acabe de referirse a Darwin. Aunque su manera de enfocar el tema ya no me impresiona tanto.

La de Kevin tampoco.

—Venga, Hallie. Yo contrato a la gente que me cae bien. ¿Por qué no debería poder hacerlo todo el mundo?

Un incómodo silencio cae sobre la mesa. Susie y Kevin intercambian una mirada.

—Kevin nunca se ha acostado conmigo —dice Dave, lanzando al aire otro cacahuete, que le rebota en la mejilla.

Susie finge estar muy ocupada untando mantequilla en su pan.

—Volvamos al señor Tyler —dice después—. Teniendo en cuenta que acabo de declararlos marido y mujer, ¿no podrías utilizar eso para ganar el caso, Hallie? Quiero decir que ahora todo es legal.

—El matrimonio hace que la cosa parezca un poco menos sórdida, pero tampoco es algo en lo que podamos basar su defensa. Ahora que mi cliente está casado con Melina, no sé cómo vamos a poder decir que no ha habido favoritismo por su parte.

—Vaya, la primera de la clase, la primera de la clase. ¿Qué pasa, es que hemos vuelto a la escuela secundaria? —pregunta Dave, que se entretiene sosteniendo el borde de su servilleta de papel sobre la llama de la vela, para ver cómo se va quemando—. Ya estoy harto de tanta corrección política. Sólo sirve para impedirte disfrutar de la vida.

—Y no queremos que haya nada que os impida disfrutar de la vida, ¿verdad? —pregunto maliciosamente.

Kevin pone la mano sobre la mía y le da palmaditas.

—Venga, Hallie. Intenta relajarte un poco. Ya no estás en Nueva York.

—Quizá debería estar allí —murmuro.

Kevin sacude la cabeza.

—No discutamos por esto. Es tu trabajo, y estoy seguro de que lo haces muy bien. —Me besa, y como de costumbre cuando él me toca, empiezo a relajarme. Pero luego tiene que meterse en camisa de once varas—. Y fíjate en ti. No creo que el hecho de que estés tan buena te haya perjudicado mucho profesionalmente hablando.

Me siento halagada e insultada al mismo tiempo. Estoy sentada con un par de tíos que piensan que la vida es como uno de esos fiestorros de las residencias de estudiantes, aunque al menos uno de ellos acaba de decirme que estoy muy buena.

A la mañana siguiente, Emily me llama al móvil mientras estoy dando un paseo por el pueblo, y la noto excesivamente alegre. Como es el período de exámenes finales en Yale, esperaba que estuviera un poco más tensa.

—Ya sólo me falta acabar de redactar un trabajo de diez páginas sobre la ascensión y la caída de la civilización del Viejo Mundo —me explica.

—Sólo son cuatro mil años de historia. Deberías poder liquidarlo en una hora —digo sardónicamente.

Una gaviota chilla no lejos de allí y cubro el auricular con la mano, esperando que Emily no la haya oído. Si lo ha hecho, siempre puedo decirle que estoy en el metro. Allí hay montones de pájaros raros. No me gusta mentir, y como todavía no estoy preparada para admitir que he estado viviendo con Kevin, agradezco que a Emily no se le ocurra preguntarme dónde estoy.

—¿Has conocido a algún chico interesante en las clases? —le pregunto.

Hay un largo silencio.

—Estoy demasiado ocupada trabajando para prestar atención a los chicos.

—Trabajar es bueno, pero aun así deberías divertirte un poco en la universidad —le digo—. Los mejores años de tu vida y todo eso.

Oigo un graznido muy raro, pero esta vez suena como si viniera del receptor. Emily parece estar tapando el auricular con la mano, porque apenas puedo oír lo que dice a continuación.

—¿Qué? —pregunto.

—Tranquila, lo estoy pasando muy bien —dice Emily, con una voz ahora un poco más clara.

—Me alegro. ¿Qué más está ocurriendo? —pregunto.

—Ando ocupadísima. Sólo quería hablar contigo para que supieras que estoy bien. —Hace una pausa y luego añade, otra vez con esa vocecita que suena a falso—: Si tienes problemas para contactar conmigo durante los próximos dos días, piensa que estoy atrincherada en la biblioteca.

—Pobrecita mía. Pensaré en ti —digo mientras colgamos.

Durante un segundo me siento culpable porque mi hija tiene que matarse a trabajar en una fría biblioteca mientras yo paseo tranquilamente al sol de la isla. Fue divertido tenerla aquí. Pienso que quizá debería haberle comprado esa chuchería que le gustaba tanto, aunque costara demasiado. Mi hija tiene un don increíble para eso. En una isla donde los vendedores ambulantes ofrecen cuentas de puka a dos dólares la pieza en la playa, ella se las arregló para encontrar un collar de perlas de agua dulce con el precio puesto en una etiqueta de Tiffany.

Doy media vuelta y me encamino hacia la tiendecita que tenía el collar, con la idea de sorprender a Emily. Pero cuando llego allí, el collar ha desaparecido. Imelda, la dependienta, se acuerda de mi última visita y se encoge de hombros cuando le pregunto por él.

—Vendí las perlas esta mañana —dice.

Pongo cara de pena.

—Vaya, las quería para mi hija. Cuando estuvimos aquí hace un par de semanas le gustó mucho el collar. Debería habérselo comprado entonces.

—Se lo ha comprado otra persona —dice la dependienta—. Su hija ha venido con ese simpático instructor de buceo, Nick. Hacían una pareja adorable.

Me la quedo mirando y luego sacudo la cabeza.

—Si la ha visto esta mañana, no era mi hija. Está en la universidad. Acabo de hablar con ella.

—Usted puede haber acabado de hablar con ella, pero yo la he visto —dice Imelda firmemente—. Su hija se llama Emily, ¿verdad? Si hasta comentamos que ya había estado aquí antes con su madre.

Estoy atónita. ¿Emily ya tiene el collar? ¿Y se lo ha comprado Nick? ¿Y hacían una pareja adorable?

—Quizá fue hace unas semanas —le digo a Imelda, aferrándome a la esperanza.

—Fue esta mañana. ¿Qué parte de «esta mañana» es la que no entiende? —pregunta Imelda, irritada porque esté dudando de ella.

¿Cuál es la parte que no entiendo? La parte en la que mi hija me llamó y dijo que estaba redactando un trabajo. La parte en la que le dije que se divirtiera. La parte en la que me preocupaba que estuviera escondida en una biblioteca cuando al parecer está escondida con Nick.

Desconcertada, salgo de la tienda. ¿Cómo ha podido Emily estar en la isla sin que yo supiera de ello? ¿No me lo habría dicho? Por otra parte, yo estoy en la isla y Emily no lo sabe. Pero eso es diferente. Yo soy la madre; se supone que he de saberlo todo.

Voy al muelle en busca de Kevin. Está de pie junto a una de las embarcaciones que te llevan a bucear, llena de turistas en bikini que esperan con impaciencia el momento de zarpar. Lo agarro del brazo.

—¿Sabes dónde está Nick? —pregunto.

—¿Nick, el joven semental buceador? —pregunta él—. ¿Para qué lo necesitas? ¿Ya andas buscando a alguien que me reemplace?

—No, te quiero —digo distraídamente—. Sólo necesito ver a Nick.

—¿Me quieres? —pregunta Kevin, sorprendido.

De pronto caigo en la cuenta de que todavía no hemos usado esa palabra el uno con el otro, y me siento bastante avergonzada.

—En realidad no es que te quiera —digo.

—¿Cómo lo describirías, entonces? —Kevin se cruza de brazos y una sonrisita le aparece en la cara mientras espera mi respuesta. Un par de chicas que van a bucear se apoyan en la borda de la embarcación para oírnos mejor.

—Me gustas. Me gustas mucho, mucho. Espero que yo también te guste mucho —digo, un poco sonrojada. Oh Dios, prácticamente es la misma respuesta que acabó con la carrera interpretativa de Sally Field. Y a Kevin y a los turistas probablemente les sentará tan mal como le sentó al jurado de los Premios de la Academia.

—Oooh, le gustas mucho, mucho —grita una de las adolescentes, con medio cuerpo asomado sobre la barandilla.

—A mí también me gustas mucho, Kevin —resopla el capitán desde la popa—. Y ahora, ¿podrías subir a esta embarcación de una puta vez para que podamos ponernos en movimiento?

Sin hacer caso de las interrupciones, Kevin me abraza y me da un beso.

—Me alegro de que me quieras, porque yo también te quiero. Esta noche te demostraré lo mucho que te quiero —dice.

—Estoy impaciente por que lo hagas —digo, devolviéndole el beso y olvidándome por un instante de la razón que me ha traído hasta aquí.

Pero Kevin tiene un trabajo esperando y yo tengo una hija esperando, en alguna parte. Aunque sin duda ella no está esperando que yo aparezca por allí.

Kevin salta a la embarcación y luego me pasa el dato que necesito, gritando para hacerse oír por encima del ruido del motor.

—Nick está en la tienda de equipos de buceo. ¡Pero ni se te ocurra ponerle un dedo encima!

Corro a la tienda y abro de un manotazo la frágil puerta de rejilla.

—Hallie, cariño, ¿qué tal? —me saluda el tipo que hay dentro.

Ah, no es Nick. Doble aahh, es Dave el Buceador.

—¿Está por aquí Nick? —le pregunto.

—No, sólo estoy yo. ¿No te basta con eso?

—No —digo secamente—. Necesito a Nick.

—¡Caray! Hoy sí que no va a dar abasto el viejo Nicky. —Dave sale de detrás del mostrador—. Se acaba de ir en su ciclomotor con una chica muy mona.

—¡Esa chica tan mona es mi hija!

Dave levanta una ceja.

—Imposible. Tú no eres lo bastante mayor para tener una hija adulta.

—Gracias. Empecé pronto —digo, y sacudo la cabeza—. De

todas maneras, lo que está claro es que no soy lo bastante mayor para tener una hija que anda follando con Nick.

—Ninguna madre es lo bastante mayor para afrontar eso —se muestra de acuerdo Dave—. Venga, los encontraremos.

Da la vuelta al letrero escrito a mano que cuelga en la puerta de la tienda, pasándolo de ABIERTO a CERRADO. Supongo que nadie volverá a bucear hasta que hayamos dejado claro al viejo Nicky que no se va por ahí follando con la hija de alguien. ¿Es que a estos tíos ni siquiera se les pasa por la cabeza que todas las chicas son hijas de alguien?

Sigo a Dave por la puerta hasta su reluciente motocicleta negra y plata. Nunca he sido una nena de motorista, pero Dave me arroja un casco bastante maltrecho y antes de encasquetarse el suyo, cubre su camiseta blanca sin mangas con una camiseta negra de Jerry Garcia.

—Da mucho mejor imagen para la Harley —explica, subiendo al sillín e indicándome que me siente detrás de él.

—Nunca entenderé por qué los motoristas reverenciáis tanto a Grateful Dead —digo mientras voy hacia el sillín con paso vacilante—. Que quede claro que si acabamos muertos, no me sentiré nada agradecida.

—Confía en mí. No hay mujer que no se sienta agradecida después de haber estado conmigo —dice Dave, aunque esta vez cuando me guiña el ojo, no lo hace tanto para ligar como para dejarme claro que habla por experiencia.

Pone en marcha la Harley, y el motor emite ese rugido intimidatorio que normalmente anuncia la llegada de los Ángeles del Infierno. Salimos disparados y me agarro a la cintura de Dave. El caso es que da un poco de miedo ir montada en esta cosa, y eso por no hablar del miedo que da encontrarse tan cerca de Calamarcito-Gran Anguila Dave. Con semejante nombre, podría ser el jefe de la nación cherokee. La persona apropiada para...

—¡Encuentra a mi hija!

—¡Tranquila! ¡Puedo alcanzar a cualquier ciclomotor de tres al cuarto! —Coge una curva demasiado deprisa, lo que me obliga a agarrarme todavía más fuerte a su cintura.

Por delante de nosotros, vislumbro un puntito en la carretera que, faltaría más, está cada vez más cerca. Dave acelera, alcanza al ciclomotor y luego efectúa un giro francamente asombroso con la Harley, cortándoles el paso. El ciclomotor derrapa un poco y casi acaba volcado sobre el asfalto.

—¡Quería encontrar a Emily, no matarla! —chillo.

—Sí, pero seguro que te encantaría matar a Nick —dice Dave. Tanto nuestra monstruosa Harley como la miniatura de ciclomotor de Nick se han detenido, y ahora se contemplan a través de la carretera, una clara situación de tablas Solo-Ante-El-Peligro.

—Dave, ¿se puede saber qué coño estás haciendo? —nos grita Nick desde el sillín de su ciclomotor—. ¿Qué demonios quieres?

—¡Suelta a la chica! —grita Dave desde su sillín.

Emily se limita a tensar los brazos alrededor de la cintura de Nick.

—Mamá, ¿eres tú? —pregunta como si no se lo pudiera creer—. ¿Qué haces aquí?

—Buscarte —le digo—. No me puedo creer que hayas vuelto para ver a Nick.

Emily sacude la cabeza.

—No entiendo de qué va todo esto.

—Yo tampoco. Cuando hablamos por teléfono esta mañana me dijiste que estabas redactando un trabajo.

—Estoy redactando un trabajo. Tengo el portátil en casa de Nick.

—Pero tú querías que pensara que estabas en Yale —digo acusadoramente.

—Y tú querías que yo pensara que estabas en Nueva York —me replica ella.

Nos fulminamos con la mirada.

—¿Quién es el tipo que te acompaña? —pregunta Emily, señalando a Dave.

—Soy el mejor amigo de su novio —dice Dave.

Emily se queda perpleja.

—¿Mi madre con un novio? ¿Tienes un novio? Menuda horterada, echarte novio a tu edad.

—No, es muy tierno —dice Dave, convencido de que así me echa una mano—. Están viviendo juntos y...

—Cierra la boca, Dave —digo en voz alta.

Dave se calla, pero ya es como media sentencia tarde.

—¿Estás viviendo con alguien? —pregunta Emily, elevando su tono de voz rápidamente, junto con su nivel de indignación.

—En realidad no —digo, pensando que en mi pasaporte todavía luce el sello de «Visitante» y que necesitaría al menos dos maletas más llenas de ropa para que se me considerase una residente permanente.

—Sólo se ha arrejuntado con él —dice Dave, que parece estar empeñado en hacer la mayor cantidad de estropicio posible—. Kevin es un tío cojonudo. Va a empezar a rodar una nueva película con Angelina Jolie.

—¿Es ese tipo que conocí a bordo cuando fuimos a bucear el día de Acción de Gracias? —pregunta Emily, que todavía está intentando encontrar algún sentido a la situación.

—No —digo, habiéndome prometido a mí misma que no voy a ir por el mundo haciendo de Bill y presentando a mis hijos al primer tipo con el que esté saliendo. Pero como también me he prometido a mí misma que nunca les mentiré a mis hijos, me apresuro a rectificar—: Sí.

—¿Elección múltiple? —pregunta Emily.

—La respuesta correcta es sí —dice Nick—. Siempre están juntos.

—Nick, ¿cómo es que nunca me lo has contado? —pregunta Emily, todavía sentada detrás de él y ahora dándole un golpecito en el brazo.

—Pensaba que ya lo sabías. Y tu madre es lo último de lo que me apetece hablar cuando estamos en la cama.

—Eh, Nick, ¿te has comprado una cama de verdad? ¿Por fin has decidido prescindir de tu futón? —pregunta Dave.

—Pues claro —dice Nick, echándose hacia atrás en el sillín del ciclomotor para dar un besito a Emily—. Uno no se acuesta en el suelo con una chica como Emily.

—Uno no se acuesta con una chica como Emily en ninguna parte —le digo.

Nick da gas a su ciclomotor, con la esperanza de que el ruido tape mi voz. Dave hace lo mismo con la Harley, tachando las palabras de Nick. Vaya, conque es así como los hombres se toman la medida entre ellos. Hacen una prueba de sonido para ver quién tiene el motor más grande.

—¡Una no deja Yale para acostarse con un buceador! —le grito a Emily por encima del estruendo motorizado.

—¡Tú dejaste un bufete de primera categoría para acostarte con uno! —me grita ella a su vez.

Nick decide que ya ha tenido bastante y da la vuelta al ciclomotor. Justo cuando empezaba a moverse, un BMW negro viene hacia nosotros lanzado a toda velocidad.

—¡Cuidado, Nick! —grito.

Dave aparta nuestra Harley de la trayectoria del BMW, pero Nick no me oye.

—¡Nick! —grito, al borde de la histeria.

El BMW se detiene con un ruidoso frenazo justo cuando Nick, por fin consciente del peligro, estaba virando directamente hacia el arcén. Nick y Emily salen disparados del ciclomotor para caer sobre un retazo de hierba, y, mientras Dave y yo corremos hacia ellos, oigo el ruido de una puerta de coche que se cierra.

—Oh, Dios mío, ¿están todos bien? —pregunta el conductor del BMW, que acaba de aparecer junto a nosotros y se ha puesto lívido.

—No me he hecho nada —dice Emily, levantándose del suelo. Tiene un pequeño arañazo en una rodilla. Mira a Nick, que se está restregando un codo manchado de sangre pero por lo demás parece estar bien. Aturdida por la caída, Emily se echa a llorar y corre hacia mis brazos que la esperan.

Muy afectado, el conductor del BMW se sienta en el arcén y apoya la cabeza en sus manos. Una mujer baja del coche y se reúne con él. Cuando veo quiénes son, me echaría a reír si no me encontrase tan alterada.

—Lo siento, Hallie —dice el conductor, también conocido como Charles Tyler, mi cliente fugitivo—. De verdad que no esperaba crearte tantos problemas.

—Yo tampoco —dice Emily, sin dejar de llorar—. Habría tenido que contarte lo que estaba pasando.

—Yo también debería habértelo contado —le digo a mi hija mientras la beso en la coronilla.

Mi mirada va de Emily a los recién casados, y espero que en cualquier momento se añadan a la escena diciendo que ellos también tienen unas cuantas cosas que contarme. Pero Melina pone una mano tranquilizadora sobre el hombro tembloroso de Charles Tyler y me dirige una débil sonrisa.

—Bueno, asesora legal —pregunta—, ¿cobra menos cuando la consulta es al lado de la carretera?

13

Con Emily, Nick, Charles Tyler y Melina Marks presentes en mi refugio isleño, es como si la vida real se me hubiera caído encima. En lugar de poderme concentrar en ese hombre tan sexy que tengo al lado en la cama, mi mente corre en un millón de direcciones distintas a la vez.

—¿La posición de la mariposa no te funciona? —pregunta Kevin solícitamente mientras lo tengo suspendido sobre mí esa noche en la cama.

—Pues la verdad es que no —admito. Las llamas de las velas parpadean en la mesilla de noche y una música suave llega hasta nosotros desde la sala de estar, pero por primera vez desde que he llegado a la isla, el contacto físico con Kevin no parece estar obrando su magia habitual.

—No hay problema. —Se inclina sobre mí para mirar el libro apoyado junto a la cama y pasa una página—. Esta ilustración parece prometedora. Veamos. Empieza contigo poniendo la pierna izquierda encima de mi hombro derecho.

Se arrodilla en la cama y yo pongo obedientemente la pierna en la ubicación correcta. Pero podría decirle a Kevin ahora mismo que esta noche ninguna de las páginas del Kama Sutra va a proporcionarme ningún placer. De hecho, sé que no sería capaz de darme ninguna satisfacción ni aunque los cuatro miembros de los Rolling Stones nos acompañaran en esta postura tántrica.

Pero como parece que a Kevin le hace ilusión, me digo que, ya puesta, podría probar. Cierro los ojos, tenso la mandíbula y aprieto los dientes.

Por encima de mí, Kevin se echa a reír.

—Ésa no es la cara que pondría una mujer satisfecha —dice.

—No, es la cara de una mujer confusa —digo, apartando la pierna y sentándome en la cama.

—¿Deberíamos probar una postura más fácil? —pregunta él.

Sonrío levemente.

—No es el sexo lo que me tiene confusa —digo, aunque podría ser que toda esta deliciosa actividad sexual me haya estado distorsionando la perspectiva. Ver a Emily me ha hecho comprender que he estado flotando alegremente a la deriva, como en un sueño, con Kevin, sin tomar ninguna decisión real sobre lo que vendrá a continuación. Una parte de mí sabe que no puedo quedarme aquí eternamente con este hombre de mi pasado. Pero otra parte de mí se pregunta por qué debería irme cuando todo en el presente es tan aterrador.

Kevin sube la sábana para envolverme tiernamente con ella.

—Has tenido un día muy duro —dice con una sonrisa de comprensión.

En eso tiene razón. El casi-accidente y la conmoción de encontrar a Emily con Nick han sido como morder un sorbete helado. Siento el cerebro como paralizado, y las sienes no me han dejado de palpitar desde entonces.

—Hice prometer al señor Tyler que regresaría a Nueva York e iría a hablar con Arthur. Dijo que se reuniría conmigo en el despacho un día de esta semana.

—¿Estarás allí para ver a vuestro cliente? —pregunta Kevin, sorprendido.

Juego con la esquina de la sábana, tirando de un borde deshilachado.

—Supongo que sí —digo en voz baja.

—¿Es eso lo que quieres, regresar a Nueva York?

Lo que quiero hacer está enredado con lo que debería hacer

y con lo que tengo que hacer. No puedo decir a Emily que no huya a una isla, y luego huir yo a una. El otro día, en nuestra conversación madre-hija a última hora de la tarde, Emily me aseguró que si había venido a Virgen Gorda era sólo para disfrutar de una pequeña escapada de tres días con Nick. ¿Cómo puedo admitir ante mi hija que estoy pensando en secreto abandonar la vida real y quedarme aquí para siempre?

—Lo que realmente me gustaría es pasar el resto de mi vida en la cama contigo —le digo a Kevin, con la mano apoyada en su hombro.

—Me alegro —dice Kevin, hojeando su manual del sexo—. Sólo hemos llegado a la página doce. Y hay muchos más libros en el sitio del que ha venido éste.

Me recuesto en sus mullidas almohadas. Cuando Bill se fue de casa, el principal síntoma de mi depresión fue que no me quería levantar de la cama. Ahora el principal síntoma de mi felicidad es que no me quiero levantar de la cama de Kevin. Pero tengo que hacerlo. Me desperezo junto a Kevin y le beso el hombro.

—Estoy pensando que necesito volver a Nueva York para atender algunos asuntos pendientes y pasar las vacaciones de Navidad con los chicos —digo cautelosamente—. Pero, después de eso, ¿querrás que vuelva aquí? —Siento que se me acelera la respiración, ahora que ya he puesto la pregunta sobre la mesa. O por lo menos sobre las sábanas.

—Pues claro que quiero que vuelvas —dice él.

Me vuelvo a mirarlo, y me armo de valor para hacer la pregunta más grande de todas.

—¿Crees que irás a Nueva York alguna vez? Quiero decir, para mudarte allí, para vivir conmigo.

—Dejé Nueva York hace mucho. Nunca fue mi ambiente. Para alguien inteligente y ambicioso como tú puede que funcione, pero yo no estoy hecho para eso. Llegué a Virgen Gorda y supe que por fin había encontrado mi hogar. Es un sitio mucho mejor en el que vivir para alguien como yo.

Nos quedamos callados durante unos instantes mientras reflexionamos sobre lo que hace que un sitio parezca tu hogar.

Luego Kevin me acaricia el pelo e intenta aliviar la tensión del momento.

—Y además, ¿cómo iba a poder regresar a Nueva York? No creo que Angelina vaya a querer rodar su película en el río Hudson.

—Siempre está el East River —digo mientras le acaricio la nariz pelada por el sol. Ambos reímos, pero él ya me ha dado su respuesta, y he de admitir que no me he llevado ninguna sorpresa. Si Kevin y yo vamos a estar juntos, tendrá que ser en su territorio. Muchas personas vienen al Caribe y sueñan con quedarse, pero Kevin realmente lo ha hecho. ¿Podría hacerlo yo?

—Virgen Gorda es un lugar asombroso —digo, besando a Kevin—. Es muy seductor. Tienes suerte de haberlo encontrado.

—Y tengo suerte de haber vuelto a encontrarte.

Se me pone encima de forma que todas las partes de nuestros cuerpos se tocan y nuestras caras quedan a escasos centímetros de distancia la una de la otra. Mi posición favorita. ¿Quién necesita hacer numeritos gimnásticos cuando los misioneros dieron en el clavo desde el primer momento?

—Tres semanas —susurro mientras Kevin se mueve horizontalmente contra mí y el deseo horizontal vuelve a tomar las riendas—. Estaré de regreso dentro de tres semanas. Cuatro como máximo.

Dos días después, tengo las uñas clavadas en el brazo de Emily mientras nuestro avión de cuatro plazas sube y baja aterradoramente a través del cielo.

—Cálmate, mamá. No puedo concentrarme en mi libro —dice Emily, que está intentando leer *Don Quijote*.

—Siempre podemos alquilar *El hombre de La Mancha* cuando lleguemos a casa —digo, apartando mis manos temblorosas de la carne de mi hija.

Emily se ríe.

—Claro. Y en vez de hacer mi examen final de literatura, le canto «El sueño imposible» a mi profesor. Relájate, mamá. Este vuelo es de lo más seguro.

—Las condiciones perfectas, un día precioso —se muestra de acuerdo el piloto, volviéndose con lo que él debe de creer es una sonrisa reconfortante. Pero sólo tiene un año más que Emily y, en lugar de un uniforme oficial, lleva una camiseta sin mangas y una gorra de los Red Sox de Boston.

—Haga el favor de no apartar los ojos de la carretera —le digo.

—Sí, señora —dice él, con un pequeño guiño dirigido a Emily para decirle que ya se sabe cómo son las personas mayores.

Emily me coge de la mano.

—Siempre recordaré estos días en Virgen Gorda —me dice dramáticamente, como una ingenua en *Juventud rebelde*.

—¿Te lo has pasado bien? —pregunto, sabiendo que el secreto para hablar con tus hijos es hacerles la clase de preguntas que invitan a hablar.

Ella asiente con la cabeza.

—Lo he pasado de maravilla. Y gracias por haberte tomado tan bien mi presencia aquí, mamá.

—Kevin dice que Nick es un tío estupendo —le digo, ahora que he conseguido arrancarla de sus garras.

—Lo es —dice ella poniendo cara de felicidad. Luego baja la voz y añade—: Sabes, mamá, fui a la universidad siendo virgen.

—Gracias a Dios.

—Me alegro de haber esperado —dice Emily—. Hay muchas cosas que haces por primera vez en tu primer año de universidad. Vivir con compañeras de habitación, sacarte una tarjeta de crédito, hacer tu colada, practicar el sexo.

Aparentemente me he tirado años invirtiendo dinero en un fondo de inversión para que mi hija pudiera ir a Yale porque ésa era la única manera de que aprendiera a hacer la colada y practicar el sexo.

—¿Me acordé de decirte que usaras Tide? ¿El «frescor de montaña», no el aroma «original»?

Emily se ríe.

—Tranquila, mamá. Podemos hablar de esto. Ahora ambas somos mujeres adultas. —Hay una sombra de orgullo en su voz ante su nueva condición.

—Así que tú y Nick...

—Lo hicimos —dice Emily. Y luego añade teatralmente—: Siempre te acuerdas de tu primera vez, ¿sabes?

—Sí, te acuerdas —digo sonriendo. Me alegro de que ella se acuerde, dado que todavía no hace cuarenta y ocho horas de eso. Pero dentro de veinte años, todavía se acordará. Y entonces quizás estará como yo, preguntándose qué podría haber dado de sí.

—¿Nick y tú vais a intentar hacer que la relación siga adelante como hasta ahora? —pregunto cautelosamente.

—Me parece que eso no sería demasiado realista por nuestra parte. —Emily mira a través de la ventanilla, y luego me mira de nuevo—. Nick y yo vivimos en mundos distintos. Nos queremos muchísimo y todo eso, pero a mí me espera un semestre en el que voy a estar tremendamente ocupada: cinco asignaturas.

—Cinco asignaturas es mucho —convengo.

—Y el caso es que me sabe fatal, porque Nick es un hombre estupendo. —Emily extrae de su bolsillo un pañuelo de papel ligeramente usado y se suena la nariz ruidosamente. Se cubre el cuerpo con los brazos y se encorva hacia delante en su asiento, y yo le acaricio la espalda en señal de cariño. Después Emily vuelve a erguirse y se pone recta—. Tengo que ser sensata —dice, volviendo a sonarse antes de guardar el pañuelo—. Estas cosas a largo plazo nunca salen bien.

¿No? Mi ahora experimentada hija parece tener las cosas muy claras acerca del tema al que yo no he dejado de dar vueltas —sin encontrar ninguna respuesta— durante días.

—En todo caso —dice Emily—, el billete de avión me ha costado todos mis ahorros del verano. Tardaré meses en poder volver a venir aquí.

—Siempre podría pagarte un billete —digo, dejándome llevar más por el espíritu del romance que por la maternidad racional. Y enseguida rectifico—: Si todavía estuviera en Virgen Gorda y quisieras venir a visitarme. Y ver a Nick.

—Me encantaría volver a ver a Nick —dice Emily, prácticamente derritiéndose por él ante mis ojos. Pero de pronto vuelve a mirarme con cara de perplejidad—. Pero espera, ¿por qué ibas a estar aquí? No será para pasar otra temporadita con Kevin, espero.

—Quizá —digo tímidamente, como si ahora yo fuese la hija y le estuviese respondiendo a una madre omnisciente.

—Kevin no es tu tipo —dice Emily resueltamente—. En realidad, sé que Nick tampoco es mi tipo. Los dos están muy buenos, pero no son nuestro tipo.

—¿Por qué no?

—Es sólo que los opuestos se atraen. Alguien me dijo una vez que cada hombre quiere tener una chica buena que será mala sólo para él. Y que cada mujer quiere tener un chico malo que será bueno sólo para ella. —Suspira—. Tanto si nos gusta como si no, tú y yo somos buenas chicas, mamá. Kevin y Nick son chicos de isla. Nunca funcionaría.

¿Nunca funcionaría? Ahora soy yo la que mira a través de la ventanilla. Emily está haciendo exactamente lo que debería hacer yo, que es convertir a un hombre en una parte —pero no en la totalidad— de su vida. Mientras vaya a regresar a la universidad, ni siquiera puedo quejarme de que haya cogido el avión hasta aquí para estar con Nick. Aun así, me entristece un poco que mi hija piense que su romance tiene que terminar antes de que realmente haya empezado.

¿Y en cuanto a Kevin y yo? Emily probablemente tiene razón en eso de las chicas buenas y los chicos malos. Pero Kevin quizá será bueno sólo para mí. Ciertamente lo ha sido hasta el momento.

Cuando el taxi del aeropuerto se detiene ante mi casa en Chaddick, veo que hay una pequeña multitud reunida en el césped. He estado fuera durante un tiempo, y me pregunto desde cuándo dura esta fiesta. Bajo del coche, saco mi equipaje del maletero, y digo hola con la mano a un par de amigos. Amanda, con sus gemelos de cuatro años a la zaga, está repartiendo sidra caliente y galletas caseras. Ahora que pienso en ello me conmueve esta bienvenida vecinal, porque nadie sabía que iba a volver a casa.

Veo a Rosalie, que va por ahí con una cesta recogiendo piñas caídas de los árboles.

—Quedan estupendas como centros de mesa en las fiestas navideñas —dice mientras me da un besito de bienvenida en la mejilla—. Rociadas con un poco de pintura dorada dan una imagen particularmente festiva.

—Qué bien —digo. El cielo está gris y el viento helado me atraviesa la chaqueta como si nada. No sólo hace más frío que en Virgen Gorda, sino que hace mucho más frío que cuando me fui.

Miro a la docena de personas reunidas en mi césped e intento pensar qué puede haberlas traído hasta allí. Es demasiado tarde para la festividad de octubre y demasiado pronto para el día de San Esteban.

—¿Qué estamos celebrando? —le pregunto a Rosalie.

—Bill —dice ella, agachándose súbitamente para ganarle por la mano a una ardilla que iba en busca de una piña de primera categoría. La deja caer victoriosamente en su cesta.

¿Estamos celebrando algo relacionado con Bill? De pronto me viene a la mente el horrible pensamiento de que él y Ashlee se van a casar y todos han acudido a aclamarlo. ¿Tanto tiempo he pasado fuera que todo el pueblo se ha puesto de su lado? Antes de irme, yo tenía bien amarrado el voto de simpatía. Se me ocurre escaparme unos días a una isla, y Bill se convierte en el héroe local.

Pero en lugar del descorche de botellas de champán, lo que oigo es el zumbido de una sierra mecánica. De inmediato me giro en redondo y veo a Bill, herramienta motorizada en mano, haciéndole salvajadas a una rama caída de un arce.

Así que es eso: estamos celebrando el triunfo de la masculinidad en las afueras. Nada atrae más rápido a una multitud de Chaddick que el combate primordial del hombre con la naturaleza, sobre todo cuando el hombre está equipado con una sierra especial para leñadores que luce cincuenta centímetros de hoja.

Veo a Bill, que ahora está subiendo por una escalera a duras penas apoyada en un arce. Voy hacia él con paso resuelto.

—¿Se puede saber qué estás haciendo? —pregunto.

—La tormenta de la semana pasada hizo caer una rama. Había

que terminar de podarla. Y quiero quitar esta otra rama antes de que un nuevo vendaval se encargue de abatirla por nosotros.

Supongo que celebrar que Bill pode un árbol es infinitamente mejor que celebrar que se vaya a atar en matrimonio. Además, había empezado a pensar en ese árbol como mi arce, no como el suyo.

—Bill, baja de ahí —le grito.

—No te preocupes, cariño. No me pasará nada —dice él.

—No me llames cariño —chillo, irritada—. Y estoy preocupada por el árbol, no por ti.

Ahora nuestros vecinos están observando con atención mientras Bill tira del cordón de arranque y la sierra mecánica cobra vida con un zumbido amenazador. Oigo el jadeo colectivo del gentío que traga aire. No es que alguien quiera realmente que Bill se corte el pulgar, pero la escena irradia la misma macabra fascinación que ver cómo un camionero pierde el control de su vehículo en la I-95. ¿Quién sabe qué pasará?

Bill pone manos a la obra, clavando una bota en un peldaño de la escalera para apuntalarse. Con ambas manos, mantiene firme ante él la vibrante herramienta e inicia su versión de la matanza de Chaddick. Nubecitas de humo se elevan de la máquina y las astillas vuelan por los aires. Un instante después, la rama empieza a romperse.

—¡Trooooooon-co! —chillan alegremente los gemelos de Amanda.

La gente se aparta enseguida mientras la rama cae al suelo con un gran estrépito. Luego hay una salva de aplausos para Bill, el campeón.

Disgustada, me doy media vuelta para entrar en casa. Se me están helando los pies. Dejé Virgen Gorda calzada con sandalias, y aunque ya he añadido un par de calcetines de lana, el termostato de mi cuerpo no ha sido ajustado para la vuelta a casa.

Y yo tampoco. Entro en la casa, pensando en la cariñosa despedida que he tenido con Emily en el aeropuerto Kennedy cuando la dejé en la furgoneta que la llevaría de vuelta a Yale. Ni siquiera puedo pensar en mi despedida con Kevin. Me besó antes de que subiera al avión, me murmuró que volviera pronto, muy pronto, y me puso una flor silvestre detrás de la oreja. Sin querer, la toco ahora mientras me miro en el espejo de la entrada. Estoy bronceada, el sol me ha aclarado el pelo... y mi flor se ha marchitado. La llevo a la cocina y la pongo en una tacita de porcelana que lleno con agua.

La dejo en el alféizar de la ventana con mucho cuidado. Siempre me cuesta un poco aclimatarme después de haber estado fuera, pero hoy me está costando todavía más de lo habitual, y no sólo porque ya eche de menos a Kevin. Paseo lentamente la mirada por la cocina. Sé que la había dejado impecable, pero ahora hay vasos sucios en la encimera y migas esparcidas por el suelo. Un plato con un bagel a medio comer ha sido abandonado en el fregadero, y en vez de estar desperdigado junto a la ranura de la puerta principal, el correo se encuentra apilado sobre la mesa. Subo la escalera, arrastrando mi maleta tras de mí. En mi habitación el edredón está extendido sobre la cama, pero no parece haber sido alisado, y las almohadas están puestas en el orden equivocado. Eso sólo puede significar una cosa: Bill ha hecho la cama. ¿Por qué ningún hombre sabe distinguir entre el cuadrado europeo, el cojín de adorno y la almohada de la cama de matrimonio? ¿O es que necesitas leerte un montón de revistas de decoración de interiores para que se te ocurra que esa almohadita minúscula con el dibujo decorativo siempre tiene que ir la última?

Pongo bien las sábanas, casi más disgustada por el hecho de que Bill no haya sabido hacer la cama como es debido que por haber dormido en ella. Casi. Porque, en todo caso, ¿qué diablos ha venido a hacer aquí?

Me quito las sandalias y hurgo dentro de mi armario en busca de un par de botas forradas por dentro. Me las pongo, pero me aprietan los dedos y me hacen daño en los tobillos. Ay. Después de toda esa libertad isleña, mis pies no están preparados para que se los vuelva a aprisionar. Me las apaño para cerrar la cremallera de las botas y vuelvo fuera, donde el leñador Bill aún está siendo felicitado por los vecinos mientras deja que se lleven la madera recién cortada para quemarla en sus chimeneas. Espero que no se hayan hecho la ilusión de que ahora podrán reducir los gastos en combustible este invierno, porque esa leña para el fuego necesitará secarse durante cosa de cinco años antes de que arda.

Bill viene hacia mí haciendo mucho ruido con sus botas manchadas de barro.

—Bueno, ¿qué tal va todo, forastera? Llevaba siglos sin verte.

—Hallie llevaba siglos sin acercarse por aquí —interviene Amanda.

—He estado recogiendo tus periódicos —dice Rosalie—. Hay una pila de ellos. Si no los quieres, podría usarlos para un proyecto de manualidades.

—Y nosotros tenemos un cachorro —dice Amanda, con el ojo puesto en mi súbitamente valiosa reserva de ejemplares atrasados del *New York Times*. Me parece que se los daré a Rosalie. Me gusta la idea de preservar para la posteridad la sección de ecos de sociedad convertida en marcos de papel maché.

Bill recoge unas cuantas astillas para encender el fuego en un capazo de lona.

—¿Llevas desde el día de Acción de Gracias fuera de casa? Anoche no estuviste aquí, desde luego.

—Eso no es asunto tuyo —digo con voz cortante—. ¿Y qué estabas haciendo tú en la casa? ¿No había árboles suficientes que cortar en la calle Noventa y tres?

—Yo también vivo aquí —dice él.

—Ya no.

Uno de los gemelos de Amanda se echa a llorar.

—Mamá, se están peleando. Diles que no se peleen.

Suelto una risilla despectiva. Eso es lo que pasa cuando llevas a tus críos a una escuela que sigue el método Montessori. Luego salen de ahí esperando que todo el mundo se lleve bien con todo el mundo.

—Quizá deberíamos continuar esta conversación dentro —dice Bill—. Encender la chimenea y tomar un par de copas.

—No quiero estar dentro contigo —digo.

—Pues claro que quieres —insiste Rosalie—. Lo que deberíais hacer es encender un buen fuego romántico en la chimenea y arreglar las cosas entre vosotros. Sería tan maravilloso tener de regreso a Bill para Navidad... Esperaba que podríamos salir todos a cantar villancicos, y no tenemos suficientes tenores.

—Yo soy barítono —dice Bill, defendiendo sus niveles de testosterona. Como si no bastara con la poda de árboles.

Amanda sabe cuándo ha llegado el momento de irse. Se vuelve hacia los gemelos y dice:

—Venga, chicos, llevémonos un poco de chocolate caliente a casa. —Y para atraer a Rosalie fuera de los límites de la propiedad, añade—: Anda, ven tú también. En casa tengo unas cuantas chapas de botella que he estado guardando. Podrías hacerte un cinturón con ellas.

Cuando todos empiezan a desfilar, no doy ni un paso en dirección a la puerta principal, aunque a esas alturas ya empiezo a estar helada de frío.

—Bueno, ¿a qué viniste aquí anoche? ¿Te trajiste contigo a esa Ashlee? —pregunto, prácticamente escupiendo el nombre.

—Por supuesto que no —dice él hipócritamente—. Yo nunca haría eso. El lecho matrimonial es sagrado.

Me alegra saber que mi marido tiene claro al menos cuándo hay que parar. Puedes profanar el matrimonio, pero no el lecho.

—Entonces, ¿dónde está ella y por qué viniste a dormir aquí?

—Ashlee ha ido a una convención sobre megavitaminas y minerales que se celebra en San José. Me ha pedido que fuera con ella, pero si algún día decido darle a las drogas, puedes estar segura de que no será al potasio.

Hace una pausa, esperando que yo me ría. No lo hago, así que decide dejarse de rodeos.

—Y francamente, Ashlee y yo necesitamos pasar un tiempo alejados el uno del otro. Hemos decidido tomarnos un descanso.

Me pregunto cuál de ellos habrá pisado los frenos. Su pequeño descenso ladera abajo ha abierto un buen surco en nuestro matrimonio, y si ahora se está deteniendo de golpe con un último chirrido, por mí aleluya. Quizás Ashlee se ha hartado de aguantar una crisis de la mediana edad, o Bill se ha cansado de su último juguecito modelo Nueva Era. Nueva Era o vieja, a mí me da igual.

—¿Y ahora quieres quedarte aquí mientras os tomáis un pequeño descanso? —pregunto.

—Sí —dice él con una gran sonrisa.

—No.

Como de costumbre, Bill sólo oye lo que quiere oír. Viene hacia mí y me pasa el brazo por encima.

—Venga, Hallie. Tienes que estar muerta de frío. Entremos. Podrías prepararme una de tus famosas lasañas.

Me río arrepentida de mí misma, acordándome de que la tarde en que Bill me dijo que se iba de casa, le ofrecí esa misma lasaña. Como si un poco de salsa de tomate y algo de mozzarella fueran a salvar nuestro matrimonio. No pudieron salvarlo entonces y no lo salvarán ahora.

Lo rodeo con el brazo, y rezumando falsa simpatía, le digo:

—Oh, querido, no te puedes quedar aquí porque ahora lo que necesitas es tomarte tu tiempo y disfrutar del vivir por tu cuenta. Llénate la despensa de Oreos. Entra en la red y busca la página de Comprar-desde-Casa. A mí me funcionó cuando te fuiste, y salí de la experiencia convertida en una persona mejor, más lista y mucho más bronceada.

Abro la puerta principal y entro en casa, dejándolo fuera.

—Adelante, cariño, vive por tu cuenta. Húndete en una severa depresión. Piensa que tu vida se ha acabado. No querría privarte de esa experiencia por nada del mundo.

Si Bill tiene una respuesta que dar a mi sabio y afectuoso consejo, no la oigo porque le cierro firmemente la puerta en las narices. Luego subo al piso de arriba para poner bien las almohadas.

14

Ahora que ya estoy de vuelta en Nueva York, decido dejar pasar veinticuatro horas para reaclimatarme, antes de ir al bufete. Cuando me dispongo a esquivar los coches en Madison Avenue para acudir a mi primera mañana en el trabajo, un taxi casi me pasa por encima.

—A ver si mira por dónde va, señora —grita el taxista—. ¿No sabe cómo se cruza una calle en Nueva York?

Aparentemente se me ha olvidado. Tendré que aceptar el aviso intermitente de «No cruce» hasta llegar a mi rincón de Manhattan. Un par de semanas en Virgen Gorda y ya ni siquiera me acuerdo de lo que supone ser un peatón.

Sin saber muy bien cómo, consigo llegar entera a mi bufete, y nada más entrar, me alegro de estar de vuelta. Curiosamente, ahora el despacho me comunica una sensación más hogareña que la casa. A medida que iba subiendo en el escalafón, he conservado el mismo escritorio, y cuando me acomodo en mi familiar asiento Aeron, me doy cuenta de que también he conservado las mismas fotos. Emily puede pensar que ya es una mujer adulta, pero al menos aquí siempre será una niñita de cuatro años con el pelo rizado y la nariz llena de pecas.

Una pila de informes desborda mi bandeja, y mi ayudante ha

dejado diligentemente una lista de mensajes telefónicos que cubre páginas enteras. Chandler, un chico muy prometedor que todavía no es socio del bufete y desconfía del correo electrónico, ha dejado cuatro notas autoadhesivas alrededor de mi ordenador, todas ellas marcadas con «Urgente». Hoy no va a ser uno de esos días de campo y playa, pero sorprendentemente me siento llena de energía. Pese a lo que piensa el taxista, éste es el único sitio donde siempre sé lo que estoy haciendo.

Me enfrasco en los dos litigios pendientes, y a mediodía ya he logrado negociar un acuerdo en uno de ellos. Impresionante, desde luego. Al menos a mí me lo parece. Cuelgo el teléfono con una sonrisita de satisfacción. El águila legal ha vuelto al nido.

Cuando Arthur me dice que acuda a su despacho, me encamino hacia allí con paso rápido y decidido, lista para comunicar mi triunfo de esta mañana y contenta de pensar que por fin volveré a ver a mi jefe.

Pero él no parece sentirse nada contento de verme. Apenas levanta la vista cuando entro, y luego, como si yo no estuviera, atiende una llamada telefónica mientras permanezco de pie en la puerta, desplazando el peso de uno a otro pie.

Cuelga y, mientras toma notas en un bloc amarillo, dice:

—Siéntate.

Adiós al poco de conversación previa. Me instalo en el borde de una sillita muy dura frente al descomunal escritorio de Arthur. Cada vez que pongo los pies allí, me doy cuenta de la habilidad con que le han diseñado el espacio para que produzca el máximo impacto de poder. Si el Despacho Oval intimidara tanto, los norcoreanos habrían dado su brazo a torcer hace muchos años.

—Me alegro de verte —le digo a Arthur con una sonrisa—. ¿Cómo va todo?

—Mal —dice él, dejando la estilográfica y frunciendo el ceño en mi dirección—. No me andaré con rodeos, Hallie. He intentado ser comprensivo, pero estás abusando de mi paciencia. No puedo trabajar contigo si nunca estás aquí.

—¿Cómo que nunca estoy aquí? —pregunto sin dar crédito a mis oídos—. Sólo han sido unas semanas. —Y esa semana después de que Bill me dejara. Y esas semanas después en que iba a la deriva.

—Te largaste el día de Acción de Gracias y no has vuelto hasta hoy, aunque tenías que comparecer ante el tribunal en el caso de difamación.

Mierda. Me había olvidado por completo de ese caso.

—He tenido la suerte de que Chandler estuviera aquí. Tú también has tenido suerte. Se ha ocupado del caso y te ha salvado el trasero.

—Lo siento mucho, Arthur —digo con arrepentimiento, y en un abrir y cerrar de ojos veo desvanecerse el brillo de mi éxito matinal—. Ya sabes que yo no soy así.

—Lo sé. Y por eso te voy a dar otra oportunidad.

Lo miro con incredulidad.

—Me caes bien como persona, Hallie, pero no puedo llevar un bufete de esta manera. Nuestro próximo gran problema es Tyler.

—He estado trabajando en ello. Ya sabes que me tropecé con él en Virgen Gorda.

—Sí, ya me lo contaste. Una historia conmovedora, etcétera etcétera, pero no nos soluciona nada. Guárdatela para tus memorias —dice bruscamente.

Lo miro, atónita. Como siga hablándome de esa manera, no querrá leer esas memorias a menos que antes se haya atizado unos cuantos tragos de escocés.

—Se supone que dentro de unos días tengo que ver al señor Tyler y tomarle declaración a Melina Marks —digo sin perder la calma—. Haré todo lo que pueda, pero no puedo garantizar que las cosas vayan a salir a pedir de boca.

—Bueno, en ese caso yo tampoco puedo garantizarte que vayas a seguir teniendo un empleo.

El jueves, el señor Tyler se presenta en mi despacho según lo prometido, pero el matrimonio no lo ha vuelto más hablador. Me pregunta si podría evitar el pleito pagando una compensación. Todavía está convencido de que hizo lo que debía, pero está dispuesto a ofrecer a la demandante, Beth, un montón de calderilla con tal de ahorrarse el juicio.

Algo a lo que Beth se negará.

—Mi cliente no quiere dinero, sino reconocimiento —me contesta su abogado.

—Pero un gran cheque puede ser un gran reconocimiento —insisto, tratando de negociar un acuerdo y salvar mi empleo al precio que sea.

—Ojalá pudiera, Hallie, pero sé que Beth me dirá que no. Un gran no. Así que lo único que puedo decirte es que no hay trato.

Cuelgo el teléfono, frustrada. Los demandantes siempre dicen que no es por el dinero, y es típico de mi mala suerte que haya tenido que topar con los únicos que no lo dicen por decir.

A la porra con todo. Si a Arthur no le gusta, puedo largarme de aquí mañana y coger el avión para volver con Kevin. ¿No es eso lo que realmente quiero hacer, de todas maneras?

Me levanto y empiezo a dar vueltas por el despacho. Sí, Kevin. Cómo lo echo de menos. Echo de menos su cuerpo restregándose contra el mío y esa sonrisita suya que le hace fruncir los ojos. Qué no daría yo por estar en sus brazos en este preciso instante. Pero ésa es exactamente la pregunta, ¿verdad? ¿A qué tendría que renunciar para estar con Kevin? Cuando estaba en Virgen Gorda y soñaba con quedarme allí para siempre, pequeños detalles como mi ejercicio de la abogacía no parecían demasiado importantes. Me convencí a mí misma de que siempre podía hacer mi trabajo a través de Internet y volar a Nueva York para las reuniones. Pero parece que Arthur no ve eso como una posibilidad. Si me voy a vivir a Virgen Gorda, me quedaré sin empleo. Quizás abra mi propio pequeño bufete isleño. Debe de haber un montón de trabajo. Algún abogado local debe de redactar esos documentos que firman los turistas antes de ir a bucear y en los que eximen de responsabilidades y prometen no presentar ninguna demanda legal a quienes organizan las salidas, por negligentes que sean éstos y con independencia de lo muertos que acaben los primeros.

Tengo demasiadas decisiones pendientes, pero voy a ser yo quien las tome, no Arthur. Vuelvo a sentarme detrás de mi escritorio. Si dejo mi trabajo para ir a Virgen Gorda, lo dejo. Pero que me aspen si voy a permitir que me despidan.

Durante los días siguientes, trabajo incansablemente, y cuando Adam y Emily llaman, lo único de lo que puedo hablar es del caso Tyler. Bellini piensa que necesito tomarme una noche libre, e insiste en que la acompañe a ver una obra de teatro.

—Quizá. Llevo siglos sin poner los pies en Broadway —digo, intentando no pensar en los tres callejones sin salida a los que he llegado con Tyler y en que necesito encontrar una nueva manera de enfocar el caso.

—Esta obra no es exactamente Broadway —admite Bellini—. Más bien es extraBroadway. Y mucho. De hecho, es tan extraBroadway que ni siquiera la representan en Manhattan.

—¿Como cuánto de extra?

—Brooklyn. Cogeremos el metro.

A las siete en punto, nos apretujamos en un vagón de metro abarrotado de gente, algo que no he hecho en años. Los usuarios parecen más educados de lo que recuerdo, no hay tantos pedigüeños y sí más representantes con maletines y brillantina en el pelo. A fin de cuentas, tanto los unos como los otros intentan sacarte algo de dinero, pero al menos los pedigüeños tienen algo de mérito: tocan la armónica.

Entre tanta gente, ni siquiera puedo alcanzar una barra de la que agarrarme, y cuando el tren se bambolea, casi me caigo. Un joven que luce trencitas de rastafari y una sudadera Sean John se levanta de su asiento y le clava el codo al tipo sentado junto a él para que haga lo mismo.

—Por qué no se sienta, señora —dice consideradamente.

Lo miro con sorpresa. ¿Desde cuándo se han vuelto los neoyorquinos tan corteses? Y lo que es todavía más asombroso, ¿desde cuándo me he hecho tan mayor como para que me ofrezca un asiento alguien que me llama «señora»?

—Voy bien —digo, decidiendo que antes prefiero desplomarme sobre el sucio suelo del vagón del metro que admitir que ya soy lo bastante vieja para tener derecho a ocupar el sitio de alguien.

—No, de verdad —dice él—. Me sabe fatal que la gente joven no le ceda el asiento a las mujeres mayores.

Señalo a otra mujer que está de pie cerca, vestida con una falda larga y una parka.

—Bueno, entonces déjela sentar a ella. Tiene más años que yo.

—No los tengo —me espeta la mujer, plantando firmemente en el sitio las suelas de crepé de sus Zancada Fácil.

—¿Y qué me dice de ella? —pregunto señalando a una mujer de pelo blanco y piel convertida en una pasa por no haber usado protector solar desde hace ochenta veranos.

—Estoy bien, estoy bien —dice ella dando un golpecito en el suelo con la punta de su bastón.

Pero no todo el mundo se siente obligado a demostrar que es joven. Algunas personas simplemente lo son. Mientras estamos discutiendo quién pertenece a la cosecha apropiada para sentarse, dos Beaujolais Nouveaux se vierten en los asientos desocupados. Los hombres jóvenes sonríen a las adolescentes minifalderas, que dejan alegremente sus bolsos en el suelo y se ponen cómodas.

Cuando llegamos a nuestra parada cuarenta y cinco minutos después, mi orgullo está intacto, pero mi espalda no. Bajamos apresuradamente por la estrecha calle de Brooklyn, y me muero de ganas por poder hundirme en una mullida butaca de teatro. Pero a Bellini se le había pasado por alto mencionar que vamos a ver una obra de vanguardia. Cuando por fin llegamos al teatro, veo que el escenario es una caja negra vacía y el público está sentado en bancos sin respaldo.

—No sabía que íbamos a asistir a una sesión de plegaria cuáquera —digo, mientras intento encontrar una posición soportable en los incómodos bancos de madera—. ¿Cómo te ha dado por esta representación?

—Entradas gratis. Me las dio mi amigo de Starbucks.

—¿Estás saliendo con el chico de la barra? —pregunto, acordándome del tío en el que se fijó Bellini durante el almuerzo.

—De hecho, es actor. Y en realidad no es el chico de la barra, es el asistente del encargado.

—Perdona. Hay todo un mundo de diferencia.

—Probablemente haya una diferencia de dos pavos la hora —admite ella—. Es un auténtico encanto de hombre. Me paso por ahí a la hora del almuerzo y me da muestras de todo, sin cobrarme nada.

—Deberías pasarte por Costco a la hora de cenar. Nos dan a probar todas las variedades de hamburguesa-con-queso en vasitos de papel. Y esas señoritas tan encantadoras con redecilla en el pelo que las sirven siempre te dejan repetir.

—Mi chico del Starbucks no lleva redecilla en el pelo, y en esta función, no creo que lleve nada. Me ha contado que hay una escena entera con desnudo frontal completo.

—Qué bien. Así podrás inspeccionar a tu chico antes de decidir si quieres que la cosa pase a mayores —sugiero.

—No seas bastorra —dice Bellini con una risita—. Me parece que las semanitas que pasaste con ese buceador te han vuelto un poco ordinaria.

—Da la casualidad de que ese buceador...

—No estoy interesada —me interrumpe ella.

—Eh, que no te iba a hablar de su desnudo frontal completo —digo poniéndome a la defensiva. Pero para ser justa, tengo que admitir que Bellini ya me ha oído hablar hasta la saciedad de lo maravilloso que era estar con Kevin y lo estupendo que era él en la cama.

—Vale, vale —dice Bellini—. No me importa que hablemos de Kevin. Y espero que lo vuestro salga bien aunque él sea G.I.

—Eh, que Kevin no es ningún gi...

—G.I. —repite ella—. Geográficamente indeseable. Una vez conocí a un hombre que me decía que no podíamos salir porque él vivía en el Village y yo vivía en el Upper East Side. Demasiadas paradas de metro. Y para ti y Kevin es todavía más duro. Vosotros tenéis que pasar por aduanas.

—Eso da un nuevo significado a la pregunta de hasta dónde está dispuesta a llegar una chica —digo, moviendo las rodillas para dejar pasar a dos amantes del teatro vestidas de negro que han elegido nuestro banco.

—Ya que hablamos de hombres, siempre está Bill —dice Bellini.

—Ay —digo, cuando una de las recién llegadas me pisa el dedo gordo del pie.

—Bill. Ay. Una reacción de lo más natural —dice Bellini—. Y procura no olvidarla. Ahora que se está tomando un descanso de Ashlee, querrá volver contigo. Una ex esposa es como un zapato viejo con el que te sientes cómodo. Pero, querida, los zapatos viejos siempre vuelven a acabar en el fondo del armario. Tú te mereces ser los Manolos nuevos de alguien.

—Gracias, supongo —digo, comprendiendo que Bellini piensa que acaba de hacerme el mayor cumplido posible. Pero mi meta en la vida no es ser el costoso accesorio de nadie.

—Hablo en serio —me advierte ella—. No puedes dormirte en los laureles.

—Bellini, te aseguro que he terminado con Bill. A lo hecho pecho. Y ahora, ¿podemos ver la obra? Creo que están a punto de subir el telón.

—No hay ningún telón —dice Bellini, y me doy cuenta de que tiene razón. Un montaje realmente austero: no hay butacas, no hay telón, no hay ropa.

Misericordiosamente, no tenemos que seguir hablando porque ahora las luces se van atenuando hasta apagarse. Cuando vuelven a encenderse, ahí está, el chico de la barra de Bellini, con nada encima aparte de un foco. Y yo que pensaba que eso iba a ser la culminación de la obra. ¿No se supone que tienes que reservar lo mejor para el último momento?

—Para que luego digan que en Starbucks siempre se quedan cortos con las raciones —le susurro a Bellini, nuestros ojos claramente enfocados en el mismo sitio.

—Yo diría que es un Venti —murmura Bellini, recurriendo al nombre con que se conoce allí al plato extra del día.

—¿No te hace sentir un poco violenta que un hombre con el que estás saliendo esté desnudo? —pregunto.

—Me gusta que los hombres con los que salgo se desnuden.

—¿En público?

—Si lo tienes, presume de ello —dice la amante del teatro vestida de negro sentada a mi izquierda, que obviamente ha oído nuestra conversación.

—Usted saldría con él, ¿verdad? —pregunta Bellini, inclinándose sobre mí para hablarle a la admiradora del Venti.

—Tendría que verlo en una obra de Pinter antes de decidirlo —dice ella—. ¿Qué tal es con las pausas?

—Él nunca hace pausas —dice Bellini. Y con una sonrisa satisfecha de gata-que-se-ha-comido-el-canario, se concentra en el escenario para disfrutar del resto de la función.

Cuando llego a casa ya es más de medianoche, pero aun así llamo a Kevin para nuestro habitual beso de buenas noches. Siempre espero con impaciencia el momento de poder oír su voz, pero por buena que sea la conexión, los teléfonos no pueden sustituir el abrazarnos. Tenemos que lidiar con incómodas pausas que no podemos llenar con un abrazo.

—Mi cama me parece horriblemente vacía sin ti —susurra Kevin.

—Me alegro —bromeo. Pero luego me apresuro a añadir—: Pienso en ti todo el tiempo.

—¿Cuándo vas a volver? —pregunta Kevin.

—Puede que un poco más tarde de lo que había planeado —digo, pillada por sorpresa—. Tengo que dejar resuelto el caso Tyler.

—¿Desde cuándo es Tyler más importante que yo? —pregunta Kevin—. He visto a ese tipo. El traje de buceo mojado me sienta mejor que a él.

—Muchísimo mejor —digo. Sé que Kevin está bromeando, pero todos los hombres necesitan que les acaricien un poco la hombría. Decido callarme que esta noche me he tirado dos horas mirando boquiabierta a un hombre desnudo que tiene que haber trabajado en algún McDonald's, a juzgar por lo extragrande que era su dotación.

—Lástima que tu trabajo sea tan importante que no puedas estar conmigo por Navidad —dice Kevin con un asomo de enfado en la voz.

En un primer momento no sé cómo reaccionar.

—No es sólo mi trabajo —digo después—. Mis chicos vendrán a casa durante las fiestas. —Kevin guarda silencio unos segundos mientras procesa mi mensaje de que quizá no es mi número uno después de todo. Pero necesito hacerle saber que todavía quiero estar con él—. Siempre podrías venir aquí —sugiero.

—No puedo; precisamente ahora es la época del año en que tenemos más trabajo —dice él. Me abstengo de señalar que no soy la única cuyas prioridades se interponen entre nosotros cuando querríamos estar juntos.

—Te echaré de menos —le digo.

—Yo también te echaré de menos.

Colgamos y pienso en lo poco que cuesta que surjan malentendidos con la distancia. Cierro los ojos e intento visualizar cómo son las fiestas navideñas en Virgen Gorda. Imagino palmeras con ristras de luces colgadas de ellas, mangos asándose al aire libre, y Papá Noel llegando a bordo de una motora. Nuestras Navidades blancas en casa siempre son más convencionales, aunque este año yo misma me voy a permitir unas cuantas libertades con la tradición.

Adam y Emily llegan a casa para la fiestas, pero no puedo tomarme más días libres del trabajo para estar con ellos fuera del horario laboral. Ellos están muy ocupados viendo a sus amigos, así que no les importa. Pero yo me siento fatal. Lo que nadie te dice es que a medida que tus chicos se hacen mayores, ellos te necesitan cada vez menos mientras tú los necesitas cada vez más.

Una noche, bajamos del desván las cajas de adornos y decoramos alegremente el abeto de dos metros de alto que encargué en Fresco Directo. Te traen lo que sea. Días después entro a escondidas en mi estudio para comprar los regalos del árbol, elegidos con mucho cuidado en Amazon.com, el salvador de la madre trabajadora.

Los chicos han invitado a unos cuantos amigos de la universidad a que pasen con nosotros las fiestas; cuatro estudiantes del programa de intercambio que no pueden ir estos días con sus familias a Brasil, Italia, España e Indonesia. La cena de Nochebuena pasa a ser un *smorgasbord* gigante en que cada estudiante aporta un plato. Puede que sea la única vez que el frijol suramericano y ese estofado de cerdo al que llaman *feijoada* estén sobre la misma mesa que el *lampung* de plátano indonesio. Bellini se encarga de traer los accesorios de Bendel, esclavas con colgantes de piedrecitas preciosas que utilizamos como aros para meter las servilletas y un precioso chal Missoni de hilo metálico que despliega sobre la mesa a modo de mantel. Me da un poco de apuro poner encima de él una bandeja llena de ñames pegajosos, pero Bellini me asegura que conoce el mejor servicio de limpieza en seco de la ciudad.

En vez de canciones navideñas, la guapísima estudiante brasileña Evahi pone música latina, y enseguida me acuerdo de Kevin enseñándome a bailar.

—Eso tiene mucho ritmo —dice Adam, yendo hacia Evahi y llevándola por el comedor en una rápida serie de giros. Ella ríe, su larga falda dando vueltas en un revoloteo lleno de colorido y la melena cayéndole sobre la cara.

Ambos parecen estar un poco acalorados cuando vuelven a sentarse, y la hermosa Evahi se le acerca un poco más que antes. Todas las mujeres dicen que quieren un hombre con sentido del humor, pero lo que realmente quieren es un hombre con sentido del ritmo. ¿Y de dónde habrá sacado Adam el suyo, ahora que lo pienso? Está claro que no es un gen heredado de sus progenitores. Yo siempre he tenido dos pies izquierdos y Bill tiene tres.

Con esa música tan sexy, la mesa puesta con tanta inventiva y los platos inspirados por la carta de las Naciones Unidas, esto no es una Navidad al estilo Norman Rockwell. Pero afortunadamente, en vez de una noche de paz y silencio, lo estamos pasando de muerte. He comprado pequeños regalos para todos nuestros invitados, y después de los postres, la mesa enseguida queda cubierta de cintas desatadas y envoltorios de papel de regalo deshechos.

—Oooh, qué bien —dice Evahi mientras pasa las páginas del libro con fotos de películas de los años treinta que encontré—. ¿Cómo sabías que adoro las películas antiguas?

—Me lo dijo Adam —respondo.

Evahi lo mira con una enorme sonrisa y luego le pone la mano en el brazo. Así que Adam baila, y presta atención a lo que dice Evahi. No sé qué tal lo estará haciendo mi hijo en física cuántica, pero en lo que respecta a tener madera de novio, está claro que habrá que ponerle un sobresaliente.

Y el chico no para de mejorar.

—Evahi, qué nombre más bonito. ¿De dónde lo has sacado? —le pregunta Bellini, que quizás esté pensando en cambiar su alias actual por algo que suene más sofisticado.

—Mis padres me llamaron así por una diosa suramericana —dice ella.

—Eso es porque eres una diosa suramericana —dice Adam. Este hijo mío se licenciará con matrícula, máster en chicas incluido.

—¿Quieres licenciarte en teoría cinematográfica? —pregunta Bellini, claramente interesada en esa chica tan guapa que ha decidido que pronto será mi nuera.

—Quiere licenciarse en astrofísica para poder estudiar los agujeros negros y las emisiones de gases en la parte activa del núcleo galáctico —dice Adam con orgullo—. Y además se está sacando un máster en cine.

—Así tendré algo de lo que poder hablar con la gente —dice Evahi, y se ríe.

—Buena idea —dice Bellini. Luego, para demostrar que todo el mundo tiene algo que ver con el cine, añade—: Hallie tiene un cliente que está metido en el negocio cinematográfico.

—No creo que ése sea el tema de conversación más apropiado para estas fiestas.

—Tú hablas de ello todos los días —dice Bellini.

—¿Quién es el cliente? —pregunta Evahi.

—Alladin Films —me limito a decir, porque no quiero estropear la atmósfera contando la totalidad de la historia.

—Caray —dice Evahi—. ¿No conocerás por casualidad a una publicista llamada Melina Marks que trabaja ahí?

Dejo mi taza de ponche sobre la mesa con un movimiento demasiado brusco, y el contenido se agita traidoramente, pero consigo hacerme con la taza antes de que pueda llegar a derramarse sobre el mantel de Missoni.

—¿La conoces de algo? —pregunto, sujetando la taza con las dos manos.

—Va a ser la próxima oradora invitada en mi clase de teoría cinematográfica. Es tope enrollado. Así podemos conocer a directores, agentes de reparto, productores; toda esa gente que trabaja en la industria del cine.

—Debería ser interesante —digo. Y posiblemente también lo sea para mí. ¿Podría la invitación a hablar en público que le ha hecho la universidad a Melina ser utilizada como prueba de que se merecía el ascenso? Quizá sólo prueba que también se ha acostado con el decano en Dartmouth.

Reparo en que Emily y sus amigos se han ido a la sala de estar, aburridos de tanto oírnos hablar de películas. Quizá deberíamos haber limitado la conversación a la astrofísica. Voy a reunirme con ellos, y unos minutos después, los tradicionales sonidos de los villancicos se hacen oír entre la música de sitar que uno de los chicos acaba de poner.

—Tienen que ser Rosalie y su séquito —dice Emily, que está familiarizada con la rutina navideña en Chaddick—. Los escuchamos un rato y luego mamá va a la cocina a traer la bandeja de galletas con pasas hechas en casa.

—La bandeja de galletas con pasas Pepperidge Farm, como hechas en casa —corrige Adam.

—No destruyas mis ilusiones —gime Emily—. Seguro que ahora me dirás que Papá Noel no existe.

Adam abre la puerta a los cantores de villancicos y luego se vuelve hacia Emily con una sonrisa.

—Qué va. Precisamente acaba de llegar —dice.

Todos vamos a la puerta, y faltaría más, un Papá Noel con una gran barba blanca y un traje de terciopelo rojo está cantando con cinco vecinos más. El atuendo es impecable, pero este Papá Noel no se ha molestado en ponerse una almohada encima del estómago. No me extraña. Porque nada más verlo sé que este Papá Noel es un ser presumido, mentiroso y vil, indigno de lucir el sombrero rojo con la borla blanca. Y ciertamente no debería estar cantando «Llamad a los fieles».

—Toma una galleta, Bill —le digo a mi marido infiel cuando se acaba la canción.

—Papá, ¿eres tú? —pregunta Emily mientras corre al porche

nevado para darle un abrazo, encantada de verlo—. Entra, entra.

—Siempre que no le importe a tu madre.

Bill me lanza una mirada de soslayo, pero sabe que me tiene cogida. Hasta la pequeña aldea de Belén daba refugio a los visitantes. ¿Cómo le voy a negar la entrada al padre de mis hijos en Navidad?

—Claro, entrad todos —digo, mientras les abro la puerta de par en par.

Rosalie, que era quien dirigía a los cantores mientras entonaban los villancicos, ahora los dirige hacia la sala de estar.

—¿A que te he traído el mejor regalo de Navidad? —pregunta señalando a Bill, que se está sirviendo una copa de ponche de vino.

—Habéis cantado muy bien —digo, comentando lo único que ha traído a esta casa que realmente me gusta.

Papá Bill, los cantantes y los chicos se han puesto a hablar animadamente y, en vez de unirme a la conversación, huyo a la cocina. Todos parecen estar contentísimos, pero la aparición de Bill ha hecho que la fiesta se me acabara de golpe, así que empiezo a recoger los platos y lleno el fregadero con agua caliente a la que añado jabón.

—Qué maravilla volver a comer carne —dice Bill, presentándose detrás de mí con el tenedor suspendido sobre un plato lleno de comida—. ¿Todo esto lo has preparado tú? Me encanta el *nasi goring*. Y estas cositas que parecen pinchos de cordero. ¿Cómo los llamas? ¿*Sate*? Son lo que sabe más rico.

Me aparto del fregadero, me seco las manos en un paño, y me vuelvo lentamente hacia Bill.

—¿Qué has venido a hacer aquí? —pregunto, en un tono más áspero de lo que pretendía.

—Es Navidad —dice él jovialmente—. Jo, jo, jo y todo lo demás.

No respondo, claro. ¿Qué se supone que le tengo que decir? «¿Vete a reír a otra parte?» No, está claro que esto no se lo puedo atribuir a Ashlee. La culpa es de Bill.

—Supongo que tú y tu amiguita todavía os estáis tomando un «descanso» —digo, dibujando comillas en el aire con los dedos para dar un poco más de énfasis a la palabra.

Bill deposita su plato en la encimera.

—De hecho, no es que nos estemos tomando un descanso. Hemos roto. Se acabó.

—Oh, qué pena —digo, y ésa es toda la simpatía que me siento capaz de reunir.

—Es una pena, sí, pero también es una suerte —dice él—. Porque ahora tú y yo podemos volver a estar juntos.

Me ha dejado patidifusa.

—Tienes que estar bromeando —digo—. De acuerdo con que estamos en Navidad, pero tampoco hay tanta buena voluntad en el mundo.

—Piénsatelo. No sé por qué no podemos volver a vivir juntos. Vendré a buscarte el día de Año Nuevo. Lo pasaremos bien, beberemos champán. Y cuando llegue la medianoche podrás decidir si quieres besarme.

15

¿Quién necesita a Bill? Ahora que la Navidad ha llegado y se ha ido, tengo opciones de sobra para Año Nuevo y la invitación de Bill ni siquiera figura en mi lista de los diez primeros. Mis chicos quieren que vaya con ellos a Times Square para disfrutar del jolgorio. Amanda va a dar una fiesta en su casa con champán para los adultos y un payaso para los niños. Ha decidido que la llamará «Burbujas y Bobo». Bellini puede infiltrarme en la fiesta de etiqueta que van a dar los del cristal Swarowski en un club del centro, donde habrá champán y grandes bolsas llenas de regalos. En la invitación pone «Burbujas y Baratijas». He dicho que no a todas ellas, y lo que haré será llevarme una botella de Moet & Chandon a mi jacuzzi. Brindaré por el nuevo año con Burbujas y Burbujas.

Pero a las once de la noche ya estoy empezando a acusar los efectos de la soledad. La perspectiva de zapear frenéticamente de un canal a otro para ver cómo celebra la Nochevieja toda la gente que no está sola tampoco es como para ponerse a dar saltos de alegría. Cojo el móvil para llamar a Kevin, pero lo cierro antes de haber llegado a marcar el número. Esta noche ya hemos hablado durante una hora y de todas maneras ahora probablemente tampoco podría contactar con él. Tiene que estar a bordo de la embarcación, llevando a un grupo de turistas a hacer una inmersión de medianoche. Al menos ahí es donde me dijo que iba a estar, y que ésa era la razón por la que no podría llamarme más tarde.

Cuelgo las dos chaquetas que Emily se ha probado, las mismas que ha rechazado y arrojado sobre el respaldo del asiento de la entrada antes de salir esta noche. ¿Cómo ha podido ser capaz de decir que no a la chaqueta de visón de segunda mano de la abuela Rickie, o a mi lana de oveja persa, que es de primera calidad? Al final ha optado por recurrir a su fina estola de pashmina. Bueno, supongo que así al menos tendrá los hombros cubiertos. Y sin duda habrá montones de cuerpos calientes apretujados en Times Square.

Me aparto del armario de la entrada y alzo la mirada hacia mi lámpara de cristal llena de polvo. Rosalie ha observado en más de una ocasión que no le iría mal una buena limpieza. A estas alturas quizá ya habrá vuelto de la fiesta de Amanda, y seguramente estaría dispuesta a venir a echarme una mano. Tampoco me iría mal tener un poco de compañía. Busco dentro de la alacena y encuentro una botella de Windex medio llena. Al menos soy capaz de mantener la actitud correcta; no la veo como medio vacía. Pero quitarle el polvo a la lámpara de cristal en Nochevieja sería demasiado deprimente. Además, son tantas las cosas que han cambiado este año que algo debería seguir igual en mi vida, aunque sólo sea el polvo.

Cada vez más nerviosa, empiezo a dar vueltas por la casa descalza y envuelta en mi albornoz de felpilla. No cabe duda de que ha sido un año interesante. Ciertamente no la clase de año que me esperaba el último uno de enero cuando pensé en lo que podría tenerme reservado el futuro. Como podría decir Ravi, los cambios ocurren. Me siento incapaz de imaginar dónde estaré dentro de doce meses.

A través de la ventana de la sala de estar, veo los faros de un coche que viene hacia nuestra tranquila casa de las afueras. Es curioso que alguien esté volviendo a casa a estas horas. El fiestorro familiar de Amanda con payaso incluido terminó a las diez, y el resto de los vecinos debería estar preparándose para ir a ver cómo cae la bola en Times Square.

Todavía más curioso, el coche se detiene frente a mi casa.

La persona que va al volante ni siquiera apaga el motor. La veo correr hacia la puerta principal, dejar un paquete y regresar a su coche. Cuando se ha ido, voy al vestíbulo y abro la puerta. Una ráfaga de aire helado me azota la cara.

Una gran caja envuelta en papel de regalo aguarda sobre el primer escalón. La llevo dentro y leo la tarjeta, aunque ya sé que es de Bill.

Esta noche no has querido beber champán conmigo,
pero espero que podamos abrir una de éstas
en alguna otra ocasión.

Rompo el papel y revelo el romántico regalo de Bill. Un *pack* de seis botellas de Dr. Pepper. Sacudo la cabeza. ¿Se supone que así pretende seducirme? Pero entonces saco una botella y me echo a reír. ¡Qué encantador es Bill! Al fin y al cabo, es un regalo tan bueno como un Dom Perignon. Probablemente me casé con Bill porque sabía cómo organizar una Nochevieja perfecta sin más compañía que nosotros dos. Nunca me han gustado las fiestas grandes, que es la razón por la que ninguna combinación de Burbujas, Bobo y Baratijas conseguirá sacarme de mi albornoz esta noche. Eso Bill lo entendía, y para nuestra primera fiesta juntos, compró dos pares de raquetas de nieve y me llevó a Central Park. Hacía una noche perfecta, mucho frío y un cielo completamente despejado, y ya había una gruesa capa blanca acumulada en el suelo. Fuimos a través del Gran Césped —esa noche, el Gran Campo Nevado— y como obedeciendo una señal del director escénico, de pronto empezaron a caer copos de una nieve muy suave. Cuando dio la medianoche, Bill y yo brindamos por nuestro futuro con dos botellas de Dr. Pepper, igualitas que las que me ha traído esta noche. «Me basta con que te sientas un poco bebida», recuerdo que dijo mientras me besaba.

Acordarme de todo eso hace que se me velen los ojos, pero luego suspiro. Procura no ponerte demasiado nostálgica, Hallie. Claro, dos días después Bill y yo estábamos prometidos. Pero veintitantos años después, él se largó de casa.

Mi teléfono suena, y mientras voy a cogerlo sé que va a ser Bill. Y qué diablos, si quiere venir aquí y tomarse un Dr. Pepper, lo dejaré entrar.

Pero es Kevin. La conexión es tan mala que apenas puedo distinguir su voz. Tardo un momento en cambiar las marchas. Pero cuando por fin lo consigo me emociona oírlo.

—¿Dónde estás? —pregunto, porque no he podido oír las primeras cosas que ha dicho.

Suena como si él respondiera «gggmmmmegmmmme» y luego hay un largo gemido que termina en una «b», lo que supongo que quiere decir «estoy en alta mar, a bordo de la embarcación».

—Apenas te oigo —digo.

—Eecccccs... —replica él. Traducible aproximadamente como «echo de menos a mi preciosidad».

—Yo también te echo de menos. Te quiero.

—Nnnhqqqq eeee temmmmmmo —dice él.

Ésa es todavía más fácil de interpretar. «Nunca he querido a nadie tanto como te quiero a ti en este momento.» Empiezo a pensar que estas conversaciones de una sola banda tampoco están tan mal después de todo.

—Deberíamos hablar más tarde —digo, ya que la señal parece estar desvaneciéndose.

Pero a pesar de que el servicio telefónico caribeño no está cooperando, Kevin parece determinado a decirme algo. Continúa hablando, y antes de que perdamos del todo la conexión, logro distinguir cinco palabras de verdad:

—Nueva York... pasado mañana... voy.

Los chicos han estado de fiesta hasta muy tarde, pero aun así el día de Año Nuevo se levantan antes que yo. ¿Cómo me las he podido arreglar para criar a los únicos dos adolescentes del país que no duermen hasta el mediodía? Después de que haya logrado espabilarme lo suficiente para desayunar café y donuts con ellos, los chicos van al garaje y cargan el viejo Volvo con el equipo de esquí. Adam va a regresar a Dartmouth con tiempo para esquiar un poco, antes de que vuelvan a empezar las clases, y se lleva a Emily con él. Me alegra que mis chicos se lleven bien entre ellos. Por otra parte...

—Intenta mantener alejados de tu hermana a esos amigos tuyos que juegan al fútbol —le advierto.

—¿Bromeas, mamá? Se la voy a cambiar por unas cuantas entradas gratis para ver los partidos.

Emily sonríe.

—¿Para ti cuántos pases puedo valer?

—Eso depende del número de goles que consigan llegar a marcar contigo —dice él.

Sé que están bromeando, pero aun así la conversación no me parece nada graciosa. Echo mano de mi cartera y saco de ella cinco billetes de veinte.

—Toma, Adam. Cómprate tus propias entradas.

—¿Es que no va a haber un poquito de dinero en efectivo para mí? —pregunta Emily—. ¿O se supone que he de averiguar cuánto valgo en el mercado libre?

—Muchísimo —murmuro mientras aflojo otros cien pavos para ella. No sé qué habrá aprendido o dejado de aprender mi hija acerca del feminismo, pero en macroeconomía debe de estar sacando muy buenas notas.

Después de que se han ido los chicos, los minutos se niegan a avanzar en el reloj. Hablo tres veces con Kevin y confirmo que lo he entendido bien. Vendrá a visitarme. Tengo unas ganas increíbles de verlo. Mañana, y mañana, y mañana. Para que luego digan que los días nunca se dan prisa en llegar. ¿Cómo se enteraría Shakespeare de lo despacio que pasa el tiempo cuando estás esperando a que tu enamorado de Virgen Gorda venga a Nueva York?

Cambio las sábanas —aunque soy la única persona que ha dormido en ellas— y pongo velas por todo el dormitorio. Por aquello de que a Kevin no le entre nostalgia de casa, cojo la pecera de la sala familiar y la pongo encima de mi cómoda.

Como sé que lo primero que hará Kevin en cuanto llegue a Nueva York será coger un taxi para venir a verme al trabajo, la mañana siguiente tardo una eternidad en vestirme. Desentierro un sujetador de encaje La Perla del fondo de mi cajón de la lencería, pero no consigo encontrar la pareja. Cojo dos pares de bragas y los sostengo en la mano. ¿Cuáles preferiría un hombre, las Wacoals de cintura alta que casi son del mismo color que el sujetador, o las azules que decididamente no hacen juego con el sujetador, pero que al fin y al cabo son un diminuto bikini? Guardo las Wacoals. Cualquier mujer que no pueda responder a esa pregunta no merece tener un novio.

Cojo un secador de pelo y un tubo de crema Melena Suave Frederic Fekkai para domar mis rizos. Cuarenta y cinco minutos y dos brazos doloridos después, mi pelo está milagrosamente liso. ¿Y qué más da que me haya quedado un poco aplastado contra la cabeza? Soy lo bastante inteligente para no ponerme crema ocultadora debajo de los ojos, porque me da igual lo que digan: a menos que seas Bobbi Brown, lo único que consigues con eso es que las bolsas te sobresalgan más, no menos. Y Bobbi no se ha ofrecido a venir a echarme una mano esta mañana. Me pongo mi vestidito negro favorito —o VNF como lo llaman Bellini y los de la revista *InStyle*— y sólo cambio de pendientes dos veces porque se me está empezando a hacer tardísimo.

Me acuerdo de cómo odio tener que usar los transportes de cercanías para ir a trabajar cuando pierdo un tren por diez segundos y tengo que esperar impacientemente el próximo. Por fin en Nueva York, trato de entrar en el trabajo lo más discretamente posible, pero mientras voy corriendo por el pasillo con el vaso de café en la mano, a Arthur se le ocurre doblar la esquina. Para cuando reparo en él, ya he conseguido derramar la mitad de mi descafeinado con un par de Splendas encima de su traje azul.

—No sabes cómo lo siento —digo, intentando secárselo con una servilleta de papel que deja tras de sí una solapa llena de borra.

—Es lo que suele pasar cuando llegas con retraso —dice Arthur secamente. Se saca del bolsillo de atrás un pañuelo con monograma y, claramente disgustado, limpia el estropicio.

—¿Quieres que te lo lleve a la tintorería? —pregunto.

—Espero que tengas algo mejor que hacer hoy —dice él con una mirada de reproche.

Busco torpemente las llaves para abrir mi despacho, haciendo equilibrios con mi bolso, mi maletín, un fajo de papeles que me acaba de pasar mi ayudante, y el medio vaso de café que me queda. Arthur espera junto a mi codo, y luego me sigue al interior del despacho.

Lo dejo todo encima del escritorio sin mayores ceremonias.

—¿Has empezado bien el año? —le pregunto a Arthur.

—No —dice él hoscamente.

Bueno, eso parece bastante prometedor.

—He leído el último informe que me has enviado sobre el caso Tyler —dice—. Tú siempre has sabido hacer maravillas con la jerga legal, Hallie, pero no veo que estés consiguiendo llegar a ninguna parte.

—Todavía estoy tratando de negociar un acuerdo.

—La demandante se negó en redondo. ¿Qué crees estar negociando?

—Tengo algunas buenas pistas —digo para intentar despistar.

—Háblame de una.

—Melina Marks va a hablar en Dartmouth —le suelto, recurriendo a lo primero que me viene a la cabeza, incluso si es irrelevante.

Arthur me fulmina con la mirada.

—¿Qué se supone que significa eso? ¿Es que tu vida personal está volviendo a interferir en tu trabajo? A ver si lo adivino: quieres que te demos un día libre para ir a oírla hablar, y así de paso podrás ver a tu hijo mientras estás ahí.

Siento como si me hubieran abofeteado, y tardo un instante en recuperar la compostura.

—Arthur, me he esforzado mucho para llegar adonde estoy en esta firma, y no consentiré que minen mi posición. Puedes cuestionar lo que quieras, excepto mi profesionalidad.

—Es precisamente tu profesionalidad lo que he estado cuestionando.

Y puede que tenga razón. Porque justo entonces oigo que mi ayudante ríe tontamente en su escritorio y un instante después hay una súbita actividad en mi puerta.

—Sorpresa, cariño, he llegado antes de lo previsto —dice Kevin.

Levanto la vista, atónita. Kevin, mi maravilloso Kevin. Viste una chaqueta marrón de forro polar con pantalones cortos de color caqui, y lleva en la mano un ramo de flores procedente del mismo sitio al que he ido a buscar el café. Pasa junto a Arthur y me da un gran beso.

Un poco ruborizada, me recuesto en el asiento y me doy cuenta del modo en que me está mirando Arthur. Ahora sí que lo he convencido de mi profesionalidad, pero como chica de alterne.

—Kevin, éste es Arthur, mi jefe —digo—. Arthur, mi amigo Kevin.

—El temible Arthur —dice Kevin jocosamente—. Espero que no se lo habrá estado haciendo pasar demasiado mal a mi Hallie.

Arthur lo mira de arriba abajo, y sus ojos van del medallón dorado de Neptuno que Kevin lleva colgado del cuello hasta sus piernas desnudas para acabar deteniéndose en las gruesas suelas de las botas Merrill que calza. Cuando yo estaba en Virgen Gorda, me encantaba ese estilo suyo entre sexy e informal, pero ahora no puedo evitar pensar que ojalá se hubiera pasado por Brooks Brothers para comprarse algo de ropa. Arthur es lo bastante inteligente para no juzgar un libro por su cubierta, pero éste viene con una demasiado llamativa.

—¿Qué ha venido a hacer aquí? —pregunta Arthur—. Esto es un lugar de trabajo, no el rodaje de *Supervivientes*.

—Eh, tranqui. Tampoco hace falta que se sulfure —dice Kevin.

Arthur cruza los brazos delante del pecho.

—Estoy todo lo tranquilo que necesito estar.

—Vale, hombre, ya veo que está tranquilísimo. —Sacude la cabeza—. Sólo llevo una hora en Nueva York, y ya me acuerdo de lo dura que es la ciudad. El clima. La gente. Brrrr.

—Si tiene frío, ¿me permite sugerirle que se ponga unos pantalones largos? —dice Arthur.

Oh, maravilloso. Mi novio y mi jefe en una competición de cabreo. Gane el que gane, saldré perdiendo.

—Oiga, lo siento. Ya sé que Hallie está muy ocupada y que usted debe sacar adelante su firma legal.

Arthur lo mira sin decir nada, así que Kevin añade educadamente:

—En serio, señor, le pido disculpas por haber irrumpido de esta manera.

Arthur parece un poco aplacado, y estoy tan orgullosa de Kevin que le dirijo una gran sonrisa. Kevin nota que está yendo por buen camino, y se apresura a seguir hablando:

—No quería estorbar, Arthur. Claro que sólo de pensar que podría ver a mi Hallie... Bueno, ya sabe usted que la ocasión la pintan calva. —Sólo es una figura retórica, pero mi jefe ha perdido casi todo el pelo y no soporta que le hablen del tema. Kevin se da cuenta de que ha metido la pata hasta el fondo, e intenta remediarlo sin conseguirlo del todo—. Vamos, quiero decir que necesitaba verla. Esas curvas, esa melena que tiene...

—No sabes el trabajo que me da —digo, en un intento de ayudar que sólo sirve para empeorar las cosas—. Lavarlo, ponerle el acondicionador, secarlo. Luego están la espuma y el gel, claro.

—Nunca he tenido claro para qué sirven exactamente —dice Kevin.

—La espuma es un poco más suave —empiezo a explicar, pero Arthur ya ha girado sobre el talón y está saliendo de mi despacho hecho una furia.

—La verdad es que el pelo sólo te trae problemas —grito mientras se aleja—. ¿Te he contado lo de aquella vez que Emily tuvo piojos en 1996?

El despacho queda sumido en el silencio por un instante y Kevin y yo nos miramos, no muy seguros de a cuánto pueden ascender los daños. Pero luego, sin poderlo evitar, empiezo a reír como una boba.

—No hay piojos en Virgen Gorda —dice Kevin con una carcajada. Viene hacia mí y me abraza—. ¿Qué te parece si nos damos un beso de bienvenida como es debido?

Nuestros labios se encuentran ávidamente, y enseguida noto que la idea de besarse como es debido que tiene Kevin incluye quitarnos la ropa y hacerlo encima de la moqueta. Me encantaría, pero creo que ya hemos llamado bastante la atención por hoy. Le doy un besito que no tiene nada de satisfactorio y Kevin capta el mensaje.

—Supongo que no podré tentarte para que salgas antes de la hora, ¿verdad?

—Salgo temprano, pero no tanto —digo.

—¿Comemos juntos? Mi restaurante chino favorito, el Palacio de Ping Tong, queda justo al doblar la esquina.

—Lleva quince años sin estar ahí —digo.

—De todas maneras, probablemente tú eres el tipo de chica a la que le va más La Côte Basque —dice él.

—Ya no. Ése también cerró.

—¿Dónde come la gente por aquí, entonces?

—En sus escritorios —digo.

—Vale, vale, sé pillar una indirecta —dice él, echando mano de su maltrecha mochila L. L. Bean—. Puedo jugar a los turistas durante un rato. Volveré al final de la jornada laboral. ¿Cinco?

—Seis. Seis y media.

—Perfecto. —Me da un beso en la coronilla—. Por cierto, estás muy buena.

—¿Sí? —pregunto alegremente.

Kevin hace una mueca y pone cara de pensar.

—No, en serio. Quiero decir que, bueno, me alegro de verte. Eres preciosa. Pero ¿a qué viene lo de alisarse el pelo y ponerse ese vestido negro? No eres tú.

—Es mi yo de Nueva York —digo.

A las seis y media me siento más culpable por estar trabajando, mientras Kevin está aquí, de lo que nunca me sentí cuando los chicos todavía estaban en casa. Al menos ellos tenían compañeros de juegos. Decido que lo menos que puedo hacer es asegurarme de que Kevin tenga una buena compañera de juegos conmigo esta noche. Puesto que ha venido a Nueva York, ésta es mi ocasión de enseñarle lo fabulosa que es la ciudad realmente. Bellini ya tiene mi nombre en la lista para una fiesta de inauguración que van a dar esta noche.

—¿Lista para ir a casa? —pregunta Kevin cuando me reúno

con él enfrente del edificio donde trabajo. Ha decidido que no quiere entrar allí, probablemente nunca más.

—Mejor que eso. He planeado una gran noche en la Gran Manzana. —Emocionada por la perspectiva de poder pasar la velada juntos, le doy un beso entusiasta—. Para abrir boca, he conseguido que nos dejen entrar en una gran inauguración de obras de arte de los Himalayas.

Kevin me mira con cara de no estar demasiado convencido.

—¿Por qué íbamos a querer hacer eso?

—Sería divertido. Una de esas noches que sólo-pueden-pasar-en-Nueva York.

—La única clase de noche que quiero es en tu cama.

—Eso luego —digo, dándole un besito en la nariz—. Quiero decir que, bueno, ¿has visto alguna vez obras de arte de los Himalayas?

—Ni siquiera he visto una cabra de los Himalayas —dice él—. Pero si a ti te hace ilusión, vamos entonces. Igual que en el instituto. Presiento que estás intentando enseñarme cosas de nuevo.

Ponemos rumbo hacia el centro hasta que llegamos al Museo de Arte Rubin en la Séptima Avenida con la calle Diecisiete. Antes, el edificio acogía uno de los centros de la cadena Barney's, y la clientela que se prosternaba ante el altar de Prada se horrorizó cuando los especialistas en gangas de Loehmann's se hicieron con más de la mitad del espacio. Pero los Rubin compraron la otra mitad del edificio y ahora hay visibles más zapatos Prada que nunca, aunque para admirarlos tienes que fijarte en los pies de quienes visitan el enrarecido museo.

Fuera hay congregada una gran multitud y Kevin y yo nos unimos a la cola bajo una gran banderola anaranjada que anuncia la exposición: «Huellas de manos: Siglo Veintiuno.»

—Es mucho más fácil hacer nuestras propias huellas —dice Kevin con una mueca de suficiencia mientras aprieta la palma contra la fachada de cristal del museo.

Avanzamos lentamente, con Kevin dejando más huellas grasientas hasta la entrada. Cuando por fin nos detenemos ante el segurata de anchos hombros, comunicador en el oído y tablilla con sujetapapeles en la mano, doy mi nombre sin ninguna vacilación. Él comprueba la lista y nos deja pasar.

—Supongo que somos los «elegidos» —digo orgullosamente, cogiendo de la mano a Kevin—. Y ni siquiera hemos tenido que renunciar al cerdo.

Él sacude la cabeza.

—¿Por qué a vosotros los neoyorquinos sólo os gustan los sitios en los que no podéis entrar?

—Pero el caso es que nos han dejado entrar —digo.

—Hurra, y probablemente podríamos haber entrado en el Burger King, también.

Le aprieto el brazo.

—Aquí se come mejor —prometo, porque acabo de ver a unos cuantos camareros vestidos de esmoquin que van de un lado a otro con bandejas plateadas. Uno de ellos viene inmediatamente hacia nosotros, probablemente porque en esta parte de la ciudad —no como en mi despacho— haber combinado un forro polar con unos pantalones cortos en pleno invierno hace que Kevin parezca una estrella de la MTV.

—¿Canapés? —pregunta el camarero—. Tenemos setas porcini con picadillo de carne de cangrejo y un poquito de *crème fraîche*.

—Mis favoritos —dice Kevin, echando mano de cinco de ellos, dado que obviamente no ha cenado.

Vamos lentamente hacia la exposición especial.

—Huellas de manos. Las reconocería en cualquier parte —confirma Kevin mientras contempla la larga pared llena de cuadros enmarcados. Agita los dedos—. Este cerdito fue al mercado, este cerdito se quedó en casa, este cerdito comió rosbif, este cerdito se...

—... quedó sin comer —dice un hombre junto a nosotros, completando la cancioncilla infantil. Viste completamente de negro y lleva unas gafas con montura al aire. Tiene una perilla puntiaguda y una mirada intensa en los ojos. Estoy segura de que ahora hará algún comentario desdeñoso sobre las chiquilladas de Kevin, pero lo que hace es volverse hacia él con una sonrisa extasiada en los labios—. Ha sabido usted captar a la primera el tema en torno al cual gira esta exposición —dice—. La mano como clave de bóveda del mito y el significado humanos. Como base tanto para el folclore popular como la alta cultura.

—Claro —dice Kevin. Como nueva demostración de las proezas intelectuales que es capaz de llevar a cabo cuando se lo propone, cierra los puños y levanta el pulgar de cada mano—. ¿Dónde está Pulgarcito? ¿Dónde está Pulgarcito? —canturrea.

—¡Estoy aquí! ¡Estoy aquí! —corea el hombre al tiempo que mueve animadamente los pulgares ante el rostro de Kevin.

Me entra un súbito temor de que el gesto sea una llamada de apareamiento gay y Kevin no lo sepa.

Pero el hombre simplemente está encantado porque piensa que acaba de encontrar a otro aficionado al dedo.

—Lo que usted acaba de señalar tan inocentemente es que el pulgar es el motor de la mano, y mucho más importante que el meñique o el índice. Pero en las culturas mongola y tibetana el pulgar tiene otro significado. Venga conmigo y le mostraré a qué me refiero.

Ahora estoy intrigada, así que me dispongo a ir tras él. Pero Kevin no está nada impresionado.

—Gilipollas pretencioso —me susurra al oído—. Voy a pillar unos cuantos canapés más.

Frente a otra pared de huellas, el hombre empieza a hacer comparaciones culturales y a gesticular aparatosamente, supongo que en una demostración de que la mano también es la base fundamental del lenguaje. Desde el fondo de la sala, Kevin nos saluda. Agitando las manos. Estoy empezando a pensar que esto es una exposición verdaderamente importante.

—Cariño, mira esto —le digo a Kevin cuando éste viene hacia nosotros—. Gracias a mi nuevo amigo Digger me acabo de enterar de que el dedo corazón extendido en ese cuadro es un signo de estirpe real, que denota la elevada posición social no del artista, sino del mecenas que encargó la obra.

Kevin mira el cuadro con cara de escepticismo y luego extiende el dedo corazón.

—¿Nadie os ha dicho nunca lo que significa realmente esto? Creo que es un símbolo bastante universal.

—No hagas eso —digo, intentando taparle la mano antes de que nadie más se la vea. Digger quizá sea un poquito excéntrico, pero no tiene un pelo de tonto, y ha atraído a una pequeña multitud de amantes del arte que ahora hacen corro alrededor de nosotros, queriendo oír sus ideas acerca de la importancia de las manos. Me miro las mías. Quizá debería haber ido a que me hicieran la manicura.

Un fotógrafo del *New York Post* se abre paso a través del gentío.

—¿Digger? Necesito una foto tuya para la página de sociedad. Con tu nueva amistad.

Digger me rodea con el brazo.

—Me refería a la otra —dice el fotógrafo, señalando a Kevin—. Ella no es nadie. No puedo tener a una don nadie en la foto.

—Eh, que yo también soy un don nadie —objeta Kevin.

—Entonces es un don nadie con mucho estilo —dice el hombre del *Post*—. Me encanta cómo le queda eso. Tan falsamente modesto.

—Auténticamente modesto —dice Kevin con una mueca desdeñosa—. ¿Y por qué iba a querer salir yo en la página de sociedad, de todas maneras?

El grupo que se ha formado a su alrededor ríe, sabiendo que todo el mundo quiere salir en la página de sociedad. Y a pesar de sus protestas, todavía están convencidos de que Kevin es alguien. En Manhattan, tienes que ser o muy rico o muy famoso para vestirte con semejante descuido.

De pronto, el fotógrafo se da la vuelta, obviamente divisando a una celebridad todavía más merecedora de su atención. O quizás a alguien todavía peor vestido que Kevin.

Kevin me mira y sacude la cabeza.

—No acabo de entender a esta gente. Tu gente. Tu gente de Nueva York —me dice—: tu jefe piensa que visto *malamente* y eso es malo. El *Post* piensa que visto *malamente* y eso es bueno.

—Vistes «mal».

—¿Cómo? —exclama él.

—Digo que «vistes mal».

—¿Tú también lo piensas?

—No, cariño. Estás estupendo —digo, comprendiendo que es mejor que no intente explicarle que sólo le he hecho una corrección gramatical automática. Eso me haría parecer la jovencita que siempre era más lista que él.

—Veamos el resto de la exposición —sugiero.

—Preferiría seguir comiendo esas cositas que llevan setas y carne de cangrejo —dice él, dando prácticamente el alto a un camarero que pasaba por ahí. Después de haberse metido unos cuantos canapés más en la boca, ya no le importa que lo coja de la mano para recorrer el resto del museo.

Nos alejamos de la multitud y subimos al piso de arriba, donde pasamos ante estatuas plateadas de Siva y tapices con diosas mongolas bordadas.

—Mira, un Buda femenino —digo, admirando una estatua de bronce. Leo lo que pone en la tarjeta que hay junto a ella—. La identidad sexual es una poderosa herramienta para la exploración de lo divino.

—Y tanto que sí —dice Kevin, poniéndome los brazos alrededor de la cintura mientras me da un mordisquito en la oreja—. Explorar tu sexo sería divino. Lo único que quiero es hacerte el amor.

Río tontamente.

—No me digas que ya has visto suficiente arte de los Himalayas.

—He visto suficiente de todo salvo de ti.

Me lleva hacia una alcoba oscura, donde sólo estamos nosotros y un cuadro de dioses desnudos pintado en Bután.

Kevin me pone la mano sobre el vestido y me acaricia los pechos.

—¿Lo has hecho alguna vez en una galería de arte de los Himalayas? —pregunta, y me besa.

—Sólo una o dos veces —bromeo.

—Entonces ya va siendo hora de que repitas. —Empieza a bajarme la cremallera de la espalda, pero me apresuro a apartarme.

—Aquí no —digo.

—¿Por qué no? —pregunta él. Baja los labios y me besa en el cuello—. Todos esos dioses y diosas nos darán su bendición, créeme.

—Pero la gente del piso de abajo no —digo, dando un paso atrás mientras me cierro la cremallera—. Venga, cariño. No podemos hacer esto en público.

—Nunca nos preocupamos por eso cuando estábamos en la playa de Virgen Gorda —dice él.

—Manhattan es otra clase de isla —digo.

Con el humor ligeramente alterado, bajamos la elegante escalinata circular del museo y salimos al frío de la noche. Cogemos un taxi hasta Grand Central, y mientras esperamos el tren a Chaddick, señalo las constelaciones titilantes que cubren el techo abovedado de la estación. No es el enorme cielo despejado de una noche caribeña, sino la versión neoyorquina de la naturaleza.

—Lo más gracioso de todo es que la ciudad se gastó una fortuna en renovar el techo de la estación, y después de haber hecho semejante inversión, resultó que la persona que hizo el mapa lo había dibujado al revés. Es como si estuvieras viendo el cielo desde mucho más arriba, en vez de verlo con la mirada desde aquí.

—Sí, es para troncharse de risa —dice Kevin, que no parece resultarle nada divertido. De hecho, parece como si no quisiera estar aquí. Camina con la vista baja y los hombros encorvados, y mantiene los brazos cruzados ante él.

Le doy unas friegas en el brazo.

—¿Estás enfadado conmigo porque no he querido hacer el amor delante de Buda?

—No, es que... —Se aprieta el estómago y baja corriendo por una escalera en dirección a un letrerito donde pone SERVICIOS.

Voy tras él y espero fuera durante lo que parece un rato muy largo. Me miro el reloj. Estamos a punto de perder el tren a Chaddick, pero me siento tan impotente como cuando Adam iba a primaria y tenía que dejar que entrara solo en un lavabo de hombres.

Así que hago lo mismo que hacía entonces, y plantada delante de la entrada grito dentro del vasto recinto embaldosado:

259

—¿Kevin? ¿Kevin? ¿Te encuentras bien? Estoy aquí. Te estoy esperando.

Mi voz rebota en las paredes, pero nadie responde.

—¿Kevin? Kevin, ¿necesitas ayuda?

Un hombre de negocios que lleva un traje azul a rayas, y un maletín, sale de los lavabos de caballeros y me sonríe.

—¿Su chico está ahí dentro? —pregunta—. Sé cómo se siente. A mi mujer siempre le entra pánico cuando nuestro hijo usa unos servicios públicos sin que lo acompañemos. ¿Quiere que entre a echarle una miradita?

—Es usted muy amable —digo, pero titubeo, dado que tratar de explicar por qué mi niño de seis años mide metro ochenta podría ser un poco complicado.

Entonces Kevin sale de uno de los cubículos dando traspiés y viene hacia nosotros con paso tambaleante. Pálido y con los ojos inyectados en sangre, se diría que le cuesta cerrar la boca y un hilillo de saliva le reluce en la barbilla. El hombre de negocios gruñe con una mueca de desaprobación ante lo que da por sentado es mi acompañante borracho, y se va a toda prisa.

—Dios mío, estás fatal —le digo a Kevin, agarrándolo del brazo para que no pierda el equilibrio—. ¿Qué ha pasado? Esta noche sólo has tomado agua mineral.

—Y carne de cangrejo —dice él con un graznido—. Me han envenenado.

—Intoxicación por ingesta de alimentos en mal estado —digo, en un tono que intenta ser consolador—. Es muy desagradable, pero se supera. Vamos a casa.

Echamos a andar hacia los trenes, y Kevin se apoya pesadamente en mí. Le agarro el codo con más fuerza y siento que su cuerpo intenta escapárseme a cada momento.

—Ya casi hemos llegado —digo con ánimo.

Pero tal vez no con el suficiente.

Plof.

Kevin cae al suelo de la estación Grand Central, con los ojos medio cerrados mirando hacia el techo repleto de constelaciones. No cabe duda de que el pobre está viendo las estrellas, de una manera o de otra.

Me arrodillo junto a él.

—¿Estás bien? —pregunto estúpidamente, porque salta a la vista que no lo está. Respira de manera entrecortada y ha perdido el conocimiento.

Dos policías vienen hacia nosotros, con sus porras balanceándose sobre sus muslos y las pistolas sobresaliendo visiblemente de sus fundas reglamentarias. Cada uno lleva cogido de la correa a uno de esos perros que utilizan para detectar las bombas.

—No hay granadas, sólo carne de cangrejo en mal estado —les explico mientras ellos caminan en círculos alrededor de nosotros.

Los policías enseguida se convencen de que no representamos ninguna amenaza internacional, pero los perros todavía no están del todo seguros. Uno de ellos le olisquea el cuello a Kevin, y me dan ganas de explicarle que normalmente él huele mucho mejor de lo que huele en estos momentos. Pero obviamente el perro y yo no tenemos los mismos gustos en cuestión de hombres, porque le da un lametón a Kevin.

—Qué gustito —dice Kevin, que ha empezado a volver en sí. Pero enseguida se da cuenta de que está tendido en el suelo con un perro al lado y se incorpora, sobresaltado.

El policía se inclina sobre él.

—¿Quiere que llamemos a una ambulancia, señor? ¿Necesita que le echen una miradita en el hospital?

—Sí —digo, preocupada por él.

—No —dice Kevin.

—Venga, un médico seguramente podría darte algo —digo. Él sacude la cabeza.

—Tranquila. Un par de horas vomitando y se me habrá pasado.

Ojalá. Kevin tenía razón en lo de vomitar, pero en lugar de un par de horas vamos por el segundo día y seguimos. Ayer interpreté el papel de enfermera abnegada, llevándole primero cubitos de hielo, luego ginger ale y finalmente, a la hora de cenar, un consomé de pollo con galletitas saladas. Él estuvo de bastante mal humor todo el tiempo, pero ni punto de comparación con Arthur, quien prácticamente me despidió por teléfono cuando llamé para decir que me iba a quedar en casa con mi Kevin enfermo.

No puedo seguir faltando al trabajo, y estoy vestida para ir al bufete cuando Kevin despierta al fin, obviamente sintiéndose un poco mejor.

—¿Te vas? —pregunta, mirándome con incredulidad.

—Sólo por un turno —digo—. No hay enfermera de relevo, pero me parece que ya se te puede dejar solo.

—¿Podemos hacer el amor antes? —pregunta él—. Llevo tres días aquí, y todavía no hemos hecho el amor.

En vez de espetarle: «Eso es porque estabas demasiado ocupado vomitando», me inclino sobre él y le doy un beso muy largo.

—No te muevas de la cama —le digo—. Vendré a verte lo más pronto que pueda.

—Me parecerá una eternidad —dice él, besándome y acariciándome la mejilla. Pero luego se incorpora en la cama—. Bueno, por fin tengo hambre. ¿Te importaría traerme algo para desayunar antes de irte?

—Claro que no. ¿Qué te apetecería? —pregunto, mirando ansiosamente el reloj con la esperanza de que sólo quiera un bollo, no un montón de tortitas.

—No sé. ¿Qué te parece que podría ser? Quizás un par de huevos pasados por agua, o una tortilla.

—Lo que más gracia te haga —digo, tratando de mostrarme lo más conciliadora posible.

—Hmmm. Me comería unas gachas de avena o unos huevos a la Benedict. Una buena tostada con jarabe de arce. O un bagel con crema de queso —dice, como si estuviera haciendo un repaso de todos los desayunos posibles—. Me encantan los gofres belgas. ¿Tienes uno de esos trastos de hacer gofres belgas?

—Claro —digo ligeramente exasperada, y al final pierdo la paciencia—. Siempre tengo guardado en la despensa a un cocinero belga especializado en hacer gofres. Por el amor de Dios, sólo es un desayuno. Tú dime qué quieres.

Kevin se cruza de brazos, sintiéndose insultado.

—No pretendía ser una carga para ti —dice—. Pero reorganicé toda mi agenda para venir aquí y verte, y ahora tú ni siquiera puedes reorganizar un día para estar conmigo.

—Tendría que reorganizar mucho más que un día para estar contigo —digo, expresando en voz alta algo en lo que ya llevo semanas pensando.

—¿Qué se supone que significa eso?

—Si vamos a estar juntos, tendría que reorganizar toda mi vida. Trasladarme a Virgen Gorda y renunciar a todo.

—Y hay tanto a lo que renunciar —se burla él—. Nueva York es un sitio fabuloso, ¿verdad? Un trabajo que no te aporta nada. Un montón de memos en una fiesta. Gente que babea ante algo que cualquier niño de tres años sería capaz de pintar. Sí, tantísimo a lo que renunciar.

—Te has olvidado de un par de cosas —digo, y oigo que me tiembla la voz—. Mis chicos. Mis amigos. Ese museo me pareció interesante. Al menos era distinto. Y da la casualidad de que me gusta mi trabajo y quiero conservarlo.

—Entonces no hay más que hablar —dice Kevin, levantándose de la cama con una mueca de enfado—. No quiero que tengas que renunciar a nada por mí. Me iré.

Nos quedamos inmóviles, mirándonos fijamente sin que ninguno de los dos dé un paso o ceda un milímetro. El mismo Kevin de siempre. Hazle daño y se irá. Pero esta vez no lo dejaré marchar tan fácilmente.

Voy hacia él y lo rodeo con mis brazos.

—No te vayas. No de esta manera. Te quiero, Kevin. Y si me quieres un poco, intenta estar aquí cuando vuelva a casa.

Él me acaricia el pelo, pero no responde. Siento que el corazón me late más deprisa. No soportaría volver más tarde y encontrarme con que Kevin se ha ido.

—No te puedes ir ahora; tu billete de avión no es hasta mañana. Pasar una noche conmigo no es mucho pedir si con ello te evitas tener que pagar el recargo —digo, haciendo un chiste bastante soso.

Kevin suspira.

—Me quedaré. Claro que me quedaré. El verdadero recargo sería irme antes de que hayamos pasado una noche más juntos.

16

En lugar de abrir el *New York Times* cuando subo al tren, miro a través de la ventana, y me pongo a pensar en Kevin y en lo que nos diremos cuando volvamos a vernos más tarde.

—¿Te importa si te hago compañía? —pregunta Steff, ocupando el asiento contiguo al mío. Luego, conociendo las normas de etiqueta en los trenes de cercanías, añade—: No tenemos que hablar. Puedes leer el periódico.

—No lo estoy leyendo, como quizás hayas notado. —Y si lo estuviese haciendo daría igual. Un hombre puede estacionarse junto a un amigo, enterrar la cabeza en los titulares y no cruzar con él otra palabra que «... días». Para qué desperdiciar otro par de sílabas e indicar si éstos son «Buenos» o no. Por el contrario, las mujeres trabajadoras que comparten un asiento están obligadas por las leyes de la fraternidad femenina a hablar. Mientras vamos de camino al centro de la ciudad para dirigir empresas y tomar decisiones importantísimas, dedicamos treinta y cinco minutos a intercambiar historias sobre el nuevo salón de manicura, el jeta del carnicero (tiene un lío con otra y, lo que es todavía peor, cobra la carne picada a unos precios de escándalo) o cómo la profesora de arte del jardín de infancia siempre pone demasiados deberes.

Pero me basta con lanzar una mirada a Steff para darme cuenta de que está preocupada por algo más que por la carne picada o por su nueva ocurrencia de ganar dinero con un kit para agujerearte las orejas en casa. Tiene los ojos hinchados y parece como si no hubiera dormido. Mete la mano en su bolso y unos cuantos besos Hershey plateados caen de él. Desenvuelve tres y se los mete distraídamente en la boca. Oh, oh. Comer chocolate por la mañana sólo puede significar una cosa.

—Richard me ha dicho que se va a ir de casa —solloza Steff—. No es por mí. Hemos tenido un matrimonio magnífico, pero está listo para volver a probar suerte.

La miro con incredulidad. Exactamente lo que dijo Bill. ¿Le ha pasado sus frases a Richard o es que los hombres vienen preprogramados con una cláusula de escape para la mediana edad impresa en su ADN? Puede que detrás de esos ejemplares del *Wall Street Journal* sí que hablen en el tren después de todo.

—Oh, Steff, no sabes cómo lo siento —digo, cogiéndola de la mano—. Ojalá pudiera hacer algo por ti.

—Ya lo has hecho. No he parado de pensar en ti todos los días. Me das esperanza —dice, mientras hurga dentro del bolso en busca de un pañuelo de papel.

Me pongo recta en el asiento, y no puedo evitar sentir una punzada de orgullo. Pensándolo bien, la verdad es que tampoco lo he hecho tan mal. La gente siempre dice que el divorcio es como la muerte y que pasas por las mismas cinco etapas: negativa, furia, regateo, depresión y aceptación. Me alegro de que mi experiencia pueda servirle de modelo a Steff a la hora de hacer frente a ese mal trago, pero quizá tendría que explicarle cuáles son las frases que deberá decir en realidad: «Que se joda, que se joda, que se joda, que se joda» y «Qué narices, en el fondo me da igual».

—Hay esperanza. La vida sigue. Después de que hayas superado el shock inicial, la verdad es que resulta emocionante regresar al mundo —digo en mi mejor tono alentador—. Podemos crear un futuro para nosotras mismas, aunque no tengamos ni idea de en qué va a consistir.

—Para ti es fácil decirlo —dice Steff—. Bill le contó a Richard que él y Ashlee habían roto.

—¿Y eso qué tiene que ver conmigo? —pregunto.

—Es lo que me está dando esperanzas —dice ella, aparentemente inspirada no tanto por mi fortaleza de ánimo como por el último rumor—. Ahora que Ashlee ha quedado fuera de la circulación, vosotros dos podríais volver a vivir juntos.

—No, no podríamos —digo secamente—. No soy tan idiota. Bill se fue de casa una vez; volvería a hacerlo. Si no es Ashlee, será Candi o Randi o Mandi. Con una «i» en vez de con dos «es».

—Al menos no estarías sola. Tendrías un marido.

—No la clase de marido que quiero —digo—. Además, tengo un novio.

Steff se queda tan asombrada que se le cae el pañuelo.

—¿Un novio? —pregunta, intentando asimilar la nueva información. Y luego, con una risita boba, añade—: Eso suena tan de sexto curso.

—No lo es, créeme —digo con una sonrisita de satisfacción.

—¿Te acuestas con él? —pregunta Steff, indecisa entre la conmoción y el interés.

—Claro —le digo como si tal cosa. Aunque entre la distancia y la disentería, Kevin y yo llevamos demasiado tiempo sin hacer el amor. Al menos ésa es una cosa que puedo remediar esta noche.

Cuando llego a casa, es Kevin el que está haciendo los preparativos para remediarlo. Un pollo se está cociendo en el horno, la mesa está puesta con velas y, aunque hace un frío que pela, Kevin me recibe en bañador.

—Me gusta tu nueva imagen —digo, desatándome el pañuelo y poniéndoselo alrededor del cuello.

—Habría ido a la puerta desnudo, pero ésta es mi concesión al espíritu conservador de las afueras.

—Hablando en mi nombre y en el de todas las vecinas de la manzana, eso habría estado muy bien.

—No hay problema. —Se quita el bañador y va a exhibirse enfrente de la ventana.

—¡Kevin! —grito, corriendo a bajar las persianas. Le he contado a Steff que tenía un novio, pero realmente no tiene necesidad de tanta prueba.

—Siento lo de esta mañana —dice Kevin.

—Yo también. La culpa ha sido mía.

Y eso es todo. Ambos sabemos que hay más que decir —mucho más—, pero antes tenemos que hacer una cosa.

—¿Tienes hambre? —pregunta Kevin, dándome un beso.

—Estoy hambrienta de ti.

—Esperaba que dijeras eso.

Hacemos el amor —ávidamente— en el suelo de la sala de estar. Quizá debería haber dejado subidas las persianas, si no para Steff, al menos para Darlie. Probablemente lleva mucho tiempo sin ver hacer el amor como es debido.

La cena no es todo lo formal que había planeado Kevin, pero es mucho más romántica. Llevamos el pollo entero (ha quedado perfecto, aunque hay un pequeño exceso de ajo) en una bandeja a la cama, y lo parto con los dedos. Le ofrezco un trozo a Kevin y él se lo mete en la boca, y luego me lame los dedos, uno por uno. Nos besamos, grasientamente, y me río como una tonta cuando nuestros labios resbalan hasta apartarse.

—¿Muslo o pechuga? —pregunto, ofreciéndole otro trozo de pollo.

—Mmm, ambos —dice él, besándome los pechos e iniciando un lento descenso hacia mi muslo.

Nos olvidamos de la cena, y volvemos a hacer el amor. La cama se mueve tanto que nuestras sobras caen de la bandeja y se esparcen sobre las sábanas, pero me siento demasiado extasiada para que me importe.

Estamos descansando el uno en brazos del otro cuando suena el teléfono, y viendo que es el número de Adam, contesto, como hago siempre.

—Hola, Adam. ¡Cómo estás, cariño! —digo.

Adam se embarca en una entusiasta descripción de su día de esquí, y mientras me siento para hablar con él, muevo los labios en un «Lo siento» silencioso dirigido a Kevin, que se encoge de hombros.

Metro a metro, Adam me cuenta su descenso por una de las pistas de diamante-negro. Mientras estoy ocupada hablando, Kevin se da la vuelta de modo que su espalda queda dirigida hacia mí, y yo extiendo la mano para frotarle los hombros.

—Parece que lo has pasado estupendamente —le digo a Adam, queriendo acortar la conversación por una vez—. Saluda a Emily de mi parte. Y cuando vayas a la universidad mañana, conduce con cuidado.

—Gracias, mamá. Nunca se me ocurriría conducir con cuidado si no me lo recordaras.

—No te preocupes. Siempre te lo recordaré —río, sabiendo que por muy mayores que lleguen a ser seguiré soltándoles a mis hijos todos los tópicos de la maternidad, sin que me importe lo ridícula que pueda sentirme al hacerlo.

Cuelgo y le doy un beso en la nuca a Kevin, pero antes de que él haya tenido tiempo de volverse, el teléfono suena de nuevo. Emily.

—Mamá, le dijiste a Adam que me diera saludos de tu parte —dice mi hija con fingida indignación—. ¿Es que ni siquiera podías saludarme tú misma? No sabía que estuvieras tan ocupada.

Miro a Kevin y pienso que no le voy a contar a Emily lo ocupadísima que ha estado su madre.

Mi hija está tan llena de historias como Adam, pero ella no toma las pendientes de la misma manera. Como novedad más digna de mención, me cuenta que un guapo instructor de esquí la invitó a tomar chocolate caliente y cree que ha tenido un enamoramiento fugaz. Primero bucear, ahora esquiar. Creo que he de mantenerla alejada de los deportes. ¿Quién dijo que tenías que lograr que tu hija se aficionara al atletismo para que no se pasara todo el tiempo pensando en los chicos?

—Mis hijos son de lo que no hay —le digo alegremente a Kevin cuando por fin vuelvo a deslizarme bajo la sábana.

—Tienes unos hijos estupendos —conviene él, pero en lugar de expresar ningún profundo interés por la vida familiar, coge el mando a distancia y enciende el televisor. Nos recostamos sobre las almohadas y Kevin va saltando de canal en canal: partido de hockey, noticias, pésima comedia de situación, reposición de *Los veinte grandes momentos de Teleguía* (originalmente eran cincuenta, pero ¿quién tiene tiempo para ver todo eso?), el canal de la información meteorológica, pésima comedia de situación. Si hacemos un alto en La-tienda-en-casa, quizás acabe comprando unas cuantas joyas más.

Le quito el mando a distancia de entre los dedos a Kevin y apago el televisor.

—¿Pasa algo? —pregunto.

—No —responde él, pero no suena nada convincente.

—Siento que nos hayan interrumpido —digo mientras intento acurrucarme junto a él—. Pero siempre voy a coger el teléfono cuando llaman mis chicos.

—Deberías —dice él.

—Hay un «pero» ahí dentro.

Kevin suspira y se levanta de la cama.

—Estoy empezando a entender a qué te referías esta mañana cuando hablaste de reorganizar tu vida —dice, mientras va y viene ante mí—. Cuesta bastante, ¿verdad? No creas que me he divertido mucho en este viaje, intentando adaptarme a tu mundo.

—Ahora es la intoxicación por comer alimentos en mal estado la que habla —digo.

—No, es la realidad.

—Siento que no lo hayas pasado bien —digo, poniéndome a la defensiva—. Intenté hacerlo lo mejor que pude.

Kevin se detiene por un instante y me mira.

—Ya lo sé. Los dos lo hemos intentado. Yo lo dejé todo para venir aquí y verte en la época del año en que estoy más ocupado.

—Y ahora estás enfadado porque yo no lo dejé todo para estar contigo todo el tiempo.

—No estoy enfadado. —Kevin sigue plantado al pie de la cama—. Tú me importas mucho, Hallie, de veras. Pero tu mundo está aquí y el mío está en Virgen Gorda. Siempre he sido honesto cuando decía que nunca podría regresar a Nueva York. Pero ahora que estoy aquí, puedo ver cómo es tu vida realmente. Sería una putada que tuvieras que sacrificarlo todo por mí.

—Estar contigo nunca sería una putada —digo. Me levanto

de la cama y lo rodeo con los brazos, apoyando la cabeza en su pecho desnudo. Luego añado en voz baja—: Pero podría ser duro. Demasiado duro.

Nos abrazamos sin decir palabra. Kevin me acaricia el pelo y siento mis lágrimas cayéndole sobre el pecho.

—¿En qué piensas? —me pregunta.

Respiro hondo y entierro un poco más la cabeza en su pecho.

—Pienso en que no puedo mudarme a Virgen Gorda —digo, y se me quiebra la voz—, ni siquiera por ti. Supongo que ya hace un tiempo que lo sé, pero no podía afrontarlo.

—Yo también lo he sabido —dice él—. Los compromisos nunca se me han dado demasiado bien. Tú te diste cuenta el primer día en que estuvimos juntos. Pero pensé que quizás esta vez... Ve a por ello, ve a Nueva York. Pero ¿qué puedo decir? Aquel sitio hizo que me entraran ganas de vomitar.

—No es justo. Nuestro futuro determinado por un cóctel de cangrejos echado a perder.

—Quién lo iba a pensar. —Me abraza y nos quedamos callados un buen rato.

—¿Sientes que haya ido en tu busca? ¿Debería haberte dejado en paz después de todos estos años? —pregunto finalmente con un hilo de voz.

—Nunca —dice él ardientemente—. Ha sido maravilloso. Verte ese primer día en la isla fue como una visión hecha realidad. La Hallie del instituto viene a mi propio paraíso.

—Para mí ahora va a ser el paraíso perdido —digo.

Al menos él pilla mi alusión literaria.

—Creo que se suponía que teníamos que leerlo mientras estábamos en último curso —dice—. Dickens, ¿verdad?

—Milton, pero has fallado por poco.

—¿Escribieron en la misma época?

—No, con un par de siglos de diferencia. Pero tanto Dickens como Milton eran ingleses.

—Al menos he acertado en algo —dice él.

—Has acertado en muchas cosas —le digo—. De hecho, no se me ocurre nada que hagas mal aparte de vivir en un sitio donde yo no puedo vivir.

Nos abrazamos muy fuerte, y Kevin me pasa la mano por la espalda.

—¿Crees que lo nuestro habría funcionado si hubiéramos seguido juntos después del instituto? —le pregunto finalmente.

—No, nuestros mundos eran demasiado distintos incluso entonces. —Kevin me levanta la barbilla y sonríe lastimeramente—. Supongo que eso es una cosa que no ha cambiado.

—¿Todavía puedo visitarte en el paraíso? —pregunto.

—Siempre que quieras —promete él.

—¿Y todavía podemos enamorarnos el uno del otro una vez cada veinte años?

—Seguro que sí —dice él. Me besa, despacio y con mucha ternura—. Algo que esperar. Y la mejor razón que se me ocurre para hacerme mayor.

Kevin y yo nos las arreglamos para hacer ahora lo que no fuimos capaces de hacer cuando dejamos el instituto: quedar como amigos. Desde que se fue, hemos hablado casi todos los días y, tras la segunda semana de separación, nuestras conversaciones han discurrido sin problemas, mucho más relajadas que en la fase lo-hago no-lo-hago de nuestra relación, después de irme de Virgen Gorda.

Una noche, sentada en mi despacho, lo llamo sólo para charlar. Kevin está animado y lleno de historias que contar, porque ha empezado el rodaje de la película con Angelina Jolie. Todo está yendo —por emplear sus mismas palabras— a pedir de boquilla. Me río y le tomo el pelo acerca de cuántas veces piensa que va a poder utilizar ese chiste. Cuelgo, sintiéndome reconfortada y sabiendo que hemos tomado la decisión correcta. En todos estos años con Bill, a veces me sentía harta de mi matrimonio e imaginaba lo que habría sido mi vida si hubiera seguido adelante con alguno de mis otros novios. Ahora he tenido ocasión de regresar al pasado y volver a tomar mis decisiones. Y aun así he dicho «no», en lugar de «sí», a Kevin y a Eric. ¿Y a Ravi? Bueno, en realidad a Ravi no llegué a decirle «no». Pero tampoco pude llegar a decirle gran cosa.

Absorta en mis reflexiones, abro el cajón de mi escritorio para coger la servilleta de papel que guardé después de mi valerosa cena en solitario en la Brasserie, donde apunté los nombres de los hombres con los que no me he casado. Miro la lista y contemplo el cuarto nombre, Dick Benedict. Ravi me hizo comprender que tienes que vivir en el presente, pero eso no cambia la pena que siempre me inspirará el cuarto nombre: vuelvo a plegar la servilleta y la sostengo en mi mano por unos instantes. No, no todas las elecciones que tomas en tu vida eran la correcta. Todavía tengo que afrontar eso.

Vuelvo al trabajo y me obligo a concentrarme en los papeles que tengo delante. Francamente, ahora tampoco es que haya nada más en lo que concentrarse. No hay marido y no hay novio, así que tengo claro que no puedo cagarla en este caso. Buscando pistas en el caso Tyler, repaso todas las declaraciones que hemos tomado. Releo la de Melina Marks pero no hay nada. Al igual que el señor Tyler, ella se cerró en banda, y lo único que dijo fue que se merecía el ascenso. Ir a oírla hablar en Dartmouth puede ser aferrarse desesperadamente a una última esperanza, pero según están las cosas voy a seguir cualquier pista. Ya entrada la noche, le envío un correo electrónico a Arthur explicando por qué no iré al bufete mañana. Lo único que puedo hacer es esperar que cuando vuelva, nadie esté sentado detrás de mi escritorio.

Salgo de casa a las cinco de la mañana para ir hasta Dartmouth en coche y, en honor a Kevin, acelero en la autopista con los cristales bajados y Bon Jovi bramando en los altavoces. Me salen carambanitos en las pestañas y finalmente me rindo y pongo la calefacción. Es más fácil ser un espíritu libre en los trópicos.

Cuando llego a Dartmouth, atravieso el campus con envidia de los chicos que pueden pasar los días escuchando a grandes profesores y meditando sobre las grandes cuestiones de la vida. De pronto me entran ganas de volver a estar en la universidad. Ir a clase y redactar trabajos siempre suena muy atractivo cuando ya no tienes que hacerlo. Pero ¿por qué pienso que es mejor hacer eso que acudir a reuniones de negocios y redactar resúmenes legales?

Me pierdo tres veces mientras doy vueltas por el campus en busca del edificio, pero siempre hay algún amable estudiante al que no le importa indicarme la dirección correcta. Finalmente, veo a Adam y su amiga Evahi esperándome frente al salón de actos, y ambos vienen hacia mí y me dan un beso. Evahi en las dos mejillas. Cuando llamé a Adam para decirle que iba a venir hoy, le conté todo acerca del caso, el papel de Melina, y la amenaza que supone para mi empleo. Mi leal hijo prometió que tanto él como Evahi me ayudarían en cuanto pudieran.

—Gracias por dejarme venir a vuestra clase —digo.

—De nada, creo que estás haciendo algo tope enrollado —dice Evahi, que viste vaqueros y un suéter muy holgado. Hoy no lleva nada de maquillaje, y con el brillo natural de una chica de diecinueve años, parece aún más guapa que en Navidad.

—A lo mejor te ayudamos a ganar el caso y acabamos saliendo todos por la tele en el Canal Procesal —dice Adam.

—O hacemos una película de ello —dice Evahi con excitación—. No sé por qué será, pero en las películas sobre discriminación por razones de género siempre salen actrices guapísimas. Demi Moore en *Acoso*, Meryl Streep en *Silkwood*, Charlize Theron en *En tierra de hombres*.

—Melina Marks en *Cómo mamá perdió su trabajo* —añade Adam.

—Gracias, querido —le digo a mi hijo, dándole unas palmaditas en el hombro.

El salón de actos está lleno a rebosar y mientras los chicos ocupan sus asientos, opto por hacerme con un sitio al fondo, fuera de la línea de visión de la oradora. Basándome en mis experiencias anteriores, espero que el profesor tenga el pelo blanco y los hombros caídos, y que lleve una vieja chaqueta de tweed con las coderas un poco deshilachadas. Pero este profesor, al que los estudiantes llaman Joe, tiene treinta y pocos años y es alto y lo bastante guapo para salir en las películas en lugar de dar clases sobre ellas. Otro incentivo para volver a la universidad. Presenta a Melina, que sonríe y le da las gracias por haberla invitado.

Con su traje chaqueta azul marino y sus zapatos de suela plana, cuando va hacia el estrado no parece exactamente la mujer fatal del caso. Repasa unas cuantas tarjetas con anotaciones y luego da inicio a una bien meditada disertación sobre los entresijos del negocio cinematográfico, explicando que los publicistas son más importantes de lo que nadie se imagina a la hora de crear la imagen de una estrella.

Los estudiantes están fascinados, e incluso yo me estoy enterando de un par de cosas. No acerca del caso, por desgracia. Pero ahora sé que Tom Cruise montó el numerito en el sofá de Oprah sólo después de haber despedido al tipo que llevaba muchos años encargándose de sus apariciones en público y haber contratado a su hermana, que no tenía ninguna clase de experiencia en el oficio y no tardó en descubrir que tenerlo controlado sí que era una misión imposible. Y me entero de que con tal de poder sacar celebridades en portada, a veces las revistas femeninas dejan que el publicista escoja tanto las fotos como a la persona que escribirá el texto y controle las preguntas que se les harán. Adiós a la ética que enseñan en la escuela de periodismo.

Después de estar hablando durante cosa de media hora, Melina deja a un lado el discurso que traía preparado.

—Me encantaría responder a vuestras preguntas —dice afablemente.

Unas cuantas manos entusiastas se levantan y Melina señala a una mujer joven sentada cerca de Evahi.

—En primer lugar, gracias por toda esta maravillosa información. Eres todo un ejemplo, una mujer que ha conseguido llegar alto —dice la estudiante, que obviamente se dispone a depositar su currículo en las manos de Melina en cuanto haya terminado el acto—. ¿Podrías contarnos cuál es la mejor manera de hacerse con un empleo?

—Saca sobresaliente en todas las asignaturas en Dartmouth y luego chúpasela a algún tío que esté metido en la industria cinematográfica —bromea Melina. La clase se ríe, y miro en derredor para asegurarme de que no hay ningún espía del otro bando tomando nota de esa frase para usarla contra el señor Tyler en el tribunal. Pero no, al parecer aquí no hay más topo que yo—. Hablando en serio, los contactos son importantes —continúa Melina—, pero siempre he comprobado que al final lo que en verdad cuenta es trabajar duro.

Bueno, eso ya está mejor. Ahora es citable por la defensa.

Melina da la palabra a otro estudiante.

—¿El mundo del cine es en verdad tan salvajemente competitivo como se dice?

—Sí, es una auténtica lucha a muerte —dice Melina, extendiendo un dedo y pasándoselo dramáticamente por el cuello—. Tengo tantas cicatrices que he de llevar prendas de cuello alto. —Tira de la capucha de su suéter como prueba mientras los estudiantes ríen de nuevo.

—Los pañuelos Hermes también irían bien —sugiere una chica de la segunda fila, una con cara esperanzada que probablemente ya se ha comprado el billete a L.A. Pienso que después de clase quizá debería hablarle de los pañuelos Echo, que son preciosos y cuestan una octava parte.

—¿Más preguntas? —pregunta Melina.

Más manos se levantan, y las tres preguntas siguientes tienen que ver con cómo puedes conseguir un empleo en la industria cinematográfica. Melina está relajada y se muestra muy distendida con los estudiantes, contándoles todo lo que necesitan saber con la única excepción de su número de móvil y su dirección de correo electrónico.

—¿Qué es lo más importante para hacer carrera en la industria cinematográfica? —pregunta un chico sentado en la primera fila.

Melina lo mira y se pone bien un pendiente mientras medita la respuesta.

—Mantener controlado el ego —dice finalmente—. Si la idea ha salido de ti, debes intentar no tomarte a mal que se le atribuyan los méritos a otra persona. Lo que importa es que tu jefe sepa lo que has hecho, no que el mundo entero lo sepa.

Me inclino hacia delante. Esto es interesante. Me muero de ganas de hacer una pregunta. Pero obviamente estoy mejor como una espectadora que en calidad de interrogadora. Melina está mucho menos en guardia con los estudiantes de lo que lo ha estado nunca conmigo.

Evahi agita la mano frenéticamente y Melina le dirige una mirada alentadora.

—¿Le ha sucedido a usted alguna vez? —pregunta Evahi—. ¿Ha habido alguna ocasión en la que no se le reconocieran los méritos?

—Claro —dice Melina.

Ahora sí que me ha picado el interés. ¿Podría ser que ese trabajo por el que no se le reconocieron los méritos sea la causa de que fuera Melina la que obtuvo el ascenso en vez de Beth? En ese caso, el señor Tyler estaba al corriente del asunto y tenía alguna razón para mantenerlo en secreto.

—¿Puede hablarnos de ello? —persiste Evahi.

Justo lo que yo quería preguntar. Si Evahi no llega a ser mi nuera, puede que simplemente la adopte.

—Puedo darte un ejemplo teórico —dice Melina, intentando ayudar a esa joven audiencia que escucha con tanta atención—. Supongamos que tuviste una idea que ha vuelto a poner en el candelero a una gran estrella, cambiando completamente su imagen y su carrera. Ella te está agradecidísima, pero el presidente de la compañía decide atribuirse todo el mérito. Deja muy claro que él tiene que seguir siendo el número uno con la estrella. Todas las ideas son sus ideas. Si vas por ahí alardeando de que ese plan genial se te ocurrió a ti, él se cabreará muchísimo y te despedirá.

—¿Sacó usted algún provecho de lo que hizo? —pregunta la chica que había recomendado los pañuelos de Hermes, como si no estuviera muy convencida de que tengas que sacrificarte por el equipo.

—Un ascenso —dice Melina. Pero entonces se da cuenta de que ha revelado demasiado incluso ante unos universitarios, y se apresura a rectificar—: No he dicho que fuese yo. Sólo hablaba teóricamente.

—Pero es usted, ¿verdad? —pregunta Evahi vehementemente.

Melina niega con la cabeza, y luego dice:

—No, no. En absoluto.

—¿Quién era la estrella? —dispara Evahi, que no quiere dar el tema por concluido.

Una sombra cruza por el rostro de Melina.

—Mira, olvídate de ese ejemplo —dice nerviosamente mientras ordena sus tarjetas y se tira del cuello del suéter, como si de pronto hiciera demasiado calor en la sala. Lanza una mirada suplicante al profesor Joe y da por finalizado el acto—. Bueno, supongo que ya he dicho todo lo que tenía que decir. Gracias por haberme dado la oportunidad de hablar.

Los estudiantes le dedican una generosa salva de aplausos y Melina sonríe trémulamente. Una vez terminado el acto, los aspirantes a magnates de la industria cinematográfica hacen corro a su alrededor. Yo acecho al fondo de la sala, intentando encajar las piezas del rompecabezas. Y de pronto me parece que ya lo tengo. Unos minutos después, cuando empieza a haber menos gente, Melina repara en mí. Me mira con sorpresa, pero luego pide a los estudiantes que quedan que la disculpen y viene hacia mí.

—La novia de mi hijo me comentó que hoy iba a hablar usted en la universidad —digo, antes de que tenga ocasión de preguntarme qué estoy haciendo aquí—. Ha estado magnífica.

—Gracias. Espero que los estudiantes se lo hayan pasado bien. Pero quizás he hablado demasiado.

—No, dijo exactamente lo que debía —le digo.

Me mira con preocupación.

—Mire, por fin entiendo lo que pasó. Su marido, Charles Tyler, no la ascendió por favoritismo. Usted se ganó el puesto superando a Beth debido a alguna idea que luego su jefe, Alan Alladin, se atribuyó como suya.

—Yo no he dicho eso —dice Melina.

—No, lo estoy diciendo yo. ¿Y tengo razón?

Melina duda antes de responder. Y luego en un tono tan bajo que apenas la puedo oír, dice:

—Sí.

Nos miramos y ella deja escapar un gran suspiro, como aliviada porque al fin ha quedado libre de su secreto.

—¿Por qué no me han hablado de ello usted o Charles? —le pregunto en voz baja.

Melina se deja caer en uno de los viejos asientos del salón de actos y apoya los codos en el pupitre anexo.

—Mire, Hallie, le supliqué a Charles que se lo contara —dice—. Pero él sabe que si la historia llega a salir a la luz, Alan Alladin nos despedirá a los dos y hará que toda la industria del cine nos ponga en la lista negra. Alan es un hombre muy poderoso, y si dice que no nos den trabajo, entonces nadie nos contratará. Charles quiere que usted obre algún milagro y obtenga un acuerdo que permita cerrar el caso.

—Oh, vamos. Deben de estar exagerando. El señor Alladin no puede haberle exigido que mantenga la boca cerrada cuando hay un proceso legal en curso.

Melina sacude la cabeza.

—Podía hacerlo y lo hizo. El ego de ese hombre carece de límites. El logotipo de la compañía está por todas partes y todas sus camisas llevan su monograma, AA. Está pensando en demandar a Alcohólicos Anónimos por usar sus iniciales.

—Bueno, en este momento, Beth Lewis tiene presentada una demanda legal contra su marido.

—No la culpo por haberlo demandado —dice Melina—. Lo único que sabía Beth era que Charles y yo estábamos manteniendo una relación. Nos habíamos enamorado en el trabajo, y supongo que todo el mundo lo notó. Pero eso no tuvo nada que ver con el ascenso. Beth no tenía ni idea de que era yo quien estaba tirando de todos los hilos para promocionar a Angelina Jolie.

—¿An-ge-li-na Jo-lie? —pregunto alargando el nombre.

—Bueno, supongo que ya puestos da igual que lo sepa todo —dice Melina con otro suspiro—. Angelina es cliente de Alan desde hace ya años. Todo el mundo estaba convencido de que era una salvaje que se morreaba con su hermano y llevaba ampollitas llenas de sangre alrededor del cuello, pero a mí se me ocurrió la idea de convertirla en Audrey Hepburn. ¿Qué le parece su actual cargo de embajadora de la ONU? Fue idea mía: yo me encargué de organizarlo todo. ¿Y de esos viajes a África para colaborar en la lucha contra el sida? También los organicé yo.

—¿Y Alan figuró como el responsable, de cara a la galería?

—Exacto. Ahora nadie piensa en ella de otra manera. Y lo más gracioso es que, bajo todos esos tatuajes, creo que Angelina realmente es una gran humanitaria.

—Tiene que dejarme usar esto para obtener un acuerdo en el caso —le ruego.

Melina se encoge de hombros.

—No servirá de nada. Alan dirá que es mentira y que él mismo se encargó de hacer todos los arreglos. ¿Quién va a poder demostrar que no fue así? Será mi palabra contra la suya. La imagen de Charles quedará todavía más por los suelos de lo que ya está, y los dos acabaremos en la calle.

—Sería más exacto decir que todos acabaremos en la calle, yo incluida. Mi trabajo también depende de este caso.

—Siento saberlo —dice Melina—. Pero ya le he dado muchísimas vueltas a esto. Sencillamente no veo ninguna salida.

—Puede que a mí se me ocurra alguna —digo, pensando en Kevin—. Tengo un amigo que conoce a Angelina. Confía tanto en él que «casi» no respira sin pedirle permiso antes.

17

El primer día de la vista del caso, utilizo uno de los coches del bufete para ir con Arthur a los juzgados de la plaza Foley, en la calle Sesenta Centro. Desde que el edificio pasó a servir de decorado en la serie *Policías de Nueva York*, siempre que vengo por aquí tengo la sensación de que estoy yendo a un plató de televisión en lugar de ir a hacer el trabajo por el que se me paga. Hoy tengo la esperanza de que habrá un giro inesperado en el último momento. Pero Arthur no está de humor para nada que no figure en el guión.

—Odio las sorpresas —me dice con un gruñido—. No podemos comparecer ante un juez sin saber absolutamente todo lo que va a suceder. Ésa es la regla número uno de un abogado.

—Sí, estar preparado. También es la regla número uno de los exploradores. —No me entretengo en explicar que me he preguntado a menudo cuál es la regla número uno de una exploradora. ¿Vender galletitas?—. El caso es que estoy preparada, Arthur —continúo—. Pero a veces tienes que dejarte llevar por la corriente.

—Hiciste un buen trabajo en Dartmouth, consiguiendo esa información sobre el trabajo de Alan Alladin que había hecho Melina. Pero, como te dijo ella, Alladin sencillamente lo negará. Vamos a acabar con «él dice, ella dice».

—Al menos será una clase de «él dice, ella dice» distinta a la que te encuentras normalmente en los casos de acoso sexual —sugiero—. Eso ya es algo, ¿no? Supone un giro interesante para nuestro trabajo.

Arthur sólo gruñe y mira por la ventanilla. A pesar de mis bravuconadas, no estoy segura de que mañana todavía tenga un trabajo interesante que mantener. Kevin ha prometido traer a nuestro testimonio secreto, pero al igual que Arthur, yo siempre he recelado de las sorpresas. A veces te estallan en la cara.

Cuando se abre la sesión, la jueza Ruth Warren, una mujer de pelo gris muy elegante con sus zapatos de salón y su toga negra, va rápidamente hacia su estrado. A diferencia de mí, ella no necesita preocuparse por lo que se pondrá cada mañana para ir a trabajar. Como las dos partes han acordado renunciar a un jurado, la jueza se limita a hacer unos breves comentarios y luego da paso a las alegaciones iniciales. El abogado de la demandante habla en primer lugar, explicando la grave injusticia de que ha sido objeto su cliente.

—Trabajadora y con mucho talento, Beth Lewis se merecía que la ascendieran. Pero ese ascenso le fue negado porque su jefe, Charles Tyler, se lo otorgó injustamente a Melina Marks. ¿Y por qué? —Hace una pausa para mirar a Beth, quien está recatadamente sentada en la mesa junto a él—. Porque el señor Tyler, el demandado, estaba teniendo una aventura con Melina Marks, con la que luego contrajo matrimonio. —Hace otra pausa y se quita las gafas para mirar a la jueza—. Señoría, la ley dicta que el lugar de trabajo sea un terreno de juego en el que se garantice la igualdad. Pero ¿cómo va a haber igualdad en un campo en cuyo centro hay una cama?

Se sienta mientras todos vemos con los ojos de la imaginación un enorme colchón de matrimonio puesto en la línea de cincuenta yardas del estadio de los Giants. Bueno, siempre será una comodidad para los jugadores del equipo y para todas esas fans que se mueren de ganas de acostarse con ellos.

Pero me obligo a dejar de pensar en eso y me levanto del asiento para hacer mis comentarios iniciales. Expongo minuciosamente nuestra posición, explicando que la defensa no va a discutir el hecho de que el señor Tyler y la señora Marks estaban teniendo una relación fuera del lugar de trabajo. (Ahora que pienso en ello, tienen un precioso apartamento de dos dormitorios en Sutton Place. Irrelevante para el caso, aunque no cabe duda de que es una victoria impresionante teniendo en cuenta cómo está el mercado inmobiliario en Nueva York.)

—La defensa demostrará que el señor Tyler otorgó el ascenso a la señora Marks basándose estrictamente en el mérito, y ofreceremos testimonios irrefutables a dicho efecto.

Veo que el abogado de Beth está rebuscando en el grueso fajo de papeles que tiene ante él, preparándose para llamar a su primer testigo. El señor Tyler me mira nerviosamente, sabiendo que está a punto de que le tomen juramento.

—Todo irá bien —le susurro, esperando parecer más segura de lo que estoy.

Entonces hay una súbita agitación en el fondo de la sala, y entra una mujer, reconocible inmediatamente a pesar de sus gafas de sol, su voluminoso abrigo marrón y el pañuelo Grace Kelly que oculta su larga melena. Saltándose el protocolo de los juzgados, avanza con paso resuelto por el pasillo, directamente hacia el estrado.

—Jueza, sólo dispongo de unos minutos y necesito hablar con usted —dice la misteriosa intrusa. Un alguacil del tribunal se adelanta para interceptarla. Se lleva la mano a la Glock automática que porta en la funda pero luego, decidiendo que la intrusa no parece tan amenazadora después de todo, pone una firme mano en su brazo para asegurarse de que no se acercará ni un paso más a la jueza.

—¿Quién es esta persona? —pregunta la jueza Warren, mirando primero al abogado de Beth y luego a mí.

—Es Angelina Jolie —susurra la estenógrafa, levantando la vista de su máquina de trascripción y quedándose boquiabierta.

—¿Estoy tocando a Angelina Jolie? —pregunta el alguacil. Se apresura a soltarle el brazo, pensando en que, en un mano a mano con la estrella que interpretó a la superheroína Lara Croft, sin duda sería él quien saldría perdiendo. Además, tiene asuntos más acuciantes que atender—. ¿Podría darme un autógrafo para mi hijo?

—¡Alguacil! —grita la jueza Warren—. ¡Necesitamos un poco de orden en la sala!

Angelina va hacia el estrado de los testigos.

—¿No podría tomarme juramento o algo para que pueda testificar? —pregunta.

El abogado de Beth salta de su asiento para objetar.

—Esto está completamente fuera de lugar. Esa mujer no figura en mi lista de testigos. No puede comparecer.

—Ya he comparecido —dice ella, quitándose el abrigo y entregándoselo al alguacil. Dobla sus gafas de sol y las cuelga en la uve del ya considerable escote de su suéter, con lo que éste desciende hasta tal punto que al asombrado alguacil se le cae el abrigo. Ambos se agachan al mismo tiempo para recogerlo y sus cabezas chocan durante el trayecto.

—Caray —dice el alguacil, restregándose la frente mientras se incorpora—. Ahora sí que puedo decir sin faltar a la verdad que Angelina Jolie tardará mucho tiempo en olvidarme.

La estrella deja escapar una ronca carcajada, y todos los presentes en el tribunal se unen a su hilaridad. Todos excepto la jueza Warren, que aprovecha la oportunidad para golpear el estrado con su mazo.

—Señora, ¿puedo pedirle que tenga la bondad de sentarse?

—Lo haría, gracias, pero no me puedo quedar mucho rato —dice Angelina gentilmente, como si acabaran de invitarla a tomar el té—. Miren, sólo quiero decirles que este pobre hombre, Charles Tyler, es inocente. Ustedes ya me conocen. Tengo la reputación de corregir las injusticias adondequiera que voy. Y esa reputación se la he de agradecer a esa mujer maravillosa que está sentada aquí, Melina Marks.

—Señoría, si es una nueva testigo de la defensa, necesita que se le tome declaración como es debido —dice el abogado de Beth, volviendo a levantarse como impulsado por un resorte, acalorado y visiblemente nervioso—. Esto es completamente inapropiado.

—Sí, lo es —conviene la jueza Warren—. Completamente inapropiado. Pero no deja de ser interesante. Y acabo de darme cuenta de quién es usted, señorita Jolie. Me encantó *Sr. y Sra. Smith*. Continúe, por favor.

Angelina asiente.

—Gracias. Siento no haberme enterado antes de este pleito, pero mi cámara, Kevin, acaba de explicarme lo que estaba pasando. Así que he investigado un poco y he descubierto que este hombre... —Angelina señala a Alan Alladin, que está sentado entre el público— se está atribuyendo el mérito de todo lo que ella... —ahora señala a Melina— hizo por mí. Nadie más lo sabe, pero Melina fue la única responsable del cambio que tuvo lugar en mi carrera.

Angelina hace una pausa dramática mientras asimilamos su información. Luego la estrella continúa hablando.

—Y él —dice, con su largo y esbelto dedo pasando a señalar ahora a Charles Tyler— hizo exactamente lo que debía al recompensar a Melina con un ascenso, y no debería haber sido demandado por ella. —Angelina se gira para señalar a Beth.

—No tenía ni idea —dice Beth.

—Porque la embaucaron. Nos embaucaron a todos —dice Angelina.

—Eh, esperen un momento. Yo soy el presidente de la compañía, y digo que nada de esto es cierto —proclama Alan Alladin, que ha levantado del asiento su metro sesenta lleno de indignación y agita la mano para que todos podamos ver el monograma AA que luce en los puños de la camisa y en los gemelos de diamantes. Empiezo a pensar que ese hombre debe de tener un serio problema de identidad.

—Es el presidente de la compañía, pero no el cerebro —dice Angelina—. He hablado con todos mis amigos en la ONU. Todos me han dicho que trabajaron con Melina, no con usted. Ella estaba allí hablando con ellos, convenciéndolos y haciendo que todo me fuera favorable. Me has engañado, Alan. Odio a la gente que finge ser algo que no es.

Fingir ser algo que no eres es la esencia de la profesión de actor, pero me abstengo de hacer ningún comentario porque Angelina es mi nueva heroína. Puede que incluso vea el deuvedé de *Inocencia interrumpida* e intente entender por qué le dieron el Oscar por su interpretación en esa película.

A estas alturas el abogado de Beth está al borde de la apoplejía, pero no hay mucho que pueda hacer. Angelina se mira el reloj.

—Ahora me tengo que ir, pero espero que todo haya quedado aclarado —dice, recogiendo su abrigo de manos del alguacil y encontrando una foto autografiada que darle.

—¿Está usted absolutamente segura de que todo lo que nos acaba de decir es cierto? —le pregunta Beth mientras Angelina pasa junto a ella.

—Absolutamente —replica la estrella, muy segura de sí misma.

—Bueno, entonces por mi parte no hay nada más que hablar —anuncia Beth antes de que su abogado pueda detenerla—. Si Angelina está en lo cierto, querría retirar la demanda.

Satisfechísima del papel que ha interpretado esta mañana, Angelina nos dice adiós con la mano y va hacia la salida. La vemos partir en un silencio asombrado, pero de pronto toda la sala prorrumpe en aclamaciones mientras Arthur me felicita, Charles y Melina se abrazan, y Beth grita «Lo siento». Pero hay una persona que no está nada contenta con el desenlace.

—¡Estás DESPEDIDA! —grita Alan Alladin furiosamente en dirección a Melina—. ¡De hecho, ambos estáis despedidos!

Angelina se detiene y nos obsequia con la misma sonrisa que tiene que haber conquistado a Brad Pitt.

—¡Oh, qué bien! —dice—. Menos complicaciones. Porque ahora puedo dejar la Agencia Alladin y contrataros a los dos.

Arthur me hace acudir a su sala de juntas ya entrada la tarde para que asista a una celebración improvisada en mi honor. Algunos de los socios y colaboradores del bufete, y todos los paralegales, están reunidos en la sala para brindar por mí con sidra. Pero llevo allí el tiempo suficiente para saber que en realidad no han venido por mí, sino porque va a haber pastel gratis. Y menudo pastel: una efigie de Elmo hecha con distintas clases de helado en la que pone «Feliz Tercer Cumpleaños, Petey».

—Pensaba que nunca conseguirías ganar el caso —dice la ayudante de Arthur a modo de disculpa—. Así que no lo encargué con tiempo. Esto es lo único que les quedaba en Carvel.

—¿Por qué habéis dejado sin pastel al pobre Petey? —le pregunto.

—Tuvo una rabieta y le dijo a su madre que Elmo ya estaba pasado de moda. La pobre tuvo que ir corriendo a la pastelería en busca de Shrek.

Quito las tres velitas que nadie se ha molestado en encender. A decir verdad, «Feliz cumpleaños, Petey» tampoco está tan mal como mensaje. El pastel también podría haber dicho «Buen viaje», teniendo en cuenta que ha faltado muy poco para que ésta fuese mi fiesta de despedida.

Arthur me abraza torpemente y hace un breve discurso sobre lo maravilloso que es trabajar conmigo. Aparentemente todo está perdonado.

—¿Por qué no te vas a casa temprano esta noche? —me dice cinco minutos después, mientras todo el mundo va saliendo de la sala de juntas para volver al trabajo bandeja de pastel en mano. En nuestra firma legal, las fiestas son más bien un concepto que una auténtica celebración.

—No me importa quedarme —digo.

—Vete. Has hecho un trabajo magnífico. Siento haberte hecho pasar tantos malos ratos —dice Arthur gentilmente.

Me voy y cojo uno de los primeros trenes, pero cuando vuelvo a estar en Chaddick, no sé qué hacer conmigo misma. La casa está en silencio y la siento más vacía que nunca. Me cambio de ropa y me dedico a dar vueltas en chándal, encendiendo y apagando la televisión, y luego haciendo lo mismo con la radio, el reproductor de deuvedés, mi ordenador, y la vieja consola de vídeo de Adam. Nunca tuve claro por qué la llamaban una Xbox cuando sólo las personas con cromosomas Y la usan.

Teniendo en cuenta lo asombrosa que ha sido mi mañana, debería sentirme triunfante, pero en lugar de eso me encuentro más bien abatida. Hoy ya he hablado con Kevin, pero vuelvo a llamarlo para asombrarme del milagro que se ha sacado de la manga.

—Tienes razón, fue toda una proeza por mi parte —dice con satisfacción. Luego, más modestamente, añade—: Pero no hace falta que me lo agradezcas. Para eso están los amigos, pequeña.

—Al menos los amigos que conocen a Angelina Jolie —me río yo.

De todos los posibles desenlaces en que pensé en el primer vuelo que hice a Virgen Gorda para ver a Kevin, el que me ayudara a salvar mi empleo y ganar un pleito legal de tanta categoría nunca llegó a figurar en la lista. Pero como he descubierto, la vida da giros inesperados.

Cuando colgamos, me siento todavía más sola. Sería estupendo tener a alguien con quien poder celebrarlo esta noche. Voy a la cocina, abro uno de los Dr. Pepper que Bill dejó allí en Nochevieja, y bebo un sorbo. Salud.

Hago girar la botella en mis manos con expresión pensativa. ¿Cómo sería volver a tener a Bill en casa? No estoy segura de poder imaginarlo. Todos los recuerdos alegres del pasado se me confunden dentro de la cabeza con las jugarretas que me ha estado gastando durante las últimas semanas. Normalmente, Bill era la primera persona con la que quería hablar cuando pasaba algo bueno o malo, porque sabía que siempre se pondría de mi lado. Pero de pronto empezó a tener algo más a su lado: Ashlee. Y me pregunto si ella fue la primera, o posiblemente sólo la última.

Mi instinto me dice que Bill planteó lo de volver a casa sólo porque en ese momento le había dado la venada. Él y Ashlee han roto, así que, como ya me había advertido Bellini, mi marido ha pensado en regresar al acogedor territorio de la sierra mecánica familiar, el garaje familiar, el patio trasero familiar, y la esposa familiar. ¿Qué fue eso que dijo Bellini de que yo era como un zapato viejo?

Con todo, zapato viejo o no, ahora tampoco me iría mal tener un poco de familiaridad. Marco rápidamente el número del móvil de Bill, sin darme tiempo a pensar mucho en ello. Cuando él responde, le cuento mi gran victoria de hoy, y naturalmente, él se troncha de risa y suelta un rugido de aprobación.

—Ojalá pudiera haber estado allí para verlo —dice.

—La verdad es que estuvo bastante bien —admito. Luego me quedo callada un momento—. Si no tienes nada que hacer mañana, voy a ir a comprar los regalos de cumpleaños de Emily. ¿Quieres venir?

—Claro —dice él—. ¿Por qué no? Eso de escoger regalos por mi cuenta nunca se me ha dado muy bien.

A la mañana siguiente, estoy muy enfadada conmigo misma por haber propuesto el plan. ¿En qué podía yo estar pensando? Me mantengo ocupada con las labores domésticas: voy a la tintorería, hago unas cuantas compras por Internet y me paso por el colmado de la fruta. Luego voy a la elegante panadería francesa del pueblo. Mientras bajo en el coche hasta South Street Seaport para ver a Bill, voy comiendo una galleta de chocolate para darme ánimos. Solía quejarme de las pasas que quedaban esparcidas sobre el asiento de atrás cuando los chicos eran pequeños. Ahora que se han ido, ¿cómo voy a poder explicar todas esas migajas?

—Tienes azúcar en el labio —dice Bill cuando me reúno con él enfrente de Abercrombie & Fitch. Me lo quita y me da un beso en la mejilla, sin dejar de contemplar la bolsa de papel de la panadería que llevo conmigo.

—¿Eso es para mí?

—Pues el caso es que sí —digo, ofreciéndole la galleta negra y blanca tamaño gigante que le he comprado, sabiendo que es su favorita. Después de haber estado haciendo cola durante diez minutos en Le Pain au Français (o como lo llamamos nosotros, el Pan Francés), me ha dado vergüenza comprar sólo una miserable magdalena. Pero ahora me siento todavía más avergonzada por haberle traído algo a Bill.

—Esto significa mucho para mí, Hallie —dice Bill, mirando la galleta como si fuera el Nobel de la Paz.

—No busques demasiado significado en un poco de harina y azúcar —le digo.

—No lo haré. Pero está muy buena. —Da un mordisco a la parte de arriba—. Y tenerte aquí es la auténtica guinda del pastel.

No puedo evitar sonreír.

—Tranquilo. Tampoco hace falta que seas encantador.

—Me sale de manera natural.

Entramos en Abercrombie & Fitch y somos recibidos por un estruendo de música y un modelo masculino que luce vaqueros de cinturilla bajísima y una gran sonrisa. Su pecho desnudo está bronceado y sin un solo pelo, y sus pectorales perfectos relucen.

—¡Bienvenidos a Abercrombie! —dice—. ¿Qué les puedo enseñar?

—Una camisa —digo, medio en broma. Miro en derredor y veo que hay pilas de ellas por todas partes, pero aparentemente ninguna le ha parecido lo bastante buena. ¿Hasta qué punto es buena política para un establecimiento que vende prendas para cubrir el torso enviar el mensaje de que estás más sexy sin ninguna de ellas?

Bill y yo entramos en la planta baja abarrotada de gente y elevamos inmediatamente el promedio de edad de la clientela unos diez años. O tal vez veinte. Grupitos de adolescentes pasan como una exhalación junto a nosotros, buscando los vaqueros perfectos con una intensidad que deberían estar reservando para emplearla en la universidad. Pero aquí el examen de ingreso es mucho más duro.

—¿Qué diferencia hay entre el lavado a la piedra, el informal y el acabado antiguo? —pregunta Bill mientras mira las etiquetas.

—La pregunta del millón es dónde quieres que estén los desgarrones —digo, señalando un colgador en el que está expuesta toda la gama—. ¿Prefieres un agujero en la rodilla? ¿Un desgarrón en el muslo? ¿O algunas zonas raídas en el trasero?

—Todo lo anterior —dice él—. Nada es demasiado bueno para Emily. De hecho, olvidémonos de los vaqueros y compremos sólo los agujeros.

—Genial. A Dunkin' Donuts les funcionó —le digo.

Bill se ríe.

—Comprarle unos vaqueros a Emily es demasiado complicado, ¿verdad?

—Exacto —digo—. ¿Qué te parece un suéter? Eso es menos arriesgado.

—¿Qué? —pregunta él, intentando oírme por encima de la música, que parece haber subido el volumen ahora que está sonando 50 Cents.

—Un suéter —digo, prácticamente gritando mientras compito con la vibración del bajo. Se me ocurre pensar que en reali-

289

dad ni Abercrombie ni Fitch quieren que compre en su establecimiento. Si quisieran tenerme por cliente, harían sonar temas de Carly Simon, a unos treinta decibelios menos.

Pero ya que hemos recorrido un buen trecho para venir hasta aquí, cojo un suéter con diseño de rombos en color rosa intenso y una chaqueta de pana, prendas ambas que son aprobadas inmediatamente por Bill. Claro que en estos momentos podría conseguir que diese su aprobación a cualquier cosa. Para cualquier persona que tenga más de veinticinco años, comprar aquí es prácticamente una tortura. Ahora que el gobierno ha cerrado Guantánamo, Seguridad Interior debería empezar a pensar en hacer sus interrogatorios en Abercrombie. Después de una hora de hacer frente a una pared de pantalones de descargador de muelles disponibles en siete tonos de caqui distintos, cualquier terrorista se derrumbaría y confesaría.

Después de que hemos pagado, Bill coge una camiseta azul marino que luce un alce como insignia, uno de los últimos vestigios de cuando Abercrombie aún vendía artículos para cazadores. No es que yo piense que un cocodrilo queda más elegante, pero ¿por qué de pronto los adolescentes quieren ir por ahí con una cornamenta en el pecho? Por mi parte, prefiero un buen polo Ralph Lauren.

—¿De verdad quieres esa camiseta? —le pregunto a Bill.

—Sí, la quiero —dice, volviendo a la caja registradora.

Pero cuando llegamos a la entrada de la tienda, le da el paquete al modelo masculino con el pecho al aire.

—Estamos en enero. Ponte algo encima. Podrías pillar un resfriado —le dice.

El modelo pone cara de perplejidad y se echa a reír. Bill me coge de la mano y me saca de la tienda.

—Un resfriado es lo de menos que podría pillar —digo.

Como Abercrombie ha sido idea mía, ahora le toca elegir a Bill. Pasa por delante de J. Crew, Guess and Coach y me lleva por la calle adoquinada hacia Brookstone, la tienda de artilugios tecnológicos en la que venden desde alcachofas de ducha rotatorias hasta detectores de radar. Para Bill es como haber entrado en el paraíso de las compras masculinas, y enseguida queda cautivado por cuatro versiones distintas de un despertador de viaje digital.

—Fíjate en esto. Puedes saber la hora en siete zonas distintas, la humedad local y la presión barométrica.

Cojo el cuadrado negro con su parpadeante dial electrónico.

—Ah, sí, el regalo perfecto para una mujer joven —digo.

Bill lo deja en el sitio.

—Eso es un no, ¿verdad?

—Verdad —confirmo.

—Parece que no siempre sé lo que quieren las mujeres —dice Bill con un encogimiento de hombros—. ¿Y qué hombre lo sabe?

Me siento en uno de los sillones de cuero negro del área de ventas y miro la etiqueta del precio: cuatro mil pavos. Por tanto dinero, más vale que este sillón cante y baile. Juego con algunos de los botones incrustados en el lateral, y de pronto el sillón empieza a murmurarme tonterías con voz cariñosa al tiempo que me acaricia las caderas delicadamente.

—Lo que quiere una mujer es un hombre que sepa tratarla igual que este sillón —le digo a Bill mientras apoyo la nuca en el reposacabezas con sus altavoces disimulados y siento que el soporte lumbar empieza a ponerse calentito con sus vibraciones masajeándome la espalda suavemente.

—¿Tu novio hace eso? —pregunta Bill.

—¿Qué? Yo no tengo ningún novio. ¿Dónde has oído decir que tengo un novio?

—El otro día me encontré por casualidad con el marido de tu amiga Steff en la ciudad. Richard y Steff ya no se hablan, pero al menos todavía les gustan los cotilleos. Según él, le has contado a Steff algo sobre un no sé qué joven semental con el que has estado viviendo.

—Yo no le he dicho nada semejante —protesto, impresionada por cómo ha crecido mi única pequeña mención del asunto. Si dejase que el molino de los rumores siguiera moliendo, a lo mejor mañana todos sabrían que me voy a casar con Jake Gyllenhaal, con tal de que pudieran pronunciar su nombre.

—Bueno, ¿cuál es la verdadera historia? —pregunta Bill.

Me remuevo en el sillón. Cuesta un poco mantener una conversación seria con tu ex marido acerca de tu ex novio cuando estás apoltronada en un sillón que se desvive por atraer tu atención.

—Fui a visitar a un antiguo novio y luego él vino a visitarme a mí, pero ahora sólo somos amigos.

—¿Te acostaste con él? —pregunta Bill, sonando un poco como Steff.

—¿Por qué lo quieres saber?

—Estoy intentando decidir si ahora estamos iguales.

Disgustada, ajusto el dial de masaje en «alto» y el sillón se pone tan nervioso como yo. Encontrar un objeto inanimado que pueda expresar tus sentimientos más recónditos vale todo el dinero del mundo.

—No estamos iguales —digo—. Fuiste tú el que se largó de casa, se escapó con una jovencita y se portó como un capullo.

—Supongo que es una forma de verlo —dice Bill caballerosamente.

—Es la única forma de verlo. Nunca estaremos iguales.

Bill se levanta y va a la sección de «Cuidado del automóvil». Lo observo desde el otro extremo de la planta, no muy segura de lo que estoy sintiendo. Si he podido dar segundas oportunidades a todos mis antiguos novios, ¿acaso mi casi-antiguo marido no se merece una, también?

—Ven aquí —me llama Bill, haciéndome señas de que me reúna con él—. Creo que no deberías conducir sola sin un Medidor de Neumáticos Vocal. Te lo compraré.

Miro la herramienta. Uno de los típicos regalos cariñosos de Bill, y el caso es que sólo cuesta quince pavos. Claro que para él eso es tirar la casa por la ventana.

—Muestra la presión hasta un máximo de setenta kilos por centímetro cuadrado y además te la recita en voz alta —dice—. La falta de aire es el enemigo número uno de un neumático.

—En ese caso habrá que combatirlo —me río. Por un momento, me permito el lujo de sentir que todavía hay algo que me une a Bill, y empiezo a notarme más animada.

Pero la cosa se queda en nada. El móvil de Bill empieza a sonar y él mira el número y sonríe. Abre el móvil, y ni siquiera se molesta en ponerse de espaldas a mí mientras empieza a hablar atropelladamente por el receptor.

—Hola, preciosa. Una gran noche, ¿verdad? —dice con una mueca salaz, obviamente a alguna mujer. Escucha en silencio mientras ella dice algo, y luego replica—: Pues claro que no estás interrumpiendo nada, muñeca. Estoy solo. Ya sabes que siempre me encanta poder hablar contigo. —Me guiña el ojo y luego se aleja unos pasos para continuar su conversación.

Lo sigo con la mirada. ¿Cómo he podido permitirme experimentar aunque sólo fueran cuarenta y cinco segundos de buenos sentimientos hacia el mentiroso de mi ex marido? Ahora veo cuánta razón tenía cuando le dije a Steff que no me podía fiar de él. Bill es un zopenco, pero en realidad es conmigo misma con quien estoy enfadada. Cuando regresa, estoy que echo chispas.

—¿Quién era ésa? —pregunto.

—Nadie especial. Sólo una mujer con la que estoy saliendo —dice él displicentemente.

—Bill, déjame preguntarte una cosa. ¿De qué iba exactamente ese jueguecito tuyo en Nochevieja? Pedirme que saliéramos juntos, traerme una caja de Dr. Pepper. Todas esas chorradas de que querías volver a casa.

—Era una posibilidad que considerar, pero no te vi muy interesada.

—Parece que no andaba tan desencaminada, ¿verdad?

—No lo entiendo, Hallie. Hemos estado casados durante muchos años. Me gustas mucho. ¿Por qué tienes que sentirte tan amenazada sólo porque estoy saliendo con otras mujeres?

Quizá si no estuviera tan enfadada, podría reírme de lo bobamente egocéntrico que puede llegar a ser Bill. Pero en estos momentos, lo único que me viene a la cabeza es tirar al suelo el regalo que me quería comprar y salir de la tienda hecha una furia. No necesito su ridículo medidor de neumáticos. Mi enemigo número uno no es la falta de aire, sino las falsas esperanzas.

La tarde siguiente me toca entretener a la manada de Chaddick, y agradezco la diversión. Empiezan a llegar a las cuatro tal como habíamos acordado, y Bellini, más acostumbrada a retrasarse elegantemente en Manhattan que a ser contenidamente puntual en las afueras, aparece con veinte minutos de retraso.

—Has tenido una idea estupenda —dice Amanda—. Una reunión de domingo por la tarde. Es tan decadente.

Bellini mira a su alrededor, supongo que preguntándose qué puede haber de decadente en una habitación con seis mujeres vestidas como es debido. Si está esperando que entre un guaperas y empiece a quitarse la ropa, más vale que la prevenga de que lo más escandaloso que va a ver hoy es una quiche quemada.

—Los domingos nunca me separo de los gemelos. Es el día dedicado a la familia —dice Amanda, explicando por qué le parece tan ilícita esta reunión—. Pero siempre me alegra poder descansar del ruido.

—Y yo me alegro de poder descansar del silencio —dice con voz lúgubre la recientemente separada Steff.

—Pobrecita —dice Rosalie mirándola con simpatía—. No puedo creer que Richard se haya ido de casa.

—Ni que Bill se fuera —añade Amanda.

—Cada vez que nos juntamos hay un marido menos por el que preocuparse —dice Darlie alegremente—. Es como esa novela de Agatha Christie en la que iban asesinando a un personaje detrás de otro hasta que al final ya no quedaba ninguno.

Rosalie me mira esperanzadamente.

—¿Hay alguna posibilidad de que...?

—No —digo resueltamente—. Puedes tratar de aferrarte a lo viejo, pero llega un momento en que tienes que hacer limpieza en los armarios.

Me callo, porque no quiero entrar en una larga explicación de lo que pasó ayer: de cómo me entraron unas repentinas y terribles ganas de ver a Bill y cómo enseguida supe que no era una buena idea, pero pensé que tenía que intentarlo porque era lo mínimo que podía hacer, y entonces volví a descubrir que la cosa no iba a funcionar. No puedo dejar que Bill vuelva a pisotearme el corazón. El mundo no dispone de un suministro ilimitado de Oreos con doble relleno.

—Hacer limpieza en los armarios —digo, porque no quiero seguir pensando en eso—. Tienes que librarte de lo que ya no funciona y tratar de no lamentarlo después.

—Siempre lo lamentas un poco —dice Bellini, añadiéndose a la conversación para ayudarme a escapar de ella—. Pero tanto si se trata de un vestido de poliéster como de un hombre que te engañaba, tienes que seguir adelante. Y eso es lo que estamos haciendo hoy, ¿verdad? Al menos con los vestidos de poliéster.

—¡No sabéis lo emocionada que estoy! —dice Rosalie, y se pone a dar palmas porque no se ha enterado de todo el conmovedor trasfondo de la conversación—. ¿Verdad que Hallie ha tenido una buena ocurrencia al invitarnos?

Desfilamos en dirección al comedor, donde las mujeres han depositado sus bolsas de compras al entrar. Las he invitado a todas a traer al menos una prenda de ropa que hayan comprado y que nunca se hayan puesto.

—He aquí las reglas —digo—. Todas tenemos colgado dentro de nuestro armario ese Gran Error al que todavía no le hemos quitado la etiqueta del precio. Con un poco de suerte, alguna de las que estamos aquí pensará que es un Gran Hallazgo. Si no, lo podemos enviar a cualquier institución benéfica, y así nunca más tendremos que volver a pensar en él.

—Me encanta esta idea de Hacer Trueques y Charlar —dice Amanda.

Bellini ríe suavemente.

—Cuando le hablé de la fiesta a Hallie, le dije que a eso se lo llamaba Cambalachear y Poner Verde.

—Vivimos en las afueras —la riño—. Aquí no ponemos verde a nadie.

—Yo sí, y si se dieran las circunstancias adecuadas, incluso podría estar dispuesta a hacer algún cambalache —dice Darlie provocativamente.

—Eso es otra clase de fiesta, querida —dice Bellini dándole una palmadita en el hombro—. Y pasó de moda con los años setenta.

Jennifer ríe disimuladamente.

—Bueno, hablando de pasar de moda, os voy a enseñar lo que encontré yo.

Saca una cazadora de terciopelo anaranjado con una florecita de lentejuelas cosida en la solapa, y todas nos tronchamos de risa. Los Grandes Errores —la mayoría de las asistentes ha traído varios— van saliendo de las bolsas. Bellini se queda con la cazadora de Jennifer, dice que siempre se la puede poner cuando vaya a cierto club del East Village. Mi abultadísimo vestido plisado no encuentra a nadie que quiera quedárselo, aunque todavía lleva las etiquetas, porque les hace demasiado grandes las caderas a todas. Votamos mandárselo a Teri Hatcher junto con un pastel recubierto de tres capas de chocolate. De uno u otro modo, Teri estaría mejor con algunos kilos de más.

El problema con el vestidito de cóctel que se ha traído Bellini no es que la haga parecer demasiado rellena. Lo que pasa, más bien, es que lo compró un par de tallas pequeño.

—Lo encontré en Roberto Cavalli cuando acababa de hacer dos días de dieta a base de pepino y granada —dice Bellini, sosteniendo la mini modelo anoréxica—. Entonces ya me cabía por los pelos, pero siempre pensé que algún día sería de mi talla. La he conservado durante dos años como ejemplo de inspiración. Pero la auténtica inspiración me ha venido esta mañana cuando me he dado cuenta de que la había cagado. ¿Quién necesita estar tan delgada, de todas maneras?

Todas reímos y decidimos meterlo en el paquete de auxilio para Teri Hatcher.

Luego, Amanda nos muestra la gran ganga que en el momento de comprarla le pareció irresistible.

—Es de Moschino, y la encontré rebajada a treinta dólares cuando originalmente valía seiscientos —dice, enseñándonos una minifalda de vinilo blanco con ganchitos de metal en el dobladillo—. Pero ¿quién se pondría nunca algo semejante?

—Heather Locklear. Anna Nicole Smith. Cualquier fulana de la calle Cuarenta y dos que quisiera ir bien vestida. La clientela del Lucky Changs —sugiere Bellini.

—Y yo —dice Darlie, quitándosela de la mano a Amanda y

obviamente convencida de que por fin podrá codearse con las mujeres bien vestidas. No le digo que Lucky Changs es un club de travestis que hay en el centro.

—¿Y tú, Steff? ¿Cuál es tu Gran Error? —pregunto.

—Haber comprado esta combinación pensando que a Richard le haría gracia verme con ella —dice, arrojando sobre la mesa una Natori de seda que es realmente preciosa. Las lágrimas le brillan en los ojos mientras contempla la prenda llena de encajes—. Ahora nadie la verá, así que una de vosotras podría llevársela.

—Me la quedo —dice Darlie, volviendo a extender la mano hacia la mesa. Esta mujer es como una aspiradora, que absorbe todo lo que toca.

—Ni hablar —dice Amanda, quitándosela de la mano. ¿Una pelea de gatas por una combinación Natori? Abro la boca para explicar que puedes hacerte con una rebajada en Bloomingdale's, pero Amanda tiene otros planes para la prenda.

—Quédatela tú, Steff —dice firmemente mientras se la devuelve—. Seguro que alguien llegará a verla. Habrá otro hombre. Y entonces me lo agradecerás.

Steff pasa los dedos por la suave tela.

—Pues a mí me parece que ahora nunca volverá a haber alguien más —dice después—. ¿Me creeríais si os dijera que en toda mi vida sólo me he acostado con un hombre aparte de Richard? Sólo ha habido otro hombre.

—¿Por dónde anda ahora?

—No tengo ni idea —dice Steff—, pero nunca lo olvidaré. Se llamaba Peter. Alto, ancho de hombros, y la persona más cariñosa del mundo. Nos tirábamos la noche en vela hablando y planeábamos tener seis hijos.

—Gracias a Dios que no te casaste con él —dice Darlie—. Seis hijos. Aunque hubieras parado en el quinto, piensa en la de estrías que te habrían salido.

—StriVectin para las estrías —aconseja Jennifer.

—Yo también tuve un Peter —dice Amanda como si hablara en sueños—. ¿Acaso no lo tuvimos todas?

—Es un nombre muy corriente —dice Rosalie, que como siempre no se entera de nada.

Amanda se ríe.

—Mi Peter se llamaba Jean-Paul. Muy sexy, muy francés, muy rico. Ahora mismo yo podría estar viviendo en París. Quiero decir que, bueno, el caso es que me encuentro muy a gusto aquí en Chaddick, pero pensad en lo que hubiera podido ser mi vida. —Se calla, obviamente absorta en fantasías de ser madame Jean-Paul, comiendo cruasanes y chocolate Valrhona, una de esas mujeres francesas que nunca se ponen gordas.

—Hasta mi madre tuvo un Peter —dice Bellini—. Hará cosa de un par de meses me puse a mirar unos viejos álbumes de fotos en su casa, y encontré una foto en blanco y negro de un rubio muy guapo con un bañador bastante ceñido que le pasaba el brazo por la cintura en una playa. Le pregunté a mi madre quién era aquel tipo, y se quedó mirando la foto y luego se puso más roja que un tomate. «Es el hombre con el que estuve saliendo antes de conocer a tu padre —me dijo—. El hombre con el que no me casé.»

—¿Cuántos años tiene tu madre? —pregunto curiosamente.

—Sesenta y cinco. ¿Te lo imaginas? Conoció a ese hombre hace más de cuarenta años y ha estado felizmente casada desde entonces. Le pregunté por qué guardaba todavía la foto, y me dijo que le gustaba pensar en él de vez en cuando.

Todas guardamos silencio por un instante.

—Confieso que me asusté un poco —dice Bellini—. ¿Y si mi madre se hubiera casado con su guaperas de pelo claro en vez de con mi padre? El camino que no llegó a ser recorrido. Yo ni siquiera existiría.

—O serías rubia —sugiere Darlie—. Rubia natural, quiero decir.

Me río.

—Lo bueno que tiene el sendero que no has tomado es que a veces puedes volver a ir por él. Yo lo he hecho.

—¿Sí? —pregunta Steff.

—Sí —digo, y poco a poco empiezo a compartir con ellas la historia de mi búsqueda después-de-Bill. Eric, Ravi, Kevin. Mis amigas me miran con los ojos como platos. De pronto ya no soy Hallie la madre, Hallie la abogada, Hallie la vecina de al lado que sólo piensa en las cosas prácticas. Ahora soy Hallie la aventurera. Por las caras de perplejidad que están poniendo mis amigas, cualquiera diría que acabo de saltar desde lo alto del Empire State atada a una cuerda elástica. Y en cierto modo lo he hecho. Me he arriesgado a saltar y no me he estrellado contra el suelo.

—Caray, eso tiene que haber sido muy divertido —dice Amanda, y por la forma en que le brillan los ojos, tengo el presentimiento de que lo primero que hará cuando vuelva a casa será entrar en Google para mirar la guía de teléfonos francesa.

—Lo fue —digo con una sonrisa.

—Yo necesitaría toda una vida para localizar a todos los hombres con los que no me he casado —dice Darlie.

—¿Hay algún hombre con el que no te hayas casado? —pregunta Steff dulcemente, aludiendo a los cuatro trayectos por el pasillo nupcial que lleva hechos Darlie.

—Mejor no hablemos de eso —dice Amanda. Coge la chaqueta de ganchillo que ha aportado Rosalie y juega con el ribete de pompones—. Pero hay algo seductor en mirar las cosas viejas desde una nueva perspectiva. Me parece muy lindo que hayas vuelto a conectar con tus antiguos novios.

—¿Sabes lo que fue todavía más lindo? —le digo con voz pensativa—. Que no sólo volví a ver a los hombres, sino que el verlos me hizo recordar quién era yo hace todos esos años. Me he sentido atraída por tantas clases distintas de hombres: el que tiene un alma sensible, el triunfador, el chico malo. Supongo que todo formó parte del proceso de descubrir quién soy yo realmente y probar distintas personalidades.

—¿Cuál fue la personalidad que llevó esa blusa de Laura Ashley? —pregunta Steff, burlándose de la recatada prenda con un estampado de flores y ese cuello tan poco revelador que he traído al trueque.

—La que quería encontrar trabajo. Pero no olvides que también llevé este vestido de punto rojo camión de bomberos que no puede quedar más ceñido —digo, sosteniéndolo ante mí mientras me contoneo.

—Tres hombres —dice Steff sacudiendo la cabeza, como si le pareciese inconcebible. Pasa la mano por la combinación que

Amanda ha insistido en que se quedara—. ¿Hay alguien más en tu lista?

Vacilo y me muerdo un pellejito del pulgar. ¿Hay alguien más?

—No —digo—. Eso es todo.

Después de que todas las demás se hayan ido, Bellini y yo nos ponemos a guardar la ropa para enviarla a alguna institución de beneficencia. Cuando me disponía a atar el paquete, Bellini decide añadir la cazadora anaranjada que había reclamado, convencida de que en alguna parte tiene que haber una chica de dieciocho años a quien le haga mucha más falta que a ella.

Cuando hemos terminado, preparo una tetera y nos repantigamos en el sofá.

—Bueno —dice Bellini antes de beber un sorbo—, ahora que nos hemos quedado solas supongo que ya puedo decirlo. No fuiste del todo sincera cuando dijiste que no había nadie más en la lista.

—¿Qué te hace pensar eso?

—Te conozco, querida. Morderte un pellejito del dedo siempre te delata.

—¿Sabes que es más seguro que utilizar unas tijeras? Cortarte las cutículas puede causar infección o debilitar el nacimiento de la uña.

—Gracias, doctora.

Por si mi consejo de belleza no le ha dado suficientes cosas en que pensar para que se olvide de preguntar por mi lista, repaso la bandeja del té y me doy cuenta de que he traído limón pero no leche.

—Cielos, ¿qué clase de anfitriona soy? Voy a buscar la jarrita de la crema —digo, encaminándome hacia la cocina.

Bellini me agarra del brazo.

—No me gusta la crema. No me gusta la leche. Ni siquiera me gustan las vacas. Siéntate.

Me siento.

—¿Y a quién le gustan las vacas? Los hindúes las reverencian. Pero tengo un poco de soja en polvo, si la prefieres.

—Qué rica. Pero deja de intentar cambiar de tema.

Suspiro.

—Bellini, te lo he contado todo. Pero éste es demasiado doloroso.

—Tienes que afrontar el dolor para poder seguir adelante —dice Bellini, como si se hubiera tragado demasiados libros de autoayuda.

—Ésa es la terapia de la vieja escuela. La nueva escuela cree en la negativa.

—¿Cuándo cambió? —pregunta Bellini.

—Probablemente cuando el seguro médico dejó de cubrir los meses de visitas a tu terapeuta.

—¿Y qué tal te está funcionando la negativa? —pregunta Bellini.

—No tan bien —digo con un encogimiento de hombros.

—¿Quién era? ¿Alguien a quien quisiste de verdad? —pregunta Bellini.

—Alguien que me fascinaba. —Me quedo con la mirada perdida por un instante mientras me viene a la memoria el recuerdo de mis tres vertiginosos meses con Dick. Me enamoré locamente de su gentileza sureña y su sofisticado encanto, y ya no hablemos de la extravagante mansión que sus padres tenían en Nashville y las alocadas fiestas que daban. Beber julepes de menta en su galería me hacía sentir una mujer de mundo. Él me declaró que quería que fuese su esposa una semana después de que nos conociéramos.

—Se llamaba Dick. Pensé que nos íbamos a casar —le cuento a Bellini.

Mi amiga asiente con la cabeza.

—Ya sé a qué te refieres. En mi vida ha habido nueve o diez hombres con los que pensé que me iba a casar.

—Sí, pero para ti todos esos hombres eran primeras citas.

Bellini me hace una mueca.

—Te has mostrado muy atrevida desde que Bill se marchó de casa. ¿Qué puede ser lo bastante grave para impedirte ir en busca de ese último tipo?

Vuelvo la cabeza hacia la ventana para mirar el día frío y gris.

—Tiene que ver con Amy.

—Tu hermana pequeña, la que...

—Sí —digo.

—Quizás ayudaría si volvieras a verlo.

—Es que no lo sé. No estoy segura de que sea capaz de hacer frente a esa situación. Cuando te enamoras, a veces te hacen daño. Pero hasta que el suelo no se te desmorona bajo los pies, no te das cuenta de lo mucho que puede llegar a doler el amor.

18

Las pesadillas vuelven a empezar. Después de que rompiéramos, Dick estuvo entrando y saliendo de mis sueños durante años, y yo me despertaba gritando. Ahora que he mencionado su nombre en voz alta ante Bellini, es como si hubiera vuelto a conjurar al diablo. Dick me acosa noche tras noche, metamorfoseándose desde Don Juan en Satanás, adoptando una forma espantosa tras otra mientras me persigue por los callejones. Una mañana despierto desorientada, empapada en sudor. Voy hasta mi cómoda dando traspiés y saco el artículo que he recortado del suplemento de *Time* en el que mencionaban a Dick, que está realizando una carrera ascendente hacia el Congreso en Tennessee.

¿Cómo es posible que se presente al Congreso? No debería atreverse ni a mostrar el rostro en público, y no digamos ya a ponerlo en los pins de la campaña. Vuelvo a estudiar las cortas frases que hablan de la carrera. Las elecciones están siendo muy disputadas y Dick Benedict ha empezado a reducir la ventaja inicial que le llevaba su oponente. Si existiera un poco de justicia en el mundo, ahora Dick debería estar mordiendo el polvo en lugar de ganar terreno. Puedo entender por qué nadie lo llama Richard. Su viejo apodo siempre ha sido más adecuado: Dick *el Trampas*, Dick *el Sucio*, Dick *el Jugarretas*. Pienso que debería ponerme a escribir los eslóganes de su campaña y dejar que los votantes sepan quién es él realmente.

Hago los arreglos para volar a Tennessee. Funciono prácticamente con el piloto automático cuando tomo el vuelo de Delta, voy al mostrador de Hertz para alquilar un coche y conduzco hasta una parte vagamente familiar de la ciudad. Unos minutos después, estoy de pie en una pequeña oficina rodeada de pósters de dos metros del hombre que he intentado borrar de todos los rincones de mi mente. ¿Por qué me he atrevido a venir aquí? Siento las manos extrañamente pegajosas y el corazón me late muy deprisa.

Una joven entusiasta sentada detrás del escritorio de recepción en el cuartel general de la campaña de Dick Benedict, en cuanto me ve, salta de su asiento como impulsada por un resorte.

—Hola, ¿viene a ofrecerse como voluntaria? —pregunta emocionada.

—No exactamente —digo, secándome las palmas sudorosas en el extremo de mi suéter de algodón—. Vengo expresamente de Nueva York para ver al señor Benedict.

—¡Dinero de Nueva York! —dice la mujer—. Hemos intentado conseguir donantes de fuera del estado. ¿Conoce usted a Donald Trump?

—Sí —digo confiadamente, acordándome de que el primo de la suegra de mi amiga Amanda vive en uno de los edificios de Trump. Menos de seis grados de separación cuentan como una amistad personal y yo llegué allí en cinco.

—¿Llamará al señor Trump para hablarle de nosotros?

—Sólo si habla usted inmediatamente con el señor Benedict y le dice que está aquí Hallie Lawrence.

La mujer me da la espalda mientras hace una llamada, y unos instantes después oigo claramente cómo dice: «De acuerdo, se lo diré.»

Cuando se vuelve nuevamente hacia mí, su sonrisa es un poco menos acogedora.

—El señor Benedict está muy ocupado. Le pide disculpas y sugiere que deje un número de teléfono.

—Esperaré —digo.

—El señor Benedict tardará un buen rato en poder atenderla.

—Dispongo de tiempo.

—Tendrá que esperar muchísimo. Puede que hasta mañana.

—Mañana me va bien —digo, sacando de mi bolso una botella de agua Poland Spring para demostrar que puedo sobrevivir aquí todo el tiempo que haga falta. Cojo una galleta de chocolate de un plato que han puesto en la mesa para los voluntarios y me acomodo en una silla plegable.

—La verdad es que tendría que irse, por favor —dice la mujer, moviéndose nerviosamente en círculos a mi alrededor.

—A ver si lo adivino —digo—: Dicky «Tramposo» Benedict le ha dicho que no quiere verme.

—Ha dicho que me librara de usted, fuera como fuese —susurra ella.

—Bueno, pruebe con esto —digo—: si no me recibe, todos los periódicos de Tennesse se enterarán de una historia que él enterró hace veinte años.

La mujer me mira como si no supiera qué hacer.

—Vaya a decirle eso —le digo—. Use esas mismas palabras: «Una historia que él enterró hace veinte años.»

La pobre está desconcertada. La licenciatura en Ciencias Políticas que se sacó hace poco no la ha preparado para el escándalo. Aunque probablemente debería haberlo hecho. Pero me apiado de ella, y decido que no tiene por qué estar en la línea de fuego. Paso junto a su escritorio y abro la puerta del despacho de Dick Benedict.

—No... —grita ella mientras echa a correr detrás de mí. Pero enseguida vemos que el despacho está vacío. Un bocadillo a medio comer ha quedado olvidado encima del escritorio y un televisor sintonizado en una cadena de noticias locales todavía está encendido. La voluntaria mira en derredor, perpleja, pero me fijo en una puerta trasera, todavía entornada, y pasando por ella, me encuentro en un aparcamiento al aire libre. Alguien está poniendo en marcha el motor de un Mercedes, y corro hacia allí y planto las manos furiosamente sobre el capó.

A través del parabrisas, miro al hombre de pelo plateado que está sentado al volante, pero él se niega a devolverme la mirada. Mira hacia atrás como si se dispusiera a irse, y da gas al motor.

Golpeo el capó con el puño, y sin pensar grito:

—Adelante, Dick. ¡Pásame por encima! ¡Por qué no me matas también!

Él asoma la cabeza por la ventanilla, las facciones congeladas en una mueca de horror.

—Haz el favor de quitarte de en medio. No quiero tener que llamar al Servicio Secreto.

—Presentarte al Congreso no te da derecho a disponer del Servicio Secreto —replico—. Y cualquiera que te conozca un poco pensaría que no mereces ni que llame a un guardia de tráfico.

—Apártate de mi camino, por favor —dice él tensamente.

—Ya lo hice en una ocasión, y no pienso volver a hacerlo —grito.

Dick apaga el motor y baja del coche, cerrando la puerta tras él. Casi me sorprende ver que no se parece en nada al monstruo que tan imponente resultaba en mis pesadillas. Mide un metro setenta escaso y tiene un aspecto de lo más corriente, no dos metros con los ojos desorbitados y venas que le sobresalen de la frente. En vez de relucir con un brillo malévolo, sus ojos sólo reflejan el cansancio habitual de la mediana edad.

—Si querías hablar conmigo, no me parece que éstas sean maneras de hacerlo —dice.

—¿Qué sugerirías tú? En cuanto te enteraste de que estaba aquí saliste huyendo.

—Tenía que ir a un sitio.

—¿Adónde? ¿A la oficina de tu papá, para averiguar si podía protegerte de nuevo?

Dick tarda sus buenos segundos en responder, y puedo ver cómo intenta ocultar su inquietud.

—¿Qué quieres, Hallie? ¿Qué has venido a hacer aquí?

Lo miro con desdén.

—Hace mucho que no he estado en Tennessee, Dickie —digo, prácticamente escupiendo las palabras—. Había pensado pasarme por Dollywood. O quizá por el Grand Ole Opry.

El Grand Ole Opry. Intento mantener la calma mientras digo eso, pero necesito apoyarme en el coche cuando me acuerdo de aquella velada con mi hermanita Amy sentada a un lado y Dick sentado al otro. Todos estamos muy animados, celebrando los Felices Dieciséis de Amy.

—¿Has asistido a algún buen concierto últimamente? —le pregunto a Dick con amargura.

—Hallie, no me hagas esto —dice él, con una sombra de angustia en la voz.

Mi regalo de cumpleaños a Amy había consistido en un viaje a Nashville para conocer a mi novio Dick. Aún no me acababa de creer lo deprisa que me había enamorado de él y lo maravilloso que me parecía, y quería que Amy lo conociera. Dick organizó una sorpresa especial: consiguió unas entradas para que todos fuéramos a escuchar al ídolo de Amy, Reba McEntire. Amy no paraba de decirme que era la mejor hermana mayor del mundo. La familia de Dick controlaba la mitad del estado, así que nuestros asientos estaban en la primera fila, en el centro. Hacia la mitad del concierto, Reba cantó «Cumpleaños feliz» y bajó del escenario para dar un abrazo a Amy. Mi hermana chilló de deleite, nos besó a mí y a Dick, y dijo que le habíamos hecho pasar la noche más maravillosa de su vida.

¿Cómo me iba a imaginar que también sería la última?

—¿Por qué no debería hablar de esto? —le pregunto a Dick ahora—. Alguien tiene que contar la verdad. Para hacer que los votantes se enteren de esa parte de tu vida, ¿comprendes? ¿Ya saben que mataste a una chica inocente que sólo tenía dieciséis años?

Dick respira hondo.

—Hallie, no pienso mantener esta clase de conversación contigo.

—Tiene que estar muy bien eso de poder olvidar todo lo que pasó —digo venenosamente.

—No lo he olvidado. Fue lo peor que me ha sucedido en la vida.

—No pudo ser tan horrible como lo fue para mí —digo, y estoy tan fuera de mis cabales que me echo a llorar. Mis sollozos resuenan por todo el aparcamiento, y me restriego los ojos con los puños para contener el torrente de lágrimas. Dick da un paso adelante y extiende una mano hacia mi hombro como para consolarme. Me encojo y se la aparto.

—No te me acerques —digo, con todo mi cuerpo temblando con tal violencia que temo que se me doblen las rodillas en cualquier momento y me desplome sobre el asfalto.

Eso es lo que debe de parecerle también a Dick, según sus palabras: «Al menos siéntate», antes de abrir la puerta de su coche. Sin pensar, me deslizo sobre el suave cuero del asiento de atrás y él se sienta junto a mí. Cuando me doy cuenta de dónde estoy, me pongo todavía más histérica.

—¡Quiero salir! No quiero estar dentro de un coche contigo. Nadie debería subir a un coche contigo.

Dick se pone lívido cuando comprende lo que significa estar en un coche con la hermana de Amy. Baja la cabeza y sus hombros también empiezan a temblar.

—Hallie, fue un momento horrible, horrible —dice.

Oigo que se le quiebra la voz y por un instante no sé qué decir. Soy yo la que ha vivido torturada por esto, no Dick.

—He revivido esa noche un millón de veces, con todos los «si no hubieras» que te puedas imaginar —dice él—. Si no me hubiera colocado. Si no me hubiera enfadado tanto contigo después del concierto. Si no me hubiera marchado en el coche llevándome conmigo a Amy y no me hubiera estrellado contra aquel árbol. Si sólo hubiese muerto yo...

—¿Morir? No tuviste que pasar por ninguna clase de sufrimiento. Mi hermana murió, pero tus padres tiraron de todos los hilos para sacarte del lío. Dos meses en libertad condicional y una suspensión temporal del permiso de conducir. Apenas un cachete en la muñeca.

En la ciudad todo el mundo sabía que Dick tomaba cocaína pero no le daban mayor importancia, porque la cocaína era la droga que toman los ricos cuando quieren pasárselo bien. Yo era demasiado inocente para darme cuenta de que Dick tenía un problema muy serio. Él era mayor que yo; inteligente, rico y guapo. Creí ingenuamente a mi amado cuando me dijo que la droga era inofensiva. Entonces, en el concierto, le dio un subidón y por primera vez se puso desagradable y mordaz. Dick se rió de mí cuando se lo reproché y me dijo que a ver si crecía de una vez. Por qué era tan beata, se mofó. Yo me asusté, y tuvimos una pelea terrible.

—Era mi hermana —digo ahora—. Yo debería haberlo sabido. Debería haberla protegido.

—Lo intentaste —dice Dick—. Insististe en que conducirías tú, pero la coca me hacía sentir invencible. Me llevé a Amy y te dije que te reunieras con nosotros después.

—No querías atender a razones y yo no sabía cómo detenerte.

—Nadie hubiera podido detenerme. Después del accidente, tuve que pasar seis meses en un centro de rehabilitación antes de que fuera capaz de admitir ante mí mismo lo que había hecho. No había nada que hubieses podido hacer.

—Podría haberme mantenido alejada de alguien como tú.

Dick hace una mueca.

—Podría, habría, debería. ¿No es así como todos nos destruimos a nosotros mismos?

—Una respuesta diplomática para hacerte sentir mejor —digo con rabia—. Yo no puedo absolverme tan fácilmente. ¿Cómo es que a ti te cuesta tan poco?

—¿Acaso tengo elección? He llegado a creer que cambias las cosas que puedes y aceptas las cosas que no puedes cambiar. Esto es lo que pude cambiar. Dejé la droga y ahora tengo una esposa y tres hijos estupendos.

—Que te aprovechen. Pero ¿cómo tienes la jeta de presentarte al Congreso?

—Lo creas o no, pienso que puedo hacer algún bien. Quizá mejorar la vida de la gente.

Bajo del coche y Dick me sigue. Sé por qué se ha puesto tan nervioso cuando aparecí: es consciente de que puedo echar a perder sus planes. Me vuelvo y lo miro a la cara.

—He venido aquí para asegurarme de que te retiras de la carrera electoral. Puedo provocar un escándalo tan desagradable que ni siquiera el dinero de tu padre te salvará de él.

Dick respira hondo.

—Sí, podrías. Pero ¿existe alguna forma de convencerte de que estoy haciendo lo que puedo para compensar un pasado muy feo?

—Nunca podrás compensar la muerte de alguien —le digo—. Da igual lo limpio que estés ahora, o cuántos actos benéficos patrocines: nunca podrás darme otra hermana.

Cuando dejo a Dick, estoy demasiado alterada para subir a mi coche, así que doy vueltas a pie por el barrio del cuartel general de su campaña. Nashville ha cambiado desde la última vez que estuve aquí. Las calles están todavía más llenas de turistas que manejan la cámara, y ahora cada manzana tiene un par de buenos restaurantes y al menos una tienda llena de baratijas horribles.

Miro un escaparate lleno de guitarras antiguas, y pienso en Amy sentada en su habitación mientras crecía, rasgueando la guitarra y soñando con ser una gran estrella. Un póster de los próximos conciertos en el Grand Ole Opry —Clint Black, Garth Brooks, Vince Gill— me hace pensar en cómo le habría gustado escucharlos a Amy. Se echaría a reír si supiera que el país entero se ha pasado al country. Cuando mi hermana era adolescente, cualquier chica de Nueva York a la que le gustaran esas canciones que tanto le encantaban a ella habría sido tomada por un bicho raro. Ahora estrellas como Clint y Garth le aceleran el pulso a la nación.

Entonces me viene el pronto, y entro en la tienda y cojo una guitarra Gibson.

—Ésa está muy bien —dice uno de los vendedores, un jovencito que viene hacia mí subiéndose los vaqueros para que no le resbalen sobre las flacas caderas—. ¿Es para usted o para otra persona?

—Sólo estoy mirando —digo, volviendo a dejarla en su sitio con mucho cuidado. Cuando Adam y Emily eran pequeños, a veces me imaginaba que habían crecido como Amy, tocando la guitarra y enamorados de la música country. Pero ninguno de los dos mostró el menor interés por los cowboys que tenían el corazón roto o que no iban a dejar nunca al amor de su vida. Si

Emily pareció animarse un poco cuando le canté «No hagas que mis ojos castaños se vuelvan azules» fue sólo porque pensó que por fin había decidido comprarle unas lentillas coloreadas.

El vendedor acaricia la madera pulida del cuello de la guitarra.

—Llevo años ahorrando para poder hacerme con una de éstas —me dice.

—¿Salen muy caras? —pregunto, buscando la etiqueta del precio.

—No tanto. Pero la universidad se lo come todo. Tengo que trabajar para pagarme las clases.

Lo miro con simpatía, porque sé perfectamente lo que cuesta pagar la universidad. En el otro extremo de la tienda, dos músicos jóvenes están mirando un amplificador, y el vendedor se disculpa para ir a asesorarlos. Oigo cómo uno de ellos dice que va a tocar en un club, y los otros dos lo felicitan.

—¿Todavía estudias con ese profesor de guitarra tan bueno? —le pregunta el vendedor.

—No me lo podía permitir —dice el chico al que le ha salido una actuación.

—Ya sé de qué va eso. Pero tienes que seguir tocando —dice el otro.

Recorro la tienda, mirándolo todo e intentando imaginar lo que sería tener al lado a Amy en este momento. ¿Seguiría escribiendo canciones? Quizás ahora estaría tocando duetos con Reba McEntire en el Grand Ole Opry. O quizá la música sólo fuera una afición y trabajara de doctora en una clínica gratuita en Costa Rica. O quizás estuviera viviendo en Rochester, educando feliz a dos hijos. Posibilidades que nunca llegarán a hacerse realidad porque ese bastardo de Dick Benedict pisó los frenos de su futuro.

Pensar en Dick me enfurece hasta tal punto que agarro la primera guitarra que veo y la hago girar en el aire. De pronto entiendo lo bien que tenía que sentirse Pete Towshend cuando destrozaba un instrumento al final de cada concierto de The Who.

—¿Se encuentra usted bien? —pregunta el vendedor, viniendo hacia mí en cuanto me ve blandir ferozmente una de sus preciosidades de mil dólares.

Bajo la guitarra con expresión avergonzada.

—Disculpa, es que estaba pensando en The Who —digo.

—¿En qué?

—The Who.

—¿De dónde?

—¿Nunca has oído hablar de The Who? —pregunto, pensando que estar en Tennessee es como encontrarse atrapada en una película de Abbott y Costello.

El chico sonríe.

—Sólo le tomaba el pelo, señora. Sé a qué se refiere. Me encanta The Who. De hecho, si alguna vez tengo mi propio grupo, estoy pensando en llamarlos The Whom.

—Todo un cruce de vías musicales —digo con una carcajada—. Un grupo para fans del rock, el country y la sintaxis.

El chico vuelve a sonreír.

—Quizá pierda a la audiencia del rap. La sintaxis nunca ha sido lo suyo.

—Bueno, tú sigue con ello. Espero que acabes la universidad y consigas formar ese grupo algún día.

—Gracias.

Salgo de la tienda, agradecida al joven vendedor por haberme animado con su pequeño chiste. Paseo un rato y voy a Centennial Park, donde localizo un banco y me siento en él. Esta sección del parque está casi vacía y hay muy poca vegetación, aunque veo unas cuantas flores valientes que intentan florecer al tenue sol de invierno. Me recuesto en el banco y cierro los ojos. Me he pasado dos décadas acumulando rabia contra Dick, ¿y de qué me ha servido? Las semillas del resentimiento nunca hacen que crezca nada. La ira es destructiva, tanto si hace que quieras destrozar guitarras como si lo que quieres destrozar es la carrera política de alguien.

Vine a Nashville pensando en arruinarle la vida a Dick. Pero ahora que me encuentro aquí, ya no tengo muy claro qué iba a sacar con eso. El que Dick renuncie a la carrera electoral no mejorará mi vida, no hará volver a Amy, ni siquiera ayudará a que el chico de la tienda de guitarras llegue a ser músico. No tengo por qué perdonar a Dick, pero sin duda me sentiré mejor si dejo de odiarlo. Adam y sus profesores tal vez no puedan demostrarlo en sus laboratorios de física, pero la energía negativa te chupa la fuerza. Estoy cansada de aferrarme a la furia.

Saco el móvil del bolso y juego con los botones durante unos momentos. Finalmente, marco el número de la oficina electoral de Dick y después de tenerme esperando un buen rato, me pasan con su despacho.

—Sí, Hallie —dice él, como si no se atreviera a hablarme.

—Estoy en Centennial Park. Necesito que vengas aquí.

Ahora la pausa es tan larga que pienso que para cuando me responda ya será primavera.

—Tranquilo, es un lugar público. No te pegaré un tiro —digo, intentando apresurar las cosas.

—Eso siempre es un alivio —dice él.

Le describo exactamente dónde me encuentro, y Dick accede de mala gana a venir.

—¿Puedes decirme qué quieres, Hallie? —Y luego nerviosamente—: ¿Me lo harás pagar de alguna manera?

—Sólo tendrás que hacer penitencia —digo.

Dick tarda menos de lo que me esperaba en llegar y lo veo venir con la cabeza gacha y una bufanda Burberry alrededor del cuello. Mete las manos en los bolsillos y viene hacia mí. Es curioso que durante todos estos años yo siempre haya pensado en Dick como el poderoso que irrumpió en mi vida con la fuerza de un ariete e hizo lo que le dio la gana. Ahora he pasado a ocupar el proverbial asiento del conductor, pero mi objetivo ya no es hacer añicos el mundo de Dick.

—He dedicado muchos años a pensar en cuánto te odio —le digo cuando se detiene ante mí.

Dick se remueve incómodamente y hunde las manos un poco más en los bolsillos.

—Yo no te odio.

—¿Por qué me ibas a odiar?

Sonríe levemente.

—Tengo el presentimiento de que vas a darme un buen motivo.

—Nada de eso. —Sacudo la cabeza—. Pero siempre he pensado que no merecías que te sucediera nada bueno. Dime la verdad. ¿Has sido feliz?

Ahora parece todavía más incómodo que antes, porque obviamente no quiere responderme que, dejando aparte el hecho de que yo me encuentre aquí, la vida ha sido bastante buena con él. Saca una foto de la cartera y me enseña tres niñas con el pelo alborotado.

—Tanto si me lo merecía como si no, he sido bendecido. Tendría que ser muy desagradecido para no sentirme feliz cada vez que miro a mis hijas.

No puedo evitar una sonrisa ante la foto de las niñitas que miran alegremente a la cámara luciendo los uniformes oro-azul del equipo de fútbol.

—Puede que una de ellas sea la próxima Mia Hamm —digo, mientras le devuelvo la foto.

—La pequeña tiene algunos problemas de coordinación, pero todavía no he hablado de eso con ella —dice Dick, guardándose la foto—. Mi mujer dice que las protejo demasiado. Pero sé con qué facilidad suceden las cosas malas. —Me mira directamente a la cara, y luego suspira y se sienta a mi lado.

Los dos clavamos la mirada en la lejanía, e intento pensar en Dick *el Temerario* como un padre siempre pendiente de sus niñas.

—Tus hijas tienen mucha suerte. Mis hijos han tenido mucha suerte. Amy no la tuvo —digo.

Dick baja la vista.

—Si pudiese hacer que volvieras a tenerla contigo, lo haría.

—Ya sé que no puedes. Ya oí antes lo que dijiste. Lo único que puedes tratar de hacer es cambiar aquello que todavía puede ser cambiado.

—Es una lección muy dura de aprender. —Se frota las manos para hacerlas entrar en calor—. Así que vista la situación a la que hemos llegado, ¿qué podemos intentar hacer ahora?

Buena pregunta. De pronto, todas las ideas inconcretas que no han dejado de rondarme por la cabeza a lo largo de la tarde empiezan a cobrar forma.

—Hoy he entrado en una tienda de música y he conocido a

un chico que está intentando pagarse la universidad y formar un grupo —digo lentamente—. ¿Por qué no hacer algo por él?

—Podríamos contratar a su grupo para que toquen en los actos de mi campaña —sugiere él.

—No me parece que fuera suficiente. Estaba pensando en que podrías pagarle los estudios, en memoria de Amy. Y no únicamente a él. Coge algo de todo ese dinero que tiene tu familia y financia diez becas musicales en nombre de Amy.

Dick piensa en ello unos instantes.

—Me encantaría hacerlo. De verdad.

—Y una cátedra en Vanderbilt —digo, sintiendo que mi plan empieza a adquirir impulso—. Quiero que haya una Cátedra Amy Lawrence de Música Country.

—Debería haber hecho algo así hace años, supongo.

—Hazlo ahora —digo.

—Lo haré. Podemos pensar en ello como mi manera de decirte que lo siento.

—Lo siento. Algo que nunca te molestaste en decir.

Dick apoya la cabeza en las manos.

—Después del accidente, mis padres no me dejaron hablar contigo y luego me llevaron fuera de la ciudad para ingresarme en un centro de rehabilitación en Arizona. Pasado un tiempo, desperté y me di cuenta de lo que me estaba haciendo a mí mismo y a todas las personas que me importaban. Cuando salí del centro e intenté telefonearte, nadie respondió a mis llamadas.

—Para aquel entonces ya no teníamos nada que decirnos el uno al otro.

—Nuestras vidas habían quedado completamente patas arriba. Y no había nada que pudiéramos hacer al respecto. Habíamos estado muy enamorados, y de pronto ni siquiera podíamos hablar. Es horrible sentirse tan impotente.

—Yo tenía montones de ideas acerca de lo que podía hacer. Arrancarte los miembros uno por uno ocupaba uno de los primeros lugares en mi lista.

—Y hubo muchos días en que deseé que lo hicieras. —Me mira con expresión apesadumbrada—. ¿Qué más puedo hacer ahora para reparar todo el daño que causé?

Entrelazo las manos sobre el regazo y aprieto los puños con tanta fuerza que los nudillos casi se me ponen blancos. ¿Estoy preparada para renunciar a mi ira? Siempre he sido capaz de desplazar una parte de mi pena por Amy convirtiéndola en odio hacia Dick. Casi parecía que perdonarlo fuera lo mismo que olvidar a mi hermana. Pero ahora empiezo a tener la esperanza de encontrar mejores formas de mantener vivo el espíritu de Amy.

—Hay una cosa más que puedes hacer —digo lentamente—. Consigue que te elijan para el Congreso. Y cuando estés allí, haz algo que de verdad importe.

Dick me mira con los ojos llenos de gratitud y alivio.

—Gracias. Esto quizá suene ingenuo, pero realmente pienso que puedo cambiar las cosas.

—Espero que puedas —digo. Miro a través del parque y allá en la lejanía puedo distinguir nada menos que las columnas del Partenón de Nashville, una réplica exacta del que hay en Grecia—. Otra cosa que te pido es que, cuando estés en el Congreso, no le sugieras al pueblo americano que edifique en el estado de Tennessee un falso Coliseo romano para acompañar al falso Partenón griego —digo, tratando de hacer un chistecito para aliviar la tensión.

Dick sonríe y estira el brazo a través del banco para sellar el trato con un apretón de manos, pero en lugar de eso le doy un abrazo. Cuando nos separamos, los dos nos limpiamos el rabillo de los ojos, un poco avergonzados.

—Lo de que no quiero más Coliseos iba en serio —digo, orillando cualquier otro sentimiento del corazón—. Nunca he entendido por qué los del Sur copiáis los grandes monumentos de otros países. ¿No veis que los griegos no hacen estatuas de Robert E. Lee?

—Tener un Coliseo aquí abajo tampoco sería tan mala idea —dice Dick, fingiendo mirar en derredor como si buscase el lugar idóneo para edificarlo—. Y no copiamos, mejoramos. ¿Nunca has oído hablar de Espumhenge en Virginia? Es una réplica a tamaño natural de Stonehenge, pero pesa mucho menos. La hicieron con Styrofoam en vez de rocas.

—Uno de los grandes monumentos del mundo, con la ventaja de que no hubo que cargar grandes pesos. Al menos esta vez nadie se hernió levantándolo.

Nos sonreímos.

—Habrías sido una buena belleza del Sur después de todo —dice Dick.

Las lágrimas acuden a mis ojos cuando comprendo que, por muchas razones, siento que nunca llegara la ocasión de intentarlo. Dick me aprieta la mano y luego se levanta del banco.

—Otra vez gracias, Hallie. Nunca podré llegar a explicarte lo mucho que te lo agradezco.

—No hay de qué —le digo, y por una vez soy sincera.

Me recuesto en el banco. Después de un tumultuoso día y dos tumultuosas décadas de pensar en Amy, agradezco poder sentir un momento de paz.

Normalmente, visitar la tumba de Amy me pone triste, pero cuando regreso de Nashville, al primer lugar al que voy es al cementerio. Por primera vez, no tengo ganas de llorar cuando franqueo sus puertas de hierro forjado; la nieve que lo espolvorea todo confiere un tranquilo resplandor al bucólico recinto.

El cementerio es viejo, y mientras camino por los cuidados senderos, reparo en un par de lápidas talladas con especial cuidado que conmemoran a un «querido marido y padre» que murió en 1897, y a su «querida esposa y compañera», Mary Alice, que vivió hasta 1917. Veinte años sin él. Trato de imaginar lo que tuvo que ser para ella estar sola durante esos últimos años. ¿La asustaba no tener a nadie en el mundo o se creó una nueva vida? Me pregunto si alguna vez tuvo a alguien junto al que acurrucarse durante la noche. Hace tanto tiempo no podía haber demasiadas opciones para una mujer sola.

Mientras paseo voy mirando otras lápidas, y me sorprende, como siempre que estoy en un cementerio, lo fugaz que es la vida en realidad. El tiempo del que dispones nunca basta. Mi encuentro con Dick ha sido sorprendentemente liberador, y ahora siento como si pudiera celebrar los momentos que tuve con Amy en vez de lamentar los que he perdido.

Voy con paso vacilante hacia la parcela de Amy, y paso la mano por la lápida con mucho cuidado.

—Para ti —digo, mientras pongo sobre ella las rosas amarillas que he traído.

Me siento en el suelo húmedo y pego las rodillas al pecho. Pienso que a Amy le gustaría saber de Dick, así que le cuento la historia de mis últimos dos días. La imagino sonriendo cuando se entera de que habrá una Cátedra Amy Lawrence de Música Country. Amy siempre fue modesta y divertida, y casi puedo oír cómo me toma el pelo por haber sido tan gazmoña. «Qué guay —diría—, pero ¿qué significa eso exactamente? ¿Se licenciarán en Loretta Lynn?»

Se me escapa la risa sin darme cuenta, y un guardia de seguridad que anda cerca me lanza una mirada adusta. Quiero decirle que no se puede estar triste toda la vida. Lo mejor que puedes hacer es armarte de valor y seguir adelante.

Seguir adelante es lo que he estado intentando hacer desde el día en que Bill se marchó de casa. Y tengo que creer que este viaje a los hombres de mi pasado ha servido para encarrilarme hacia el futuro. ¿De verdad esperaba que Eric o Ravi o Kevin me proporcionaran un final de cuento de hadas? Hubiese estado muy bien, y la gente se casa con su primer amor ya muy avanzada su vida. Aunque para mí no haya funcionado, volver a anudar los viejos lazos siempre resulta romántico.

Incluso estaba medio dispuesta a reanudar la relación con Bill, pero está bastante claro que eso tampoco funcionaría. Bill y Ashlee. Bill y la monísima Candi. Bill y quienquiera que sea la próxima, que no voy a ser yo. Fui una buena esposa, siempre dispuesta a contribuir. Recogía la ropa en la tintorería, preparaba esa estúpida lasaña, y además —¿cuántos puntos valdrá esto?— le cortaba los pelitos de las orejas una vez al mes. No merecía que mi marido me dejara tirada de la manera en que lo hizo.

Extiendo la mano y vuelvo a tocar la lápida de Amy. Ay, ¿quién dice que siempre consigues la buena vida que te mereces? Tienes que aceptar la mano de cartas que te ha tocado en suerte y jugarlas lo mejor que sepas. Cuando volé a casa desde Nashville, saber que había ido a ver a Dick y lo había perdonado, hizo que no me costara nada echar una cabezadita en el avión. Tendría motivos más que suficientes para esperar otras dos décadas antes de perdonar a Bill, puesto que no se merece nada mejor. Pero, por mi propio bien, estoy dispuesta a perdonarlo ahora.

Me levanto del suelo, miro la fecha que acompaña al nombre de Amy, y pienso en las personas que como yo pasarán por aquí dentro de una generación y pensarán en qué triste que esa chica muriese tan joven. Pero quizá sean lo bastante sensatas para entender la verdadera lección de la corta vida de mi hermana, y se darán cuenta de que lo único que podemos hacer en este mundo es tratar de aprovechar al máximo el tiempo del que disponemos.

19

Pese a la intensidad de los últimos días, la vida sigue su curso de siempre. Hablo con los chicos, me hago cargo de dos nuevos casos en el trabajo, y me preparo gachas de avena calientes por las mañanas. Eso supone un cambio, y una decidida mejora nutricional respecto a las barritas de comida que mastico normalmente para desayunar. En el bufete me espera un ramo de flores enviado por Charles y Melina: parece que acaban de abrir su propia agencia publicitaria. Si llego a protagonizar alguna película, prometen representarme gratis.

Bellini tiene sus propias noticias o, para ser más exactos, una completa y absoluta sorpresa.

—¡El chico de la barra me ha pedido que me case con él! —chilla mientras salta de un taxi en la esquina donde he quedado con ella a la salida del trabajo.

—Le habrás dicho que no, ¿verdad? —pregunto.

—¿Por qué le iba a decir que no? —pregunta Bellini con júbilo—. Tú lo viste en la obra del desnudo. Es el guapo del, ejem, modelo Venti.

Estoy segura de que existen razones peores para casarse, pero a bote pronto no se me ocurre ninguna.

—No me había dado cuenta de que hubierais llegado a inti-

320

mar hasta ese punto —digo, pensando en que ni siquiera sé el verdadero nombre del chico de la barra-barra-Venti. Y no estoy del todo segura de que la misma Bellini lo sepa.

—Yo tampoco —dice ella, lo que me hace temer que el chico no consiga llegar más allá de ser el undécimo de esos nueve o diez tipos con los que mi amiga pensó que iba a casarse después de la primera cita.

—¿Cómo te propuso matrimonio? —pregunto.

—Acabábamos de tener una noche de sexo increíble, y de pronto me puso la mano en el muslo y dijo: «¿Qué te parece que nos casemos?» No cabe duda de que eso es una propuesta de matrimonio —dice, un poco a la defensiva.

—Nunca creas lo que te diga un hombre cuando tiene la mano puesta en tu muslo —le aconsejo, ofreciéndole el mismo consejo que le di a Emily.

—Para tu información, volvió a preguntármelo por la mañana, cuando nos estábamos cepillando los dientes —dice Bellini.

Ahora sí que estoy empezando a preocuparme. Una propuesta de matrimonio hecha mientras usas el hilo dental bajo luces fluorescentes es como para tomársela en serio. Pienso que quizá debería dejarle claro a Bellini que cuenta con todo mi respaldo.

—Si quieres celebrar una boda subacuática, te puedo conseguir un buen fotógrafo —digo, por aquello de ayudar.

Por fin oigo reír a Bellini:

—Espera un poco antes de comprar el arroz impermeable. Cuando me lo propuso me sentí halagada, pero, naturalmente, al final le dije que no. Es muy divertido, pero no creo que sea mi media naranja. Además, no quiero que mis bebés crezcan a base de moccachinos.

Sonrío y le doy un abracito.

—Tarde o temprano encontrarás al hombre adecuado.

—Lo sé —dice ella, optimista—. Si ese chico tan sexy quería hacerlo oficial, algún día podré casarme con alguien a quien quiera de verdad.

Mientras estábamos hablando, Bellini y yo hemos recorrido

media manzana, y ahora mi amiga me hace subir a una pequeña sala de exposición con una suave iluminación indirecta en la que hay camas de todos los tamaños y alturas alineadas a lo largo de cada pared.

—¡Te has acordado de que quería comprarme un colchón nuevo! Estoy harta de dormir con el recuerdo de Bill. Su impronta sigue aún en la espuma.

—Y una nueva cama para mí, también —dice ella—. Pensaba que una de las ventajas de casarme con el chico de la barra de Starbucks sería la lista de bodas. Al fin dispondría de una vajilla de porcelana en la que todo hiciera juego, y tendría una excusa para comprar una lujosa cama de matrimonio. Pero de pronto me ha parecido muy anticuado no comprármela yo misma.

—Supongo que si puedes meterte en la cama antes del matrimonio, también puedes comprarte una cama antes del matrimonio —le digo.

Bellini se ríe y mira los caros colchones.

—Estos modelos sólo se venden en Londres, y ahora han empezado a introducirlos en el mercado estadounidense. Da la casualidad de que acabas de entrar en una exposición exclusiva. Sólo para profesionales del ramo.

Nunca dejará de asombrarme que haya que estar en el ajo para poder hacer cualquier cosa, aunque sólo sea disfrutar de una noche de sueño reparador. Salto entusiásticamente sobre un colchón, y entonces veo la etiqueta del precio y me apresuro a saltar de él.

—¿Doce mil dólares? —exclamo—. ¿Es que está hecho de oro?

—Seda, lana de oveja y casimir —dice Bellini, quien obviamente ha investigado a fondo el asunto.

—Mucho mejor que mi suéter —digo, tirando de mi mezcla de lanas de merino.

—Hay algo en la manera de encajar los muelles y los remaches que hace que nunca te despiertes con líneas en la cara, lo que a nuestra edad es muy importante —dice Bellini—. La reina Isabel duerme en uno.

—¿La reina Isabel? —pregunto escépticamente—. Tampoco

es que parezca un anuncio del frescor de rocío propio de un cutis joven. ¿En qué duerme Nicole Kidman?

—Botox —dice Bellini con una sonrisa.

Voy hacia el colchón real y me siento en él con mucho cuidado.

—¿Es un Duxiana? —pregunto, porque he oído los anuncios radiofónicos para la que supuestamente es la cama más cómoda del mundo.

Bellini se deja caer junto a mí, y milagrosamente, mi lado de la cama no se mueve.

—Es un Hypnos. El Duxiana ya es agua pasada —dice, y su tono desdeñoso deja claro que la antes alabadísima marca ahora es el Hilton de las camas; un sitio agradable para dormir, pero ciertamente no el Ritz—. Luciano Pavarotti duerme en un Hypnos. Igual que Vladimir Putin.

—Así es la nueva Rusia —digo, sacudiendo la cabeza—. Ante una cama de doce mil dólares te entran ganas de llorar la caída del comunismo.

Bellini se ríe, pero luego dice:

—En serio, un buen colchón vale lo que te pidan por él. No olvides que pasas la tercera parte de tu vida en la cama.

—O en tu caso la mitad —bromeo.

—Sólo si se me ha dado bien la semana —dice ella guiñándome el ojo.

Me acuesto boca arriba e intento decidir si toda esta parafernalia de muelles y relleno realmente ayudará a alguien a dormir mejor. No sé quién me dijo una vez que probar un colchón durante cinco minutos en una tienda no te dirá lo que va a ser pasar cada noche con él durante el resto de tu vida. Se podría decir otro tanto de los hombres.

—Podrías ahorrarte un poco de dinero y comprar una Sealy Posturpedic y una caja de manzanilla Sleepytime —le sugiero a Bellini.

—O Ambien y un vibrador —dice Bellini, más práctica de lo que me hubiera esperado.

Me acurruco en una almohada y pienso si no debería impartir a Bellini mi recién descubierta sabiduría sobre sacar el mayor provecho posible de lo que tienes. Pero por otra parte, un poco de anhelo tampoco es malo. Sobre todo si lo que anhelas es tener una cama estupenda y alguien estupendo con quien compartirla.

Bellini se incorpora sobre su almohada.

—¿Qué opinas, Hallie? Después de todo lo que te ha sucedido, ¿todavía crees que el matrimonio es una buena idea?

—¿Lo dices porque me voy a divorciar? —Caigo en que es la primera vez que pronuncio esas palabras en voz alta, y me resulta extraño escucharlas en mi boca—. La verdad es que nunca se me había pasado por la cabeza que algún día mi matrimonio se acabara. Cuando dije «Sí, quiero», mi intención era que fuese para siempre. Quiero, quería, quisiera, querré. Pero la vida da muchísimas vueltas. Por mucho que te esfuerces, nunca puedes predecir lo que pasará.

—Y además habría que considerar muchísimos factores desconocidos —dice Bellini—. En caso de que el chico de la barra llegara a ser Matt Damon, ¿crees que me perdonaría no haberme casado con él?

—Siempre has querido asistir a la ceremonia de entrega de los Oscar. Pero ¿y si el único premio que consigue ganar es el de Mejor Chico de la Barra de la Semana en Starbucks?

—Aun así me sentiría orgullosa de él —dice Bellini lealmente—. Pero supongo que, en cualquier caso, no estaría enamorada. Quiero decir que... bueno, tú tampoco lamentas no haberte casado con Eric, aunque con el tiempo haya resultado ser tan rico.

—No, pero me encantaría tener su apartamento de Nueva York.

—Una buena propiedad inmobiliaria siempre ha sido una razón para casarse. Dejar que la integridad suponga un obstáculo es muy propio de ti.

—En eso tienes razón. ¿Cómo he podido anteponer el amor a cuatro dormitorios con vistas a Central Park?

—Porque eres quien eres. —Bellini sonríe—. Quizá no debería decirte esto ahora que estamos compartiendo un colchón, pero tenerte por amiga es mejor que conformarse con un hombre mediocre.

—Gracias —digo—. Pero debería advertirte de que no corto madera ni mato arañas.

—No pasa nada. Al menos no te olvidas de bajar la tapa del retrete después de haberlo usado.

Emily me telefonea para contarme qué asignaturas ha escogido para el segundo semestre. La escucho con mucha atención y enseguida me doy cuenta de que hay una clara ausencia de arte, literatura, feminismo o historia.

—Vamos a ver si lo he entendido bien: ¿teoría de juegos, macroeconomía, mercados financieros y un seminario especial sobre la venta de arroz a China? —digo, echando una mirada a las notas que he ido tomando a toda prisa mientras oía hablar a mi hija—. Pero los chinos ya comen arroz tres veces al día. ¿No?

—Exacto. El reto está en expandir el mercado.

—¿Qué ha sido de tu interés por Susan B. Anthony y las hermanas Brontë?

—Esto es el nuevo feminismo, mamá. La cosa ya no va de teoría. Ahora va de cómo cuidar de ti misma y emplumar tu propio nido. La mayoría de las mujeres terminan solas. Fíjate en ti.

—Sí, fíjate en mí —digo—. Aunque tampoco parece que esté aquí sentada, alimentándome con latas de comida para gatos.

—Ya lo sé, mamá. Tú siempre tienes una buena reserva de atún Bumble Bee en la alacena. —Suspira dramáticamente—. He pensado que si me licencio en Economía, estaré preparada para hacer frente a lo que me depare la vida.

—La vida te deparará un montón de cosas maravillosas. La mía lo hizo —le digo, y me apresuro a añadir—: y espero que me depare todavía muchas cosas más.

Emily guarda silencio por un instante.

—Mamá, tengo que contártelo. Evahi ha estado en Nueva York y se ha encontrado por casualidad con papá. Le ha dicho que iba a salir con una chica.

No siento gran cosa. Pensándolo bien, tampoco se puede decir que Emily acabe de darme el último parte de las noticias.

—No pasa nada, cariño. Papá y yo ya no estamos juntos. —Desde aquel día en que fui de compras con Bill y lo oí hablar por el móvil con una nueva conquista, he sido consciente de que lo pasado pasado está.

—Mamá, papá ha resultado ser muy egoísta. Me saca de quicio que continúe haciéndote daño.

—No me lo hace. Ya he superado lo de dejarme afectar por las cosas que no está en mi mano cambiar. —Aparentemente, he aprendido algo hasta de Dick.

—¿No lo odias?

Pienso en ello por unos momentos.

—No. Y tú tampoco deberías odiarlo. Papá te quiere. ¿Te acuerdas de lo que decía siempre?

—Me quiere más que a todas las estrellas de la Vía Láctea.

Sonrío, acordándome de cómo Bill le leía cuentos a Emily a la hora de acostarse, cuando era pequeña. Después, la abrazaba muy fuerte y le hablaba de la vastedad del universo y de cómo el cariño que le tenía llenaba hasta el último rincón de su ser. ¿Cómo voy a poder odiar a un hombre así, incluso ahora?

—Las familias pueden irse a la porra, pero nosotros aún somos una familia —le digo a Emily.

—Sí, eso lo entiendo.

—Ten un poco de fe en tus perspectivas. Éste es el momento de tu vida en que debes estudiar lo que te gusta y estar segura de que al final todo saldrá como quieres.

Emily parece reflexionar sobre lo que le he dicho.

—Vale, tomo nota de ello. Pero pienso ir a las clases de Economía. Uno de los profesores adjuntos es una auténtica monada.

Después de la conversación que he mantenido con Emily, decido que lo más justo para todas las partes implicadas es que oficialice el final de mi relación con Bill. Me dedico a rumiarlo hasta que consigo acostumbrarme a la idea y finalmente llamo a Bill para sugerirle que acudamos a un mediador en vez de tirar el dinero en abogados divorcistas. Él titubea.

—No estoy seguro de que vaya a querer divorciarme nunca.

—Bill, nuestro matrimonio se ha acabado. Eso lo sabemos ambos.

—Preferiría seguir estando casado —dice él.

Lo conozco lo suficiente para no sentirme halagada.

—Dame dos razones.

—Es fácil. Número uno: si estoy casado, todavía puedo ir a casa de vez en cuando y cortar algún que otro árbol. Y número dos: así ninguna de las mujeres con las que salga puede esperar que llegará a tenerme por marido.

No puedo contener la risa.

—Bill, no puedo ayudarte con tus mujeres. Pero si quieres estar disponible como mi jardinero ocasional, serás bienvenido.

—Estás siendo muy comprensiva.

—Lo intento.

Hay un largo silencio.

—Deberíamos vernos para hablar de esto, ¿verdad? —dice él finalmente—. Supongo que todavía nos quedan unos cuantos asuntos pendientes que solventar. Como la custodia de esas entradas para ver jugar a los Knicks.

Me río. ¿Quién se hubiera imaginado que esas entradas iban a ser mi gran as en la manga a la hora de negociar? Bill probablemente me las cambiaría por un dibujo de Picasso, suponiendo que tuviéramos alguno.

—Tenemos que hablar —le digo.

—Pásate por aquí. Acabo de comprar un Highlander de 25 años que podría abrir.

—No bebo escocés —le recuerdo.

—¿Entonces qué te parece si vemos la Super Bowl? Tengo una tele nueva, un modelo LCD de pantalla plana.

¿Un escocés de primera con más años que cualquiera de sus amiguitas, un caro televisor de pantalla plana? Bill es como la descripción del Manual de Diagnóstico Merck de un hombre que acaba de entrar en la mediana edad. No necesito esforzarme demasiado para entender por qué ya no tenemos nada en común, aunque si estoy aceptando a todos los hombres de mi pasado, supongo que Bill cuenta como uno de ellos.

Llego al apartamento de Bill la tarde del domingo y me reciben sesenta pulgadas de Terry Bradshaw gritando en Surround.

—Un sitio estupendo, ¿eh? —pregunta Bill mientras me invita a pasar—. Uno de los socios del trabajo lo tiene desde hace años como segunda residencia. Me dijo que podía utilizarlo durante todo el tiempo que quisiera.

—¿Y te compraste una tele nueva?

—Un hombre tiene que vivir —se explaya él.

Miro en derredor y me pregunto si será cierto que un hombre puede vivir a base de escocés, cerveza y un recipiente de guacamole comprado en la tienda de la esquina, que al parecer son los únicos comestibles con los que cuenta el apartamento. Oh, no, ya veo que lo he subestimado. Bill trae orgullosamente una bandeja de plástico llena de alitas de pollo grasientas, con queso azul para usar de acompañamiento y unos cuantos trocitos anémicos de apio y zanahoria añadidos como adorno de última hora. Parece que de ahí es de donde han salido los 24,99 dólares que cuesta el Especial Superbowl. Si Bill no puede hacer todas las comidas en el bareto de la esquina, sí puede convertir su apartamento en una sucursal del bareto.

Bill se sienta y me dirige un gesto con la mano pidiéndome que vaya a hacerle compañía en el sofá de cuero. Los dos contemplamos con cara de fascinación los jugadores que parecen estar ahí, embistiéndose unos a otros en su nuevo televisor de pantalla grande. Sé que todavía queda mucha competición por delante hasta que se juegue el partido decisivo, pero antes hay cuarenta años de grandes momentos de la SuperBowl que recuperar, eso por no mencionar la parte verdaderamente interesante de los partidos, que son los anuncios. Entiendo por qué los anunciantes utilizan mujeres medio desnudas para promocionar sus productos ante los hombres, pero ¿qué tendrán de especial las ranas Budweiser, los caballos Clydesdale y los monos Monster.com? Para que luego hablen de apelar a los instintos animales.

—Hace poco me llamó Adam —dice Bill mientras moja un Tostito en el queso azul—. Nos pusimos a recordar todas esas fiestas SuperBowl padre-hijo que solíamos tener.

—Seguro que lo echas de menos —digo, porque acabo de darme cuenta de que Bill siempre se ha llevado muy bien con los chicos.

—Sí —dice él poniendo cara de pena—. Lo pasábamos muy bien juntos.

—Éramos una gran familia —convengo.

—Me dio la impresión de que Adam y esa nueva novia suya, Evahi, se lo están pasando de muerte.

—Evahi es una chica encantadora —murmuro.

—No, me refería a que seguro que da gusto estar con ella —dice Bill con una sonrisita taimada.

—¡Eh, que estás hablando de tu hijo!

—Uno va a la universidad para pasarlo bien —dice Bill alegremente, supongo que por aquello de que «De tal palo, tal astilla».

—Emily estaría completamente de acuerdo contigo en eso. ¿Te habló de su instructor de esquí?

—Estoy seguro de que sólo se hicieron amigos —dice Bill, al que le sale de repente el padre protector de la hija—. Emily todavía es mi niñita querida. Estoy seguro de que dedica cada segundo de su tiempo a estudiar.

—Sí, es lo que hacemos las mujeres.

Bill me mira.

—Claro. Ya me habías hablado de ese antiguo novio. ¿Cuál de ellos era?

—Nadie a quien tú conozcas —digo—. Un tipo llamado Kevin.

Bill baja el volumen, más interesado en mi comentario que en el de Terry Bradshaw.

—¿Kevin, el del instituto? —pregunta con curiosidad.

—Sí —digo, un poco desconcertada por el hecho de que Bill sepa tantas cosas acerca de mí. A lo largo de los años, nos hemos contado todas nuestras historias.

—¿No era ese canalla de la chaqueta de cuero por el que te saltabas las clases? —pregunta Bill.

—Kevin no era ningún canalla —digo, intentando no sonreír.

—Si querías buscar a un antiguo novio, yo hubiese pensado en ese Eric que está forrado de dinero —dice Bill, sacudiendo la cabeza.

—También lo he visto —digo.

—¿Así que te has acostado con dos hombres? —pregunta Bill, levantando dos dedos sin darse cuenta de que está haciendo el signo de la victoria.

—No me he acostado con Eric —digo, echando mano de la victoria ahora que me la acaban de poner en bandeja—. Lo único que hice fue ir a su apartamento y comer caviar.

—¿Alguien más de quien debiera saber? —pregunta Bill.

—No es que eso sea asunto tuyo, pero está Barry Stern.

—¿Ese intelectual romántico al que conociste en Europa y que te llevaba a los museos? —dice Bill, en una demostración de que se ha tirado veinte años escuchándome—. ¿Qué fue de él?

—Es una historia muy larga.

—¿Hubo sexo, sí o no?

—No. No con su novio rondando por allí.

Bill levanta una ceja.

—¿Tu antiguo novio tiene un novio?

—La vida es más complicada de lo que parece.

—Cuéntamelo a mí —dice Bill.

Nos quedamos callados y una tenue nube de melancolía parece cernirse sobre nosotros después de ese ratito que hemos dedicado a bromear. Miro distraídamente la televisión, donde animadoras apenas vestidas sacuden de modo entusiasta sus pompones ante el entrenador del equipo, un cincuentón barrigudo. Acto seguido lo envuelven con adoración en una nube de cuerpos núbiles y las cámaras empiezan a sacar fotos. No me extraña que los hombres se hagan un lío en cuanto llegan a la mediana edad. Si no quieren crecer, nadie va a obligarlos nunca a hacerlo.

Meto la mano en el bolso y le tiendo un sobre de papel manila a Bill.

—Los papeles de la separación —digo, ofreciéndoselos con una mano que tiembla un poco—. Ahorran muchas complicaciones. Lo pondrán todo en marcha.

—Querrás decir que harán que todo se acabe para siempre. —Bill abre el sobre y coge un bolígrafo, que luego vuelve a dejar—. Dentro de un tiempo lamentaré todo esto, ¿verdad?

—Probablemente —digo, mientras pienso que algún día se dará cuenta de qué buena era la vida que ha dejado atrás. Y que ahora ya sea vagamente consciente de ello es lo que más me gusta de todo.

—Mucho que lamentar. —Pero porque es Bill y siempre preferirá no pensar demasiado en las cosas que lo incomodan, lo único que hace es sacudir la cabeza, echar mano del mando a distancia y volver a subir el sonido, justo en el primer saque—. Va a ser todo un partidazo —dice—. No tenemos que verlo si no quieres. Todo el mundo sabe cómo acabará.

Cojo un trocito de zanahoria y lo mojo en el queso azul.

—Eso nunca se sabe. Es la razón por la que uno sigue jugando.

20

Bill y yo estamos decididos a observar unas mínimas normas de cortesía, y tanto Emily como Adam parecen sentirse aliviados de que esto no vaya a ser la típica guerra conyugal que suele preceder al divorcio. No nos encontramos con demasiados problemas para dividir nuestros bienes..., hasta que llega el momento de dividir los viejos discos que habíamos guardado en el desván. Hemos acordado que cada uno se llevaría únicamente lo que había aportado cuando nos casamos, dado que todos los discos tienen un cierto valor sentimental. Dedico toda una tarde a guardar los míos en dos cajas blancas grandes, y los de Bill en dos cajas azules. Cuando viene a casa a llevárselos, se le iluminan los ojos en cuanto ve un viejo álbum de Bob Dylan.

—Caramba, no sabes cómo me alegro de recuperar ése —dice—. Siempre será uno de mis discos favoritos. La primera vez que una chica me la mamó estaba sonando el segundo tema.

Me aclaro la garganta. ¿Qué se supone que debe decir una futura ex esposa ante semejante comentario?

—Espero que el disco te depare muchos más placeres... ejem, auditivos.

—Gracias —dice Bill con una gran sonrisa mientras saca de

la caja un disco de Cream—. Y éste. Nunca lo olvidaré. Tenía puesto el quinto tema cuando...

—Me acuerdo de esa historia —digo, levantando las manos. De hecho, esa historia de sobamientos en el instituto la habré oído al menos cinco o seis veces. Y ahora que no estamos casados, no estoy obligada a volver a escucharla.

Bill le echa una mirada a mis cajas y una sombra de sospecha le cruza por la cara.

—¿Como es que el Álbum Blanco está en tu lado? —Bill lo coge y lo sostiene firmemente.

—No, el Álbum Blanco era mío. Black Sabbath era tuyo.

—Estás confundida. Black Sabbath era tuyo y Purple Rain era mío.

—Yo compré Purple Rain. Tú eras de Pink Floyd.

No sé cuál será el número de bajas que terminará habiendo, pero está claro que al final hemos decidido conmemorar nuestro divorcio con una pequeña guerra. Antes de que Bill se deje la piel del pulgar repasando frenéticamente los discos de la caja en busca de alguna otra joya erótico-sentimental a la que no está dispuesto a renunciar bajo ningún concepto, decido usar el Álbum Blanco como bandera blanca.

—Quédatelo. Quédate todos los discos que quieras. No tengo ganas de pelear —digo.

En la categoría kármica de recibir lo mismo que das, Bill decide adoptar mi espíritu generoso. Primero mira con expresión anhelante el disco que tiene en las manos y luego me lo ofrece.

—No, en el fondo da igual. Llévate el Álbum Blanco. De todas formas, últimamente prefiero a White Stripes.

—Con el vocalista Jack White, en oposición al comediante Jack Black. Blanco contra negro, ¿eh? —digo, y ambos nos reímos de lo tonto que suena eso.

Bill parece aliviado de que esta separación final esté discurriendo sin demasiados contratiempos.

—Es bueno volver a reír contigo —dice.

—Lo es —digo—. Podemos divorciarnos sin tener que hacernos desgraciados mutuamente.

—Podemos divorciarnos y seguir haciéndonos felices mutuamente —me dice Bill. Viene hacia mí y me pone las manos sobre los hombros—. ¿Qué te parecería un poco de sexo para demostrar que todavía somos amigos?

—Me imagino que no hablarás en serio.

—¿Por qué no? Un último revolcón en recuerdo de los viejos tiempos. Venga, Hallie. Sólo será un momento.

—Ya me acuerdo. —Le doy una palmadita en la mejilla—. Una pequeña lección para mejorar tu vida social. Se supone que tiene que durar un buen rato.

Bill me mira sin saber qué decir, y le aparto las manos de mis hombros. Agradezco la proposición porque, en primer lugar, siempre es bonito que te lo pidan. Y en segundo lugar, cuesta menos divorciarse cuando Bill no para de recordarme en cada momento lo idiota que puede llegar a ser.

Pero yo no soy idiota. Tengo planeado ir a la mejor fiesta en la ciudad. Bendel ha decidido tirar la casa por la ventana para celebrar su exclusiva nueva línea de joyas que contendrá las mejores creaciones de Inka, un nuevo diseñador que trabaja con una rara piedra roja que sólo se encuentra en Perú. Sus carísimos colgantes en forma de corazón están siendo la sensación de la temporada.

—Corazones enteros, corazones mellados, corazones rotos... y medios corazones para gente a la que no le iría mal un poco más de entusiasmo —dice Bellini, que en su calidad de gurú de los accesorios en Bendel, firmó el contrato con Inka.

—Suena como si ese hombre fuera un auténtico genio. Coge las piedras rotas que cualquier otra persona tiraría al cubo de la basura y cobra extra por ellas.

—Espera a que te cuente lo que tenemos pensado hacer en la fiesta de lanzamiento en los Muelles de Chelsea —dice Bellini, que está muy emocionada—. Vamos a tener un gran espectáculo de luz y sonido, un montón de acróbatas del Cirque du Soleil y al pinchadiscos más guay de toda Nueva York. Nos han confirmado ya la asistencia a la fiesta dos docenas de celebridades distintas. Y la mejor parte: va a ser una TTPB.

—¿Tráete tu propia botella? Teniendo en cuenta lo que cobra Inka, Bendel debería estar dispuesto a gastarse la miseria que le van a costar unas cuantas cajas de cabernet.

—En este caso TTPB quiere decir que te traigas a tu propio besuqueador. ¿A que es fabuloso? Te presentas con un ex, y luego todas podemos hacer trueques. Saqué la idea de la fiesta del trueque de ropas en tu casa.

—Venga, confiesa —bromeo—. Se te ocurrió porque he estado visitando a todos mis antiguos novios.

Bellini se echa a reír.

—Se me ocurrió pensar que los rescoldos de todos esos antiguos amores podrían encender algunas hogueras, prender algunos nuevos romances. Piensa en las posibilidades. Una habitación llena de hombres que ya han sido vetados.

—¿Y a cuál de mis antiguos novios se supone que he de traer? —le pregunto.

—Al que tú quieras —dice ella.

Bellini está siendo un poco optimista. Yo podría aparecer tanto con Barry, el swami gay, como con Eric, el multimillonario que no se ha casado. Pero una cosa sí que he de admirar en ella: siempre está tramando formas creativas de conocer hombres. Y esta vez ha conseguido que Bendel corra con todos los gastos.

Pienso en ello durante un par de días y al final decido que si voy a acudir a la fiesta, mi único posible acompañante es Eric. Kevin está trabajando en su película, Barry está ocupadísimo haciendo de gurú, Dick está descartado. Al principio dudo porque no quiero que Eric se vaya a pensar lo que no es. Después de la noche que pasé en su apartamento, él predijo que yo volvería, pero ahora estoy intentando reciclarlo, no reavivar nada romántico. Finalmente, voy a mi ordenador para enviar un correo electrónico a Eric, en el cual le pregunto si le gustaría ir a una fiesta como mi antiguo pretendiente.

«¡No es que me parezcas una antigualla!», tecleo, y luego me apresuro a borrarlo porque suena como si le estuviera dando coba. «¡Tenía muchos hombres entre los que elegir!» desaparece porque no quiero parecer vanidosa, e incluso el inocuo «¡Debería ser divertido!» acaba siendo eliminado porque temo que Eric malinterprete cuál es la clase de diversión que ando buscando. Veinte minutos después, todavía estoy batallando con un mensaje de dos líneas para el que deberían haberme bastado dos minutos. Reviso cada frase más veces que Hemingway. ¿Quién dijo que el correo electrónico haría que nuestras vidas se volvieran más fáciles?

Parece que a Eric sí que se la ha hecho más fácil, porque sólo ha transcurrido un minuto desde que pulsé «Enviar» y ya he recibido el mensaje de respuesta desde su BlackBerry: «Claro. Caliente.»

Vale, eso requiere otros veinte minutos en labores de interpretación por mi parte. ¿Estoy caliente, o es que él ha leído Confidencias Seis en su móvil y sabe que toda Nueva York arde en deseos de hacerse con una invitación para la fiesta de Bellini? Puede que sólo me esté comunicando que en Arizona hay una ola de calor.

La fiesta está dando tanto que hablar que todas mis amigas de Chaddick me piden que les consiga invitaciones, y lo hago. Por toda la ciudad los hombres dejan de presumir del tamaño de las bonificaciones que les han dado en el trabajo y empiezan a alardear de cuántas mujeres distintas los han invitado a asistir a la fiesta en calidad de su Antiguo Novio oficial.

—He oído decir que Jude Law recibió cuatro invitaciones, pero dos de ellas eran de abuelitas —me cuenta Bellini en una de nuestras muchas conversaciones.

—Déjame que lo adivine. Charlie Sheen recibió seis llamadas, pero cuatro eran de chicas que hacen la calle —sugiero.

—Primera noticia —dice Bellini mientras toma nota de ello—. Pero preguntaré si Cindy Adams estaría dispuesta a hacer correr la voz.

Los cotillas de la prensa también le sacan un montón de jugo al hecho de que todas las Jennifer sean fans de Inka. El caso es que tampoco me extraña que la Aniston, la Lopez y la Garner tengan el mismo gusto en cuestión de joyas, habida cuenta de que al menos dos de ellas lo tienen en cuestión de hombres.

—Le dijimos a Ben Affleck que no puede venir con su esposa, Jennifer Garner. Pero si quiere venir como el hombre con quien J. Lo no quiso casarse, eso ya es otra historia —me informa Bellini—. Va a ser una gran noche.

El día de la gran noche tampoco pinta mal. Llego al apartamento de Bellini en el East Side a eso de mediodía, para que se preocupen por mi pelo, para recibir las atenciones de los maquilladores enviados por cortesía del departamento de belleza de Bendel, y para ser vestida con los elaborados atuendos que Bellini ha logrado que podamos coger prestados, para lo cual ha cobrado unos cuantos favores de sus diseñadores favoritos. Doy vueltas ante el espejo, admirándome a mí misma en el Badgley Mischka de satén y chifón con el dobladillo embellecido.

—No te atrevas a sudar esta noche —me advierte Bellini mientras me pavoneo—. Mañana todos estos vestidos tienen que volver a estar en el sitio del que han salido.

—Quizá debería haberme hecho botoxear los sobacos —digo, después de leer un artículo sobre el actual uso del milagroso fármaco antitranspirante.

—Si vas a recurrir al Botox, yo de ti empezaría con la frente —dice Bellini, y cuando ve que me miro en el espejo con cara de preocupación, trina—: has picado. Tranquila, que todavía no te han salido arrugas. Sólo bromeaba.

—Muy graciosa. Tú vuelve a darme esos sustos y necesitaré que me hagan un *lifting* de emergencia en la cara.

Nuestras joyas, naturalmente, son de Inka. Abrocho el cierre de un colgante de corazón que está mellado, no roto, dado que al parecer ya me encuentro en vías de recuperación. El corazón del collar de Bellini está entero, pero lo han envuelto con alambre de púas dorado. Demasiado postirónico para que una servidora lo entienda, pero puede que ella y Jon Stewart vayan a empezar a salir juntos.

Ya casi estamos listas para irnos cuando Eric me llama al móvil.

—¿Qué ha dicho? —pregunta Bellini cuando cuelgo.

—Viene volando en reactor desde Moldavia, y llegará un poco tarde para la fiesta. Se reunirá conmigo allí.

Bellini asiente con la cabeza.

—Al chico de la barra le ha salido una audición para un montaje teatral en el que tendrá que ir vestido, así que seguro que no conseguirá hacerse con el papel.

Nos encaminamos, sin escolta, hacia un taxi.

—Sabía lo que cuesta hacerse con un novio, pero quién se iba a imaginar que iba a ser tan difícil hacerse con un ex novio —ríe Bellini mientras nos deslizamos en el asiento de atrás. El taxista se fija en que vamos vestidas para matar, y nos lanza miradas de interés por el espejo retrovisor.

—Seguro que esta noche no van a jugar a los bolos —dice, mientras se aparta del West Side Highway y serpentea en dirección a los Muelles de Chelsea, el enorme complejo de edificios esparcidos a lo largo del río Hudson en los que hay salas de baile y estudios televisivos, y huelga decir que paredes para la escalada de interiores, boleras, minigolfs, pistas de patinaje y canchas de baloncesto. Hay espacios para todos los deportes que un neoyorquino pueda querer practicar nunca, al menos los legales.

—La fiesta es en el Muelle 60. Usted sólo siga a las limusinas —le indica Bellini.

El taxista se pone detrás de dos limusinas negras con los cristales coloreados. Detrás viene un Hummer blanco con una mujer sola repantigada en el asiento trasero. A lo mejor necesita un vehículo blindado que pueda transportar a un batallón entero para hacer su gran entrada en la fiesta, pero pienso que más bien debería repintar su artefacto y mandárselo al ejército de Estados Unidos.

Cuando nos detenemos ante la entrada, extiendo la mano hacia mi bolso de noche con piedrecitas incrustadas. Esta tarde he invertido media hora en el delicado proceso de eliminación de bolsos, escogiendo lo que llevaría dentro de este adminículo de nada. Conseguí meter brillo de labios, tres tiras Listerine para que no te huela el aliento, la mitad de un cepillo de pelo plegable (tuve que partirlo) y la llave de mi casa; sólo la de la puerta principal, no la de la entrada de atrás. Estaba segura de que también había metido dos billetes de veinte, pero ahora no consigo encontrarlos.

—¿Llevas algo suelto? —le pregunto a Bellini.

—¿Estás de broma? No me quedaba espacio ni para una pestaña postiza de repuesto —replica ella enseñándome el bolsito de noche que ha cogido prestado, que cuesta el doble que el mío aunque es la mitad de grande. En el mundo de los accesorios de la moda, menos es más.

Dedico unos instantes a sopesar nuestro apuro y luego se lo explico al taxista, y concluyo pidiéndole que me dé su dirección.

—Lo siento muchísimo, pero le mandaré el dinero en cuanto llegue a casa esta noche —prometo a modo de disculpa.

—Sí, seguro. Como que me lo voy a creer. —Apaga el motor y, cuando salimos del coche, él sale también. Pesará unos ciento veinte kilos, tiene una hirsuta barba negra y vaqueros llenos de desgarrones.

—¿Qué hace?

—Voy a entrar con ustedes. Si no tienen dinero, dentro de ese sitio tan elegante debería haber alguien que pueda aflojar mis veinticinco más propina.

—Usted se queda aquí. Ya encontraré a alguien —digo, temiendo que el taxista llegue a entrar y provoque algún altercado.

—Ni hablar. Están intentando timarme. Nunca volverán —ruge el taxista mientras se encamina hacia la puerta hecho una furia.

—¡Espere un momento! —grito, pero él sigue adelante. Está claro que no es la primera vez que alguien lo deja tirado, pero tampoco me parece que ahora sea el momento más apropiado para abordar sus problemas de abandono.

El taxista entra cuando la fiesta ya está en marcha. La música atruena y los camareros deambulan entre el gentío con bandejas llenas de copas de Dom Perignon. Trescientas de las mujeres más selectas y quizá más apetecibles de Nueva York circulan por el salón, conversando y flirteando mientras presumen de sus caros vestidos y sus deseables antiguas relaciones.

Antes de que yo pueda detenerlo, el taxista se planta en el borde del gentío.

—¿Quién tiene quince pavos que prestar a este par de ricachonas? —grita con voz de trueno.

Oigo un coro de exclamaciones ahogadas. Unas cuantas personas alzan nerviosamente la mirada de sus flautas de champán, y otras se apresuran a alejarse. En este salón probablemente habrá reunido suficiente capital como para financiar la próxima misión de ciento diez millones de kilómetros hasta Marte, pero nadie está dispuesto a aflojar un par de billetes para nuestro trayecto de seis kilómetros en taxi.

—Venga, gente. Quince pavos. Seguro que alguno de ustedes se lo puede permitir —chilla el taxista.

Más vale que alguien afloje la mosca pronto, o me moriré de vergüenza. O eso, o tendré que fijar en quince pavos el precio de salida de esos inapreciables pendientes de Inka que llevo puestos. Quizá consiga subir hasta treinta, y así sacaré lo suficiente para pagarme el taxi de vuelta.

Mientras todos los demás se escabullen de nuestro apuro, un hombre alto que lleva esmoquin viene en nuestra dirección.

—¿Hay algún problema? —pregunta, mirando directamente al taxista.

—Estas mujeres subieron a mi taxi y ahora resulta que no me pueden pagar —dice él con tono acusador.

—Sólo llevo calderilla —explica Bellini, encogiéndose de hombros mientras enseña su minibolso.

El hombre alto sonríe, obviamente divertido y dispuesto a ayudar. Se saca la cartera y extrae de ella un billete de veinte dólares.

—Tenga —dice, dándoselo al taxista. Luego añade amablemente—: ¿Puedo ofrecerle algo de comer antes de que se vaya?

—Faltaría más —dice el taxista, embolsándose los veinte a la espera de recibir su gran bonificación.

El señor Guapísimo-En-Su-Esmoquin va hasta una mesa abarrotada de bufé, vuelve con dos voluminosos pinchos de pescado y se los tiende al taxista, quien se apresura a enarbolarlos como si fueran dos espadas de duelo y sale rápidamente por la puerta.

—¿Qué me dice de usted? —pregunta nuestro benefactor

con hoyuelos, sonriéndome—. ¿Puedo traerle unas cuantas gambas, también? ¿O algo del bar de ostras?

—No —digo, rehuyéndole la mirada. Murmuro unas rápidas palabras de agradecimiento por su galantería y me apresuro a darme la vuelta para coger una copa. Bellini me mira con sorpresa y luego, para compensar mi falta de modales, expresa vehementemente su gratitud.

—¿Se puede saber qué te pasa? —pregunta cuando se reúne conmigo unos minutos después—. Ese tío estaba buenísimo. Me parece que le gustabas.

—Lo conozco —mascullo entre dientes—. Menuda vergüenza. Era Tom Shepard.

—¿Quién?

—Un amigo de Eric. El que me rescató cuando salí de excursión justo después de que Bill se hubiera marchado de casa. Me encontró llorando al lado de la carretera en Cold Spring y me llevó hasta mi coche en el suyo. Así fue como volví a contactar con Eric.

—Conque ahora ha vuelto a rescatarte. Prácticamente es tu propio Clark Kent personal. Qué bien, ¿no?

—Sí, fabuloso. La vez anterior, yo había conseguido ponerme perdida de barro, estaba llena de picaduras de bichos que empezaban a hincharse, y no conseguía encontrar mi coche. Esta vez soy la idiota que no encuentra el dinero. ¿Te imaginas lo que le dirá a Eric cuando le hable de mí? ¿Y qué está haciendo aquí, de todas formas?

—¿Qué más da? Hallie, querida, ahora eres una mujer soltera. Cuando un hombre apuesto te ofrece un anzuelo en forma de ostras, vas y lo muerdes.

Yo tuerzo el gesto.

—Las ostras son viscosas —digo—. ¿Y no te has dado cuenta? Lleva anillo de boda. —Miro a través de la sala a Tom Shepard, que está todavía más bueno en su esmoquin que en sus Timberlands. Pero cuando él me devuelve la mirada, me giro a toda prisa.

Bellini sacude la cabeza ante mi falta de recursos sociales.

—Eres de lo que no hay. Pero si no vas a ir a hablar con tu doble de Tom Cruise, habrá que encontrarte otra misión imposible del género masculino.

—Tú siempre tan graciosa.

—Me ha salido sin querer. —Bellini sonríe—. Pero lo de Tom Misión Imposible... Podría ser nuestra clave secreta cuando conozcamos hombres. Jerga entre amigas para decir «A ver si encontramos otro».

Me río, cojo mi copa de vino blanco y paseo con Bellini por el salón de baile en los Muelles de Chelsea. Mirando por los enormes ventanales, quedo impresionada con la magnífica vista del majestuoso río Hudson. Pero la fiesta ofrece muchas cosas que te distraen de la vista. En un extremo del salón, acróbatas del Cirque du Soleil que lucen leotardos están colgados de tres cuerdas suspendidas en las alturas y se entrelazan grácilmente en posturas imposibles. Una artista del trapecio evoluciona sobre nuestras cabezas, y aparentemente los asistentes a la fiesta somos la única red de seguridad de que dispone. Mientras estoy entretenida siguiéndola con la mirada, un tipo mayor ligeramente bebido, con una tripa bastante grande y unos gemelos de diamantes todavía más grandes viene hacia nosotras y le pasa el brazo por la cintura a Bellini.

—Hola, guapa, ¿puedo invitarte a una copa? —pregunta, mirándola lascivamente. Luego me ve a mí y dice—: Os invito a una copa. Dos por el precio de una.

—Tom Misión Imposible —le digo a Bellini.

—Tom Misión Imposible —conviene Bellini, y las dos reímos bobamente. Cuando nos damos la vuelta para salir corriendo, nos topamos con Darlie.

—Queridas —dice Darlie, dando un par de besos en el aire a cada una de nuestras mejillas para luego pasar la mano por el ceñidísimo vestido Harve Leger que lleva—. Una fiesta realmente fabulosa. Veo que acabáis de conocer a mi antiguo novio Hiram. ¿Qué os ha parecido?

—Es justo la clase de hombre con el que esperaría verte —dice Bellini, sin faltar a la verdad. Personalmente, tampoco necesito esforzarme demasiado para comprender por qué las cosas no llegaron a funcionar entre ellos. Darlie nunca se relacionaría con un hombre capaz de llevar diamantes más grandes que los suyos.

—Ha sido todo un detalle por tu parte traerte a un ex tan cotizable —digo, tratando de ser simpática.

—Su cotización está por los suelos —me espeta Darlie—. Una vez que te has enamorado de Darlie, luego siempre sigues enamorado de Darlie.

No estoy segura de cuánto dura exactamente ese «siempre» para mi muy casada vecina de Chaddick, pero no cabe duda de que la impresión que causa tarda lo suyo en disiparse.

Una mirada a la exuberante multitud me confirma que la fiesta Tráete Tu Propio Besuqueador ideada por Bellini está siendo todo un éxito. Parejas que llevaban años sin verse ahora vuelven a flirtear o abrigan la esperanza de que su ex conozca nuevas perspectivas. Mi felizmente casada vecina Amanda presenta su antiguo novio a la recién divorciada Steff, y la pareja recién formada enseguida inicia una animada conversación.

—Tienes que conocer al invitado de honor. Ése de ahí es Inka —me dice Bellini mientras me lleva hacia un rubio impresionante que ha interpretado que «indumentaria formal» quería decir botas de vaquero, pantalones rojos y una corbatita de lazo negra. Una multitud de admiradores hace corro alrededor del famoso diseñador de joyas, quien parece estar contentísimo y no le suelta la mano al rubio igualmente impresionante que tiene al lado. En cuanto divisa a Bellini, Inka enciende una sonrisa de mil vatios.

—Qué idea más estupenda. Gracias por esta fiesta —le dice efusivamente—. Te presento a mi antiguo novio, Aztek.

Me parece recordar que había todo un continente de distancia entre los incas y los aztecas, pero se diría que esta noche parece haberlos aproximado bastante.

Pero eso no parece llevarme más cerca de Eric. Vuelvo a mirar mi reloj.

—¿Crees que ese antiguo novio tuyo va a aparecer en algún momento de esta noche? —pregunta un hombre que se me ha acercado por detrás.

Sobresaltada, me giro y me encuentro cara a cara con Tom Shepard, que me sonríe y bebe un sorbo de su escocés con hielo.

—Su avión lleva retraso —digo.

—Nunca entenderé por qué Eric insiste en seguir teniendo ese reactor privado. Su índice de llegadas a la hora prevista es peor que el de United. —Deja su escocés—. Por cierto, sólo por si se te había olvidado, soy Tom Shepard.

—Claro que me acuerdo de ti. Mi héroe de la carretera.

—Eric me invitó a venir esta noche. Le pareció que necesitaba salir de casa y conocer gente nueva.

—Me estaba preguntando qué haces aquí —digo.

—Decididamente no es un Tom Misión Imposible —me murmura Bellini al oído mientras se aleja, obviamente para dejarnos a solas.

Tom extiende la mano para estrechar la mía. No puedo evitar sentir un ligero hormigueo.

—La última vez que nos vimos estaba mucho más enfangada —le digo.

—Ya veo que sabes asearte a conciencia. Ese vestido es muy bonito. Realmente precioso.

—Es prestado —admito.

—De eso nada. Las preciosidades que realmente importan son todas tuyas.

Me quedo mirando el anillo de oro que lleva en la mano.

—Gracias por el cumplido. Pero debería advertirte de que últimamente ando bastante susceptible al respecto. Pienso que los hombres casados no tendrían que flirtear.

Tom parece un poco cortado, pero antes de que pueda replicar, la cotización informativa del salón experimenta una repentina subida cuando llega Eric, con su ayudante Hamilton pisándole los talones entre un ajetreo de móviles que suenan y zumbidos de BlackBerry. Eric se aparta del torbellino de actividad el tiempo suficiente para darme un beso en la mejilla y propinar a Tom un vigoroso abrazo acompañado de palmaditas en la espalda.

—Me alegro de que estés aquí —le digo a Eric.

—Yo también —dice él. Pero Hamilton interrumpe nuestra apenas iniciada conversación con una pregunta urgente, lo que hace que me pregunte si alguna vez Eric de verdad está «aquí» cuando está aquí. Con todo, la mirada satisfecha de Eric va de Tom a mí.

—Así que ya os habéis encontrado. Bien. Veo que he sabido hacer mi trabajo —nos dice, como si estuviera dando su aprobación a una fusión empresarial.

—Tu trabajo nunca se acaba —bromea Tom.

—Claro que sí. Ahora vosotros tenéis que hacer la parte que os corresponde —dice Eric. Coge un mini perrito caliente de la bandeja de un camarero que pasaba por allí, lo moja en la salsa de mostaza y se lo mete en la boca—. Mmm, buenísimo. Tengo que hacer que mi ayudante averigüe qué son estas cositas. Quizá podamos hacernos con unas cuantas para el avión.

Tom y yo intercambiamos una mirada cómplice y empezamos a reír.

—Cerdo-en-una-manta, señor Multimillonario —dice Tom—. Los conoces como *petit boeuf en croûte*.

—No me eches a perder la noche —dice Eric con una sonrisa—. Te he encontrado una nueva novia, ¿verdad?

Estoy confusa. Me pregunto si Eric encontrará novias regularmente para Tom, que lleva anillo de boda.

—Aún no es mi novia. Y de todas maneras fui yo el que la encontró. No muy limpia, pero con potencial —dice Tom, dirigiéndome una sonrisa.

—Y desde entonces no has dejado de hablar de ella. Pensar que la tomé por una buena juez del carácter cuando me dijo que no quería volar conmigo a las Bermudas. ¿O era a Londres? —Eric sacude la cabeza fingiendo desesperación—. Esperaba algo más de respaldo por parte de mi mejor amigo.

Ahora sí que me siento decididamente incómoda. Pienso que debería hacer un aparte con Eric y preguntarle qué clase de juego se traen entre manos él y Tom. Pero, como de costumbre, Hamilton reaparece, molesto como un mosquito al que nunca consigues llegar a ahuyentar del todo.

—Señor Richmond, el presidente está al teléfono —dice Hamilton dándose importancia.

Eric parece haber crecido unos centímetros mientras se va.

—No te sientas demasiado impresionada —dice Tom—. Probablemente sólo es el presidente del club de campo de Eric que quiere quedar con él para jugar al golf.

—O el presidente de Moldavia —sugiero—. Quiere que Eric lo ayude a lograr que su país figure en el mapa.

Reímos de nuevo. Me da igual lo que tuviera pensado Eric. Decido que no estoy dispuesta a cogerle aprecio a este hombre.

Tom me pone la mano en el codo.

—Todo esto es muy divertido, pero ¿te apetece salir un rato? ¿Dar un paseo y tomar un poco el aire?

Titubeo. Quizás estoy siendo demasiado gazmoña. Tampoco hay ninguna necesidad de que Tom esté soltero para que yo lo acompañe a dar un paseo. Por otra parte, siempre está el problema de adónde puede acabar llevando ese paseo.

—Oye, soy abogada. Me gusta que las cosas queden bien claras desde el primer momento. ¿Significa algo ese anillo?

Tom mira la lisa banda dorada que luce en el dedo y la hace girar como si acabara de darse cuenta de que la lleva.

—Sí, significa mucho. Pero si lo que me estás preguntando es si estoy casado, la respuesta es que ya no. Soy viudo.

De pronto me siento avergonzada por haberle hablado sin pelos en la lengua.

—No sabes cómo lo siento —farfullo, disculpándome tanto por mi pregunta como por su pérdida en la misma parca frase.

—Gracias. No ha sido fácil. Eric se ha portado muy bien conmigo. Siempre encuentra tiempo para que vayamos a pescar y no para de llamarme. Me acosa, podría decir —añade con una sonrisita.

—¿Perdiste a tu esposa recientemente?

—Hace cinco años. Fue entonces cuando me mudé al campo para concentrarme en educar a nuestros hijos, alejándonos de la ciudad y de todos los recuerdos.

—¿Cómo lo llevan los chicos?

—Asombrosamente bien. Son felices y me encanta estar con ellos. Por desgracia, crecen. Mi segundo hijo ha entrado en la universidad este año.

—Mi hija también —digo.

—Un gran cambio, ¿verdad? No puedo dedicar todos los fines de semana a asistir a los partidos de fútbol y los certámenes de natación. Supongo que ya va siendo hora de regresar al mundo real.

—Si llamas mundo real a salir con alguien —río.

—No creas que se me da muy bien. Ahora, por ejemplo, estoy aquí con una mujer hermosa, y lo único que se me ha ocurrido ofrecerle ha sido que saliéramos fuera a tomar el aire.

—Bueno, ya me has dado quince dólares —digo, pensando en el taxista.

—Tú eres abogada. Quince dólares sólo me dan derecho a un minuto y medio de tu tiempo.

—Entonces tratemos de aprovecharlos al máximo —digo.

Cuando salimos fuera, me entra un estremecimiento y Tom se quita el esmoquin y me lo echa sobre los hombros. Ha vuelto a rescatarme; lo que, como observó Bellini, es muy agradable.

Paseamos a lo largo del muelle, hablando animadamente de nuestros hijos mientras caminamos. En cuestión de minutos, me entero de que Tom está especializado en medicina interna y ha pasado los últimos años atendiendo una pequeña consulta como médico rural. Ahora está pensando en venirse a vivir a la ciudad y aceptar un puesto de profesor en el Centro Médico Columbia.

—Por fin siento que estoy listo para volver a empezar —dice.

—Es curioso. Se supone que son nuestros hijos los que tienen toda la vida por delante, pero yo me siento lista para cualquier cosa.

—Yo también. Es bueno sentirse así —dice Tom, haciéndome subir unos escalones.

Entramos, pero no he estado prestando atención, y en vez de volver a la fiesta, parece como si estuviéramos en alguna otra parte de los Muelles de Chelsea.

—¿Te gusta jugar a los bolos? —pregunta Tom con una sonrisa traviesa.

—No lo he intentado desde que tenía doce años —digo, preguntándome cómo quedará mi vestido de ocho mil dólares con el calzado de jugar a los bolos.

Unos minutos después, lo descubro.

—Ese calzado verde y dorado te favorece muchísimo —dice Tom con una sonrisa cuando me planto ante él luciendo las zapatillas deportivas del número cuarenta que acabo de alquilar. Me siento tan a gusto sin tacones que me da igual lo que lleve en los pies.

—Esta manera actual de jugar a los bolos es muy distinta a la que yo recordaba —digo, mientras paseo la mirada por la bolera, que más parece una discoteca que un centro deportivo. Tienen puesta música rap y una máquina de niebla exhala nubes atmosféricas hechas de hilachas de humo. En lugar de fluorescentes que te hagan parecer un adefesio, esta bolera dispone de luces negras y pins pintados con aerosol.

Tom me trae la bola y voy a la línea de lanzamiento, donde intento imitar la clásica postura con una sola mano. Pero la bola es excesivamente pesada y mi vestido demasiado ceñido para las maniobras vistosas. Así que agarrando los siete kilos de sólida cerámica con ambas manos, me agacho, los dejo caer sobre la pista y les doy un pequeño empujón. La bola rueda lentamente por el centro de la lisa superficie.

—¡Pleno! —anuncia Tom con deleite, mientras caen todos los bolos y el marcador electrónico empieza a parpadear.

—La suerte del principiante —digo, mientras voy hacia él sonriendo orgullosamente.

Cuando le toca el turno a Tom, lanza la bola con mucho estilo y ésta inicia un prometedor recorrido por el centro, pero luego se escora precariamente hacia uno de los lados y termina perdiéndose por la tronera. Sólo derriba un bolo. El segundo intento produce el mismo resultado.

—No ha sido culpa tuya. Es difícil jugar a los bolos llevando pajarita —le digo con ánimo cuando viene hacia mí.

—No seáis tan condescendiente conmigo, oh, hermosa dama vestida para ir a bailar que acaba de hacer un pleno.

—Un pleno —digo yo con un encogimiento de hombros—. Nadie quiere hacer un pleno de personales en un partido de baloncesto. Nadie del bufete quiere hacer un pleno porque siempre acabamos tirándonos los trastos a la cabeza. ¿Quién decidió que lo mejor que te puede pasar cuando has ido a jugar a los bolos es hacer un pleno?

—Ni idea. Quizá la misma persona que decidió que lo mejor que te puede pasar en la vida es sacar el pleno de la quiniela.

En el siguiente intento, la suerte decide cambiar de lado. Tom se las arregla para hacer un semipleno, pero yo sólo consigo ver cómo mis dos bolas se pierden por la tronera.

—Supongo que soy del tipo «todo o nada» —digo, mirando mi puntuación en el tablero electrónico que cuelga del techo.

—Decididamente te mereces tenerlo todo —dice Tom al tiempo que me rodea con el brazo.

—Lo intento —digo, y luego, decidida a ir a por todas, me inclino sobre él y le doy un beso.

Tom parece encantado.

—Si te gusta una mujer, llévala a jugar a los bolos. Eso es lo que le voy a enseñar a mi hijo —dice, dirigiéndome su sonrisa con hoyuelos.

—No es el consejo habitual, pero a mí me funciona —admito.

Nos miramos el uno al otro, preguntándonos qué sucederá a continuación. Y, naturalmente, sucede algo. El móvil de Tom empieza a sonar. Mira el número.

—Me pregunto qué puede querer Hamilton —dice mientras responde a la llamada. Escucha por un momento sin decir nada y luego cierra el móvil y me coge de la mano—. Hamilton se encuentra al borde del pánico. Emergencia. Necesitan un médico. Eric se ha atragantado con algo.

—Probablemente con un perrito caliente —digo, pensando que probablemente lo único que sabe masticar Eric es el caviar.

Salimos a toda prisa de la bolera y ya estamos a mitad de camino del lugar donde se celebra la fiesta cuando me doy cuenta de que no me está costando nada correr.

—Aún llevo el calzado de los bolos —digo sorprendida.

—Ostras, tienes razón —dice Tom, que también lleva el mismo tipo de calzado. Lo mira un instante—. Tendremos que cambiárnoslos después. Ahora no tenemos tiempo de hacerlo.

Cogidos de la mano, volvemos corriendo al Muelle 60 en lo que debe de ser un tiempo récord. Cuando llegamos allí, Eric está tumbado en el suelo, con una pequeña multitud congregada a su alrededor y una mujer muy guapa prácticamente tumbada encima de él. Bellini.

Tom va corriendo hacia ellos y se arrodilla al lado de su mejor amigo Eric, que tiene los ojos muy abiertos. Parece encontrarse perfectamente y se lo ve muy feliz. Yo me arrodillo al lado de mi mejor amiga, a la que se ve aún más feliz.

—Está todo controlado —dice Bellini mientras levanta la mirada desde su posición inclinada sobre Eric. Luego se vuelve hacia su paciente y le aprieta los labios con los suyos, se pone de lado, aprieta, se vuelve hacia él y aprieta.

—¿Qué estás haciendo? —pregunta el doctor Tom.

—Eric se había atragantado con algo y no podía respirar, así que primero le hice la maniobra Heimlich —explica Bellini sin inmutarse—. Y en cuanto se hubo recuperado, lo acosté en el suelo para resucitarlo con un poco de boca a boca.

—Te felicito por lo de la maniobra Heimlich, pero no estoy seguro de que necesites hacerle el boca a boca —dice Tom mientras la aparta suavemente.

Eric se sienta con una sonrisa y extiende la mano hacia Bellini, su nueva doctora.

—Desde luego que tiene que hacérmelo. No me había sentido mejor en la vida.

Tom se ríe y todos nos ponemos en pie.

—Venga, Eric, concédeme cinco minutos para que te someta a un pequeño examen. Después tú y Bellini podréis volver a jugar a los médicos.

Los dos hombres se alejan y Bellini y yo los seguimos con la mirada.

—Más vale que te andes con cuidado. Eric puede ser un auténtico coñazo —digo cariñosamente—. Es exigente y egocéntrico.

—También es guapo y rico, y besa muy bien.

—Cierto, pero es arrogante.

—Osadamente seguro de sí mismo —contraataca Bellini.

—Nunca está disponible.

—No es la clase de hombre que te pone de los nervios porque siempre lo tienes pegado a ti.

Me río.

—Tú ganas. Estáis hechos el uno para el otro.

Bellini me abraza.

—¿No te molesta que me lleve a tu antiguo novio?

—Claro que no. Me siento preparada para probar suerte con uno nuevo.

Levanto la vista y veo a Tom Shepard, tierno, siempre dispuesto a ayudar y sexy, viniendo hacia mí. Va con la cabeza baja, y veo que se quita el anillo de boda, lo sostiene en la palma por un momento y luego se lo guarda discretamente en el bolsillo.

—¿Hay algo de lo que todavía debas arrepentirte acerca de todos esos hombres con los que no te casaste? —me pregunta Bellini sin apartar la mirada de Eric, que está viniendo hacia nosotras.

Niego con la cabeza.

—Por fin he comprendido que no puedes regresar. Lo único que puedes hacer es seguir adelante.

Tom se detiene junto a mí. Pienso por un momento en lo bien que lo hemos pasado esta noche y en todo lo que todavía nos queda por descubrir el uno acerca del otro.

Tom me ofrece la mano.

—¿Puedes concederme el primer baile? —pregunta.

—Claro —digo. Sonrío para mis adentros, porque ahora sé que si te dejas llevar, realmente aprendes del pasado. Hace unos meses, hubiese titubeado y al final habría recurrido a la vieja excusa de que tengo dos pies izquierdos. Pero ahora me limito a añadir—: Aunque antes tal vez deberíamos ir a recuperar nuestros zapatos de verdad.

—Ni hablar —dice Bellini, muy en su papel de árbitro de lo que se lleva, mientras Eric la coge de la mano—. Vestidos de fiesta y calzado de jugar a los bolos. Me encanta. Podríais estar iniciando toda una nueva moda.

Reímos y me deslizo en los brazos de Tom para girar a través de la pista de baile. ¿Una nueva moda? Probablemente no. Pero con un poco de suerte, iniciaremos algo que durará un poco más.